STOELENDANS

Julia van Zitteren

Pharos uitgevers

Colofon

CIP-gegevens Koninklijke Bibliotheek Den Haag
Zitteren, Julia van
Stoelendans / Julia van Zitteren – Beilen: Pharos uitgevers
ISBN 978-90-79399-24-6
NUR 301
Trefw.: Literaire roman, novelle

Eerste druk: december 2010
©2010 Pharos uitgevers
Redactie: Marianne Aarts en Jaco M.M. Jonker
Vormgeving: Vocking in Vorm, Nieuwegein
Druk: Ten Brink, Meppel
Bindwerk: Stronkhorst Van der Esch Embé, Groningen

Voor Suzanna,
met dank voor de inspiratie

1980

Hoofdstuk 1

'Neemt u, Astrid Geertruida Tuinman, Jeroen Jacobus van Gelder tot uw echtgenoot en belooft u hem trouw te zijn in voor- en tegenspoed?' klonk de stem van de ambtenaar van de burgerlijke stand. 'Wat is daarop uw antwoord?'

Een laatste ontsnappingskans voordat de val dicht zou slaan. Ze was in paniek. Het bloed steeg naar haar hoofd en haar hart bonkte in haar oren. Ze had het gevoel dat ze flauw zou vallen.

'Nee, dat wil ik niet!' riep ze uit en achter zich hoorde ze het ontstelde geroezemoes van de aanwezigen. Ze rukte zich los van Jeroen, nam haar rokken op en rende weg. Weg van de ambtenaar en weg van Jeroen.

Opeens was ze in een kerk. Ze rende over het middenpad en zag in een flits de ontzette verbijstering op de gezichten van de gasten.

Buiten had haar moeder de auto al voorgereden en hield gebukt over de passagiersstoel het portier voor haar open.

'Kom Astrid, schiet op!'

Met het zweet op haar voorhoofd schoot ze overeind. Het duurde even voordat ze zich met een nog steeds wildkloppend hart realiseerde waar ze was. Haar blik viel op de trouwjurk die aan de kast hing en met een bevende zucht kwam ze bij haar positieven.

'Mijn trouwdag,' dacht ze. Ze was vast niet de enige bruid die vlak voor de trouwdag zenuwachtig en onzeker werd. Het traditionele moeder dochter gesprek van de vorige avond had daar trouwens ook geen goed aan gedaan. Haar moeder had voor de zoveelste keer gevraagd of ze het nu wel echt zeker wist en of het allemaal niet te overhaast was. Alsof je daar nog wat mee kon op de avond voor je huwelijk. Bij haar weten kwam het alleen in films voor dat mensen zich op de dag zelf nog bedachten. En in dromen natuurlijk.

Ze twijfelde niet aan haar gevoelens voor Jeroen, maar ze vroeg zich wel af of ze niet te snel gehandeld had, al zou ze dat aan niemand durven bekennen.

De laatste week werd ze zo nu en dan bevangen door twijfel of het met Jeroen samen wel zou lukken. Ze maakte zich zorgen over zijn roekeloze gedrag en de manier waarop hij, in haar ogen, onverantwoordelijk met geld omging. Toen ze hem net kende, had ze dat juist een charmante eigenschap gevonden. Hij was royaal en verwende haar met cadeautjes en etentjes. Dat was een verademing na haar vorige vriend die heel knieperig was, maar als Jeroens geld op was leefde hij even makkelijk op andermans kosten. Astrid had wel in de gaten dat de bodem van zijn portemonnee iedere maand erg snel in zicht was. Ze hadden er nu soms al ruzie over en daar werd Astrid erg nerveus van. Zelf was ze niet gewend meer geld uit te geven dan ze had en lenen deed ze alleen bij hoge uitzondering als ze haar geld per ongeluk thuis had laten liggen of zo.

Jeroen vond haar hierin erg krampachtig. Misschien was ze dat ook wel een beetje. Ze had van haar moeder geleerd nooit verder te springen dan haar polsstok lang was en ze was opgevoed met een groot verantwoordelijkheidsbesef ten aanzien van geld.

Astrid probeerde de droom met optimistische gedachten van zich af te duwen.

'Geen leven zonder risico's,' zei ze hardop terwijl ze uit bed kwam. 'Dromen zijn bedrog en zo weet ik er nog wel een paar.' Ze rekte zich uit voor de spiegel en keek ondanks het feit dat ze absoluut niet voldeed aan de Twiggylook die momenteel in de mode was, tevreden naar zichzelf. Ze was lang, bijna een meter tachtig met brede schouders en heupen en een slanke taille, ze had lange slanke armen en benen. Ze was weelderig zonder dik te zijn, een figuur waar menigeen naar omkeek. Astrid had kastanjebruin haar dat in een dikke bos krullen tot over haar schouders viel. Ze tilde het haar op en draaide het handig in een knot op haar hoofd zodat ze het droog kon houden tijdens het douchen. Ze kwam met haar hoofd wat dichter bij de spiegel om een kleine oneffenheid op haar kin te bestuderen. Met een zakdoekje probeerde ze het minuscule pukkeltje uit te knijpen, maar toen het bij de eerste poging niet lukte gaf ze het op uit angst het erger te maken dan het was. Het zat precies naast het dunne litteken dat liep van het kuiltje in haar rechter wang naar haar kin. Het litteken was een overblijfsel van een ongeluk toen ze een jaar of acht was. Het was nauwelijks ontsierend, eerder charmant door de aandacht dat het vestigde op het kuiltje in haar wang.

Verderop in huis hoorde ze haar moeder Evelyn iets tegen Willem zeggen. Toen ze zijn zware stem hoorde antwoorden trok er even een wolk over haar gezicht. Ze zag in de spiegel haar ogen verharden en haar mondhoeken naar beneden trekken.

'Phoe, je bent niet mooi als je zo chagrijnig kijkt,' zei Astrid tegen haar spiegelbeeld en ze verdween in de badkamer. Even later stond ze onder de douche. 'Ding, dong, ding, ding, dong… morgen ben ik de bruid… morgen ben ik de bruid!' galmde ze met enorme uithalen.

Jeroen zat op de rand van zijn bed en woelde met zijn handen door z'n haar. Vreugde en zorgen wisselden elkaar af in zijn gedachten. Vreugde omdat hij met Astrid ging trouwen vandaag, zorgen om geld. Normaal kon hij zich om geld niet zo druk maken. Als je het had, liet je het rollen en als je het niet had, leende je even tot je weer wel wat had.

Hij keek om zich heen. Dit eenkamerappartement zou hij vanaf vandaag delen met Astrid. Voor een groot gedeelte hing haar kleding al in de kasten. Wat ze niet kwijt konden stond in dozen in de berging. De kamer was heel ruim, het was een L-vorm met de keuken in de korte poot. De slaapbank was uit te klappen tot een tweepersoonsbed en verder was er een ruime hal, een badkamer met douche en toilet. 'We zullen het er best redden,' dacht Jeroen.

Hij hoopte maar dat Astrid aangenomen zou worden bij de bank waar ze gesolliciteerd had. Een extra salaris was welkom want hij liep hopeloos achter met zijn huur en de energierekening. Met Astrid erbij zou het allemaal wel goed komen. 'Als zij bij me is heb ik vast niet meer zo'n behoefte aan uitgaan en dan geef ik vanzelf minder uit,' dacht hij. Maar nu was hij totaal blut. Gisteren had hij met zijn laatste tientje nog een gokje gewaagd. Hij had echt gedacht dat het geluk hem toelachte toen de fruitautomaat er bij de derde gulden die hij erin gooide rinkelend achtendertig uitkeerde.

Op dat moment had hij natuurlijk meteen op moeten houden in plaats van alles weer te verspelen.

'Komt allemaal wel in orde,' dacht hij optimistisch. 'Bij de cadeaus zitten vandaag vast een heleboel enveloppen met geld en daarmee halen we dan het eind van de maand wel weer.'

Hij moest Astrid er dan wel van overtuigen dat het geld aan huishouden mocht worden besteed want hij wist dat zij er andere plannen mee had.

Eerst maar eens even met Thomas bellen om te vragen of die hem nog een keer kon helpen. Thomas Kwist, zijn beste vriend, zou ook een van de getuigen zijn later op de dag en hij had hem wel vaker geholpen. Nu was het echt nijpend want hij had niet eens geld om het bruidsboeket af te rekenen dat hij dadelijk moest ophalen. Bovendien dreigde de energie-maatschappij met afsluiting, dus daar moest hij ook dringend wat aan doen anders stonden ze morgen onder een koude douche en dat zou een pril huwelijk geen goed doen.

Jeroen rekte zich uit, stond op en liep naar de telefoon die aan de andere kant van de kamer op een bijzettafeltje stond. Hij liet zich in de stoel ernaast vallen en nam de hoorn van de haak.

Geen kiestoon. Met de berusting van iemand die dit wel vaker is overkomen, legde hij de hoorn weer terug op de haak. Hij pakte zijn broek van de stoel en zocht zijn zakken na op dubbeltjes voor de telefooncel en terwijl hij even later naar de badkamer liep berekende hij hoeveel hij dit keer ongeveer nodig had om uit de zorgen te komen.

Evelyn werd naast Willem wakker en wurmde zich voorzichtig om hem niet te storen, onder zijn arm uit. Ze keek vertederd naar hem. Wat had hij toch een prachtige kop, als een Grieks beeld met een neus die wat aan de grote kant was en een

11

mond met mooi getekende lippen. 'Om te zoenen,' dacht ze. Nu hij ontspannen op z'n rug lag, werden zijn rimpels door de milde hand van de zwaartekracht weggestreken. Ze keek graag naar hem en was nu, twee jaar nadat ze elkaar hadden leren kennen, nog steeds iedere dag blij met zijn aanwezigheid in haar leven. Helaas dacht Astrid daar anders over. Dat deed haar pijn. Desondanks was ze blij dat ze nu eindelijk de knoop hadden doorgehakt en besloten hadden te gaan samenwonen. Ze keken uit naar een koophuis.

Vandaag ging haar enige kind trouwen. Het zou een vreugdevolle dag moeten zijn en misschien werd het dat ook wel als ze die twijfel maar van zich af kon zetten. Het was niet zo dat ze haar aanstaande schoonzoon niet mocht, ze vond haar dochter met twintig jaar simpelweg te jong en ze had het gevoel dat ze trouwde om de verkeerde redenen. Dat haar relatie met Willem er een van was zat haar dwars.

Ze had Jeroen nog maar een keer of drie gezien, toen Astrid haar verraste met de mededeling dat zij op 15 maart in ondertrouw zouden gaan. Een knappe jongen was Jeroen, een stuk groter dan Astrid met brede schouders en donkerblond krullend haar. De zware, donkere wenkbrauwen boven die lichtblauwe ogen gaven iets aparts aan zijn gezicht. Onder zijn neus die fors was prijkte een zwarte snor die bijna zijn bovenlip bedekte. De onderlip was vol en zijn kin vierkant. Zittend leek hij door de massieve schouders een stevige man, maar staand maakte hij door zijn lengte eerder een slungelige indruk.

Al kon Evelyn zich best voorstellen dat Astrid verliefd op hem was geworden, toch was ze geshockeerd geweest bij die aankondiging en hadden ze er flink over geargumenteerd.

'Alsof jij het allemaal zo geweldig hebt gedaan. Ongehuwde moeder worden dat is lekker slim!'

'Tja,' dacht Evelyn, ongehuwde moeder was ze, maar wel een bewust ongehuwde moeder, lang voordat die term bestond. Ze had een jarenlange relatie gehad met een getrouwde man. Toen ze dertig was raakte ze zwanger, maakte het uit en kreeg Astrid.

Het enige wat ze na lang aandringen van haar ex-minnaar had geaccepteerd was een jaarlijks bedrag van duizend gulden, dat altijd vlak voor Astrids verjaardag werd bijgeschreven op een bankrekening op Astrids naam.

Slim of niet, zij had er in ieder geval nooit spijt van gehad en ze had zich er destijds ook door niemand van laten weerhouden. Misschien moet ik Astrid ook haar eigen leven maar laten leiden en me er verder niet meer mee bemoeien. 'Ik hoop alleen niet dat m'n kind door al te veel schade en schande wijs moet worden,' dacht ze zorgelijk.

'Kom op Evelyn,' sprak ze zich zelf toe, 'Het kind trouwt vandaag dus we maken er een mooie dag van.' Ze glimlachte toen ze Astrid in de badkamer hoorde blèren en liep naar de keuken om koffie te zetten.

Thomas draaide net de kraan van de douche dicht toen hij de telefoon hoorde overgaan. 'Een goede haan kraait twee keer,' mompelde hij terwijl hij ongehaast de cabine uitstapte en de handdoek van de radiator pakte. Hij droogde zich af terwijl hij het aantal belsignalen telde. Hij kwam tot elf toen het gerinkel halverwege een belsignaal ophield en na dertig seconden schril opnieuw begon.

'Iemand heeft me dringend nodig.' Thomas bond de handdoek om zijn middel en liep naar de kamer om de telefoon aan te nemen. 'Hé hallo, bijna getrouwde man!' riep hij joviaal zodra hij hoorde wie hem belde. Zijn toon werd serieuzer toen hij vernam wat Jeroen van hem wilde.

'Ja, ja, nee, dat begrijp ik, dat kun je haar niet aandoen. Maar man, het is wel de zoveelste keer, wat doe je toch allemaal en waarom laat je het telkens zover komen?'

'Het is maar goed dat je nu bij Astrid onder curatele komt. Geef me het bedrag maar van de telefoonrekening en de energierekening met de gironummers waar het heen moet. Ik moet toch nog naar het postkantoor, dan maak ik dat meteen in orde. Ik kom je om half een ophalen. Dan halen we samen het bruidsboeket en dan geef ik je de rest wel, ok?'

Toen Thomas het gesprek had beëindigd bleef hij even peinzend zitten. Hij maakte zich zorgen om zijn beste vriend.

Vandaag zou hij voor Jeroen getuige zijn bij zijn huwelijk met Astrid, die hij ook heel graag mocht.

Jeroen was in zijn ogen de laatste tijd wel heel erg achteloos met geld. Ze werkten allebei bij de gemeente Den Haag, Jeroen bij de afdeling Voorlichting en Thomas bij Volkshuisvesting. Ze verdienden daar een zeer redelijk salaris, zeker voor hun leeftijd. Ze waren beiden drieëntwintig jaar en de studie die ze volgden werd door hun werkgever betaald. Hij kon niet goed doorgronden waar Jeroen nou zoveel geld mee kwijt was dat hij bijna steeds voor het eind van de maand blut was.

Hoewel Thomas rijk was sinds zijn ouders twee jaar geleden bij een verkeersongeluk waren omgekomen en hij enige erfgenaam was, kwam hij niet aan het hem nagelaten kapitaal en leefde hij gewoon zoals hij gewend was van zijn salaris. Wel was hij verhuisd naar het appartement op de Laan van Meerdervoort waar zijn ouders hadden gewoond. Het lag zich op de eerste verdieping. Het appartement op de begane grond was ook deel van de erfenis, maar was verhuurd en dat had hij vooralsnog zo gelaten. Het werd bewoond door een weduwe van een jaar of zeventig. Thomas wilde het, als het ooit vrij kwam bij zijn huidige woning trekken en het dan verbouwen tot één huis.

Hij keek op de klok en kwam overeind. Hij moest zich nog haasten als hij eerst nog naar de bank en het postkantoor moest om de vriendendienst te bewijzen.

'Je bent een bovenste beste, best man, ' had Jeroen gezegd. Dat kon wel zo zijn, maar ze moesten toch maar eens praten, nam Thomas zich voor.

Hoofdstuk 2

Loom lagen Astrid en Jeroen na hun eerste vrijpartij als man en vrouw tegen elkaar aan.

Astrid had haar ogen dicht en een blos op haar wangen. Jeroen leunde op een elleboog en liet zijn hand strelend over haar ontblote bovenlichaam gaan terwijl hij naar haar keek.

'Wat is ze mooi,' dacht hij.

'Hou op.' Astrid stopte Jeroens hand die zachtjes haar tepel streelde. 'Je windt me teveel op en dat kan jij na drie keer niet meer waarmaken, vrouwen hebben wat dat aangaat een langere adem,' zei ze plagend terwijl haar hand zijn penis omsloot.

'Hij doet het niet meer,' zei ze hem zachtjes heen een weer schuddend. Ze liet zich naar beneden glijden, bestudeerde zijn geslacht even en gaf er een kus op.

'Ik denk dat hij even moet slapen om op krachten te komen, denk je ook niet?'

'Hm,' mompelde Jeroen instemmend.

'Ik spring even onder de douche en zullen we dan even alles uitpakken en opruimen?' vroeg Astrid.

'Hm,' klonk het wederom en terwijl Astrid de kamer uitliep trok Jeroen het dekbed over zich heen en op zijn rug liggend met zijn rechter pols ontspannen voor zijn ogen, nam hij in gedachten tevreden de afgelopen dag door.

De trouwdag was goed verlopen. Na de trouwceremonie op het gemeentehuis hadden ze hun receptie in Hotel des Indes gehad en er daarna met de naaste familie en de getuigen gedineerd.

Om negen uur waren Jeroen en Astrid er na iedereen met een laatste toast te hebben bedankt tussenuit geknepen. Thomas had samen met Willem de auto volgeladen met de cadeaus, de bloemen en de planten. Niet alles kon erin maar Willem had beloofd dat hij en Evelyn voor de rest zouden zorgen.

Bij thuiskomst hadden ze alles in de kamer op de vloer gezet en waren ze zonder zich er verder om te bekommeren het bed in gedoken. Astrids trouwjurk lag als een berg opgespoten sneeuw op de zwarte vloerbedekking. Verder gaf een spoor van kledingstukken de route naar het bed aan.

Thomas had hem weer fantastisch uit de brand geholpen, een vriend uit duizenden. Een kleine dissonant was dat Thomas hem er aan herinnerde dat hij met dit laatste bedrag erbij, nu al voor vijftienhonderd gulden in het krijt stond.

'Dit is misschien niet het juiste moment,' had zijn vriend gezegd, 'maar ik wil hier toch volgende week een keer met je over praten.' Jeroen drukte de zorg over geld weg uit zijn gedachten.

'Ach,' dacht hij optimistisch, 'met twee salarissen zou het wel in orde komen. Zijn blik viel op de stapel enveloppen. De inhoud ervan zou vast wel wat lucht geven.

Zittend op de rand van het bed trok hij zijn trainingsbroek aan.

In de douche veegde Astrid met de handdoek de condens van de spiegel.

'Hallo mevrouw van Gelder,' zei ze tegen zichzelf. 'Tjee, ik ben twintig en al een mevrouw, wat gek is dat. Ik zie er nog helemaal niet uit als een getrouwde vrouw.'

De dag was als in een roes aan haar voorbij gegaan. Oorspronkelijk waren ze niet van plan geweest er veel aan te doen. Ze wilden gewoon met eigen vervoer naar het stadhuis gaan, trouwen en voor de rest geen flauwekul.

Evelyn was het daar niet mee eens geweest. Ze had erop gestaan dat er kaarten werden gestuurd en dat er op zijn minst een receptie werd gegeven. Als het om de kosten ging dan nam zij die graag voor haar rekening. 'En,' had ze gezegd, 'ik laat me de kans niet ontnemen om met mijn enige dochter een trouwjapon uit te zoeken.'

Astrid had eerst tegengestribbeld, maar al vlug kreeg ze de smaak te pakken en samen met Evelyn had ze veel plezier gehad bij het zoeken naar een geschikte outfit.

Zo was het toch nog een echte trouwerij geworden, compleet met receptie en diner. Ze had er geen spijt van, in tegendeel, ze had er buitengewoon van genoten.

16

Met alleen een handdoek om haar heupen liep ze de kamer in om in de kast op zoek te gaan naar iets om aan te trekken. Jeroen zat in een trainingsbroek midden in de kamer op de grond met een stapeltje enveloppen naast zich.

'Hé, even wachten tot ik klaar ben. Dat doen we samen!' riep Astrid Jeroen toe terwijl ze een knielang T-shirt over haar hoofd aantrok.

'Oh, ik dacht, ik maak ze alvast open, dan kunnen we zo samen het geld tellen.'

'Wacht nou even, we moeten ook opschrijven wat we van wie hebben gekregen voor de bedankjes.'

Met een notitieblok en een pen kwam Astrid naast hem op de grond zitten.

'Ok, jij maakt open en ik schrijf.'

Na een half uur hadden ze zevenhonderdvijftig gulden, twee citruspersen, vier peper en zoutstelletjes, zes vazen, een theelichtje, tien handdoeken, tien theedoeken, een gevulde boodschappenmand en nog acht cadeaubonnen te besteden bij een warenhuis in huishoudelijke artikelen. Ze sjouwden met de planten heen en weer tot ze het eens waren over de juiste plek en voor de bloemen werden de vazen meteen in gebruik genomen.

'Het geld zal ik morgen meteen storten op onze gezamenlijke rekening,' zei Astrid.

'Geef mij er vijftig Astrid, want ik ben hartstikke blut.'

'Nu al? Het is pas de veertiende vandaag.'

'Het was een dure maand, de telefoonrekening moest worden betaald loog hij en mijn auto moest nieuwe voorbanden.' Jeroen pakte de telefoon van de haak en luisterde of hij het weer deed.

'Nou ja,' zei Astrid een beetje wrevelig. 'Ik haal van onze rekening geld voor de boodschappen en we hebben afgesproken dat we ieder honderdvijftig gulden per maand storten voor ons onderhoud. Jij betaalt van jouw rekening de huur en telefoon en ik van de mijne gas en licht en de verzekeringen. Ik heb al aan het begin van de maand het geld gestort en jij nog niet en toch ben je al blut?'

'Ik kom wel meteen goed onder de plak te zitten,' grapte

Jeroen terwijl hij haar speels omduwde en zich over haar heen liet vallen. Hij hield haar handen naast haar hoofd in de zijne gevangen en overlaadde haar met kleine kusjes.

'Ik leg bij deze de oprechte gelofte van zuinigheid af.'

'Dat is je geraden ook,' zei Astrid terwijl ze zich lachend ontspande.

'Hij doet het weer,' fluisterde Jeroen in haar oor.

'Grootspraak,' giechelde Astrid.

'Eerst zien, dan geloven.' Ze wurmde zich onder hem uit, tilde het elastiek van zijn trainingsbroek op en tuurde er nieuwsgierig in.

'Oh, kijk Jeroen kijk! Hij is weer wakker geworden, wat is ie groot, hij ziet er heel overmoedig en ondernemend uit,' zei ze terwijl ze bewonderend wees.

'Mond dicht, praatjesmaker,' zei hij

Hij kuste haar liefdevol en bewees dat het geen grootspraak was.

De volgende morgen stonden Willem en Evelyn om half twaalf voor de deur met een volle auto bloemstukken, planten en andere presentjes.

Evelyn omhelsde haar dochter en toen Willem haar ook wilde kussen verstarde Astrid.

'Hallo kinderen,' baste Willem, Astrids afwijzing negerend. Hij vroeg zich voor de zoveelste keer af waar hij Astrids afkeer van hem aan te danken had. Ze was zeventien geweest toen hij met Evelyn uit begon te gaan. Hij had haar ontmoet in het ziekenhuis waar zij als verpleegkundige werkzaam was. In de nachten dat hij aan het bed van zijn stervende moeder zat, was de aantrekkelijke en zorgzame Evelyn hem meteen opgevallen. Tegen de ochtend van de derde dag die hij bij zijn moeder waakte, was het afgelopen. Terwijl hij zijn moeders spullen verzamelde en de kast in het ziekenhuis uitruimde waren ze in gesprek geraakt. Evelyns dienst zat erop en ze waren samen in een naburige gelegenheid gaan ontbijten.

Daarna waren ze nooit meer een dag zonder elkaar geweest.

Vanaf het begin had Astrid zich verzet tegen zijn aanwezigheid. Volgens Evelyn was het jaloezie die wel over zou gaan. Een keer had hij geprobeerd er met haar over te praten maar dat resulteerde in een heftige reactie van Astrid.

'Oh, als ik niet gezellig genoeg ben voor jullie dan rot ik toch helemaal op!' had ze gezegd.

Ze had de deur van haar kamer met een klap dichtgeslagen en was even later met een rugzak weer tevoorschijn gekomen om zonder hem nog een woord of blik waardig te keuren te verdwijnen naar een vriendin.

Evelyn had de afgelopen twee jaar wel honderd keer met Astrid gepraat want het ging haar aan het hart dat de twee mensen waar ze het meest om gaf niet normaal met elkaar omgingen.

Veel veranderde dat niet en het leek wel een prestige-kwestie van Astrid om maar vooral niet toe te geven dat Willem toch wel in orde was.

Willem hijgde toen hij voor de derde keer de trap op kwam, dit keer met een grote ficus.

'Zo dat was het,' zei hij en hij zette de plant in de hoek van de hal.

'Ook koffie, schat,' vroeg Evelyn hem met de koffiekan in de aanslag.

'Lekker!' Willem ging zitten en haalde een stapeltje post uit z'n binnenzak. Hij overhandigde het aan Jeroen die het meteen gretig doorbladerde.

'Hier, een brief van de bank voor jou, antwoord op je sollicitatie, denk ik.'

Astrid ritste de brief ongeduldig open, haar ogen flitsten langs de regels.

'Jippie, ik ben aangenomen! Per 1 juni begin ik en ik krijg eerst twee weken opleiding. Ik word aangenomen in de functie van *balie medewerkster 3^e klas* met een aanvangsalaris van duizendtweeënveertig gulden. Zouden ze ook een 2^e en 1^e klas hebben?'

Opgetogen gaf ze de brief door aan Jeroen die haar feliciteerde met een kus.

'We worden nog eens rijk met z'n tweetjes, hier heb ik ook nog drie enveloppen met geld, schrijf jij meteen op je lijstje van wie, dan kunnen de enveloppen weg.'

'Tja, over rijk gesproken,' zei Evelyn, 'Ik heb een voorstel.' Ze pakte de hand van Willem die naast haar zat. 'Je gaat me toch niet vertellen dat jullie ook gaan trouwen hè?' zei Astrid.

'Nee,' glimlachte Evelyn, 'samenwonen is voor ons voldoende. Jullie weten dat we bezig zijn met een huis in Vianen. Het huis dat we op het oog hebben komt over een half jaar vrij. Nu had ik gedacht: als jullie nu eens het huis in de Malakkastraat kopen?'

'Dat kan toch niet, we hebben helemaal geen geld en die huizen gaan voor tussen de tachtigduizend en een ton.'

'Ach,' zei Evelyn, ik heb er niet meer zoveel hypotheek op en zou het aan jullie natuurlijk voor een zacht prijsje verkopen. En schatje, bovendien ben je rijker dan je denkt. Ik heb het er nooit over gehad, maar je vader maakte ieder jaar duizend gulden over die ik op een rekening voor jou heb gezet. Met die aanbetaling denk ik dat jullie wel een hypotheek rond krijgen voor het resterende bedrag. Bovendien ga je notabene bij een bank werken. Die hebben misschien voor hun werknemers wel extra gunstige voorwaarden.

Maar allereerst moeten jullie samen uitmaken of je er iets voor voelt.'

'Fantastisch, dan zijn we spekkopers!' riep Jeroen enthousiast uit.

Astrid zat verbluft voor zich uit te staren. 'Niet echt avontuurlijk om mijn ouderlijk huis te kopen, maar wel vertrouwd. We kunnen natuurlijk alles veranderen naar onze smaak.'

'Natuurlijk, als jullie het doen moeten jullie er echt je eigen huis van maken. Praat er samen over, denk er goed over na en dan hoor ik het wel. Voel je vooral niet verplicht. Ik stel het vooral voor om jullie op weg te helpen.'

'Ik hoef er niet over na te denken,'zei Jeroen.

'Astrid wel, die moet het even laten bezinken zo te zien,' zei Willem terwijl hij opstond.

'Laat ons maar weten wat je wilt,' zei Evelyn en ze nam met een kus afscheid van haar verbouwereerde dochter.

Hoofdstuk 3

Ongeduldig zat Thomas te wachten tot Marjo eindelijk eens klaar zou zijn.

'Schiet nou op, we worden om zeven uur verwacht en dat is het al.'

'Ja, ja, wat denk je, deze trui of een T-shirt en dit jasje?' Ze hield ze beurtelings voor haar strakke steenrode ribcord rok.

'De trui,' koos Thomas. 'Ben je nu bijna klaar?'

'Komt toch niet zo nauw? Astrid en Jeroen wachten heus wel en we gaan toch gourmetten dus verpieteren kan het eten niet.'

Marjo trok de trui aan en bekeek zichzelf keurend in de spiegel.

'Nee, met het jasje vind ik het toch leuker,' zei ze en trok zich weer terug in de slaapkamer om even later gewapend met haar toilettas weer tevoorschijn te komen.

Marjo ging op haar gemak aan tafel zitten en haalde de spiegel te voorschijn om haar make-up bij te werken.

Opjagen had geen zin besloot Thomas kriegel en hij keek toe hoe ze haar ogen opmaakte. Ze woonden nog niet zolang samen en Thomas moest, al was hij dol op haar Indische schoonheid erg wennen aan haar slordigheid en aan wat hij noemde, haar tropentempo. Marjo was het product van een Javaanse moeder en een Nederlandse vader. Haar huidskleur was blank, maar haar gitzwarte haar en de stand van haar ogen verraadden haar oosterse afkomst.

Thomas liep naar de telefoon en belde om te zeggen dat ze wat later kwamen.

'Kom op Mar, Jeroen klonk nu al verre van nuchter, laten we gaan.'

Thomas maakte zich zorgen om zijn vriend. Hij dronk de laatste tijd wel erg veel en meldde zich nog al eens ziek. Bovendien hield hij zich niet aan zijn afspraken en van het teruggeven van het geleende geld was het, buiten een keer een bedrag van honderd gulden, alleen bij beloften gebleven.

Hij wist niet goed wat hij er mee aan moest. Astrid wilde

hij er niet bij betrekken en nu ze op het punt stonden naar de Archipelbuurt te verhuizen had ze wel iets anders aan haar hoofd.

Erg gelukkig zag Astrid er niet uit en hij had haar onlangs nog huilend aangetroffen toen hij op ziekenbezoek bij Jeroen kwam. Die was niet thuis geweest en Astrid was in de veronderstelling dat hij op een of andere cursus zat. Toen hij haar vroeg wat er aan de hand was had Astrid zich er met een smoesje vanaf gemaakt.

'Ach niets aan de hand, mijn bioritme is een beetje in de war en dan vind ik mezelf behoorlijk zielig.'

Hij nam zich voor, snel een van man tot man gesprek met Jeroen te hebben.

Eindelijk stond Marjo op, ze verschikte nog iets aan haar haar dat in een pagekopje haar knappe gezicht omsloot als een helm, en liet zich door Thomas in haar jas helpen.

Buiten was het guur, de wind rukte de laatste bladeren van de bomen. Door een onstuimige windvlaag sloeg de door Thomas opgestoken paraplu meteen dubbel. Hij gooide hem terug in de gang en met gebogen hoofd staken ze hand in hand de straat over om snel in de auto te stappen.

Het was maar een ritje van tien minuten en ze konden gelukkig vlak bij de ingang van het appartement parkeren.

'Hè,hè,' schalde de stem van Astrid, 'zijn jullie daar eindelijk! Rotweer hè, kom er gauw in.'

Ze omhelsde haar bezoek en pakte de fles wijn aan van Thomas.

Jeroen gaf Marjo een kus en sloeg zijn vriend op de rug. 'Wat willen jullie drinken, ik zit aan de whisky.'

'Ja en al een hele poos,' zei Astrid. 'Laten we maar meteen aan tafel gaan.'

Jeroen maakte een fles wijn open en zette het gourmetstel aan.

Astrid serveerde een voorgerecht. Een mooi rond uitge-sneden stukje geitenkaas met honing op een bedje van sla en tomaat en zette op weg naar de keuken meteen de fles whisky weg.

Het viel Thomas op dat Astris nerveus was en te druk praatte, terwijl Jeroen stilletjes zat te somberen, het eten nauwelijks aanraakte, en zijn glas whisky mee aan tafel had genomen.

'Ze hebben zeker ruzie gehad,' dacht hij toen hij zag hoe ze elkaar negeerden.

Jeroen stond op en zette de lp *Hotel California*, van de Eagles op en maakte van die gelegenheid gebruik om zijn glas whisky nogmaals te vullen.

Thomas zag Astrids gezicht verstrakken maar zonder er iets over te zeggen begon ze het refrein met de plaat mee te zingen. De spanning bleef voelbaar, alleen op Marjo leek die geen vat te hebben. Zij babbelde er lustig op los.

Toen ze voldaan waren stond Thomas op om met Astrid de schalen naar de keuken te brengen.

'Is er wat, Astrid?' vroeg hij zachtjes terwijl hij met zijn handen op haar schouders achter haar stond.

'Nee, er is niks,' zei ze, hem met ogen vol tranen aankijkend, 'Niks waar ik nu over wil, of kan praten.'

'Ok, maar als ik je ergens mee kan helpen....?'

De open keuken bood weinig privacy en Astrid liep met een blad koffiekopjes terug naar de tafel.

Jeroen richtte zijn dronkemansblik op Marjo.

'Be jij nou ook zo krenterig weetje As isso op de penning die val dood op een cent, ze is een echte kniepert!'

Bij dat laatste woord schoot hij hoog uit, hij zwaaide met zijn glas, zodat de helft erover gulpte.

Marjo wist niet hoe ze moest reageren en lachte een beetje wezenloos. Astrid zette met trillende handen de koffie voor iedereen neer.

'Je hebt teveel gedronken,' zei ze, en hem verder negerend,'Wil er iemand slagroom op z'n koffie?'

Jeroen zat even nijdig in zijn glas te turen, toen stond hij op alsof hij een besluit genomen had.

Hij schoof zo bruusk zijn stoel naar achteren, dat hij viel. Hij leunde met twee handen op tafel, 'Ik ga maareseve de hond uitlaten.' hij liep zwalkend naar de deur en deed hem heel zacht maar nadrukkelijk achter zich dicht. Even later viel de buitendeur met een harde knal in het slot.

Thomas, Astrid en Marjo keken elkaar verbijsterd aan.

Marjo begon te giechelen. 'Jullie hebben niet eens een hond,' alsof ze dat niet wisten en Astrid stond op om de tafel af te ruimen.

'Sorry jongens,' nam Astrid het initiatief. 'Het was bedoeld als een gezellig afscheidsetentje, de laatste keer hier.'

'Ach joh, het geeft niets, het eten was lekker en jij kunt er ook niets aan doen,' zei Thomas.

Hij sloeg een arm om haar heen en keek haar vragend aan.

'Ja, gaan jullie maar,' zei Astrid toen ze zag dat Marjo al met hun jassen binnen kwam.

'Zullen we je niet eerst even helpen?' bood Thomas aan.

'Nee, ik doe het liever alleen.'

'Weet je dat echt zeker? Wil je er niet over praten, kan ik je ergens mee helpen?'

'Thomas zeur toch niet zo, ze zegt toch dat ze het niet wil!' riep Marjo die in de hal haar lippen bijwerkte.

Thomas' ogen werden donker van irritatie.

'Zullen we blijven en wachten tot Jeroen terug is?' hield hij aan.

'Nee, lief aangeboden maar ik red het wel. Heus, we hebben alleen een beetje woorden gehad en hij heeft teveel gedronken. Niets aan de hand, gaan jullie maar en ik beloof dat het de volgende keer wat gezelliger is,' zei ze flinker dan ze zich voelde.

'Bedankt en hou je haaks,' nam Marjo de leiding en ze gaf Astrid op iedere wang een zoen.

'Kom op!'

Thomas omhelsde Astrid en drukte haar even tegen zich aan.

'Je kunt me altijd bellen als je je bedenkt.'

'Marjo ziet me aankomen als ik je midden in de nacht optrommel. Ga nu maar, Marjo staat al bij de lift.'

Met een diepe trillende zucht deed Astrid even later de deur achter hem dicht.

Tijdens het afwassen liet ze haar tranen de vrije loop en al snel stond ze onbeheerst te snikken.

Het bezig zijn in de keuken had een therapeutische werking. Na de afwas begon ze met woeste gebaren de keukenkastjes te soppen. Toen de keuken brandschoon was, voelde Astrid zich weer wat kalmer. Ze kleedde zich uit, trok haar badjas aan, nam een paar aspirines in en ging met een glas water op de bank zitten.

De spanningen van de afgelopen vier maanden waren die middag tot een uitbarsting gekomen. Het draaide allemaal om Jeroens onverantwoorde uitgavenpatroon. Telkens beloofde hij haar geld op hun gezamenlijke rekening te storten en er was altijd wel een reden waarom het niet kon.

Smoesjes, dat voelde ze haarscherp aan, maar wanneer ze het er over hadden wist hij haar toch te sussen. Ze voelde zich er diep ongelukkig onder, vooral omdat ze haar zorg met niemand kon delen. Ze hield zoveel van Jeroen dat ze hem niet wilde afvallen en als ze dit probleem met haar moeder zou bespreken zou het voelen als verraad.

Die middag had ze bij de bank geld op willen nemen voor de boodschappen en had daar te horen gekregen dat het saldo niet toereikend was. Verbijsterd, omdat volgens haar op die rekening nog minstens vijfhonderd gulden moest staan, was ze naar huis gegaan. Jeroen kreeg ze niet te pakken en omdat ze toch boodschappen moest doen wilde ze dan in godsnaam maar een eurocheque uitschrijven. Ze raakte nog meer van de kook toen ze merkte dat er nog maar een eurocheque was, terwijl er nog vier behoorden te zijn.

Zorgelijk had ze de boodschappen voor het geplande etentje gedaan en toen Jeroen thuis kwam, was ze nog steeds overstuur geweest.

'Jeroen, toen ik vanmiddag geld wilde halen kon dat niet omdat er niets meer opstond. Hoe kan dat nou?' zei Astrid terwijl ze van de opgekropte spanning begon te huilen.

'Schatje, wat klink je streng, maak je niet zo druk.'

'Natuurlijk maak ik me druk, hoe kan dit nou?'

Jeroen liep naar de keuken en schonk voor zichzelf een whisky in.

'Moet ik voor jou ook iets inschenken?'

'Nee, ik wil weten wat er met ons geld is gebeurd!'

Jeroen ging zitten en nam een flinke slok.

'Ik had wat extra geld nodig voor het aflossen van een schuld die ik nog had.'

'Wat voor schuld en waarom weet ik daar niets van?' onderbrak Astrid hem.

'Er liep nog een krediet van mijn motor die ik nog moest aflossen en ik heb er niets over gezegd omdat ik van te voren wist dat jij er moeilijk over zou gaan doen.'

'Ik doe nooit moeilijk als ik weet waar ik aan toe ben, maar laat maar eens zien.'

'Hoe bedoel je?'

'Ik neem aan dat er een administratie van is. Is het nu afgelost?'

'Vertrouw je me soms niet? Ik heb die spullen op kantoor liggen dus ik kan het je nu niet laten zien.'

'En de eurocheques?'

Jeroen nam geagiteerd nog een slok en stond op om zijn glas bij te vullen.

'Hoe zit het met de eurocheques,' drong Astrid aan, 'Er waren er nog vier.'

'Dat zal ik je zeggen,' zei hij. 'Een heb ik gebruikt voor een rekening van mijn studie, twee heb ik uitgeschreven om een collega te helpen, dat krijg ik natuurlijk terug.'

'De studie wordt volgens mij door je baas betaald en je maakt mij niet wijs dat jij een collega geld leent,' zei Astrid snerend met een blik vol ongeloof.

'Nou als je zo weinig vertrouwen in me hebt dan vraag ik me af waar onze verhouding op gebaseerd is,' zei Jeroen triest.

'Leg me dan eens uit waarom jij een collega geld zou lenen. Je komt zelf altijd tekort, als die collega het nu aan Thomas had gevraagd, die is tenminste rijk genoeg.'

'Dat jij nu zo'n kniepert bent! Ik ben niet zo, en dat kun je accepteren of niet! Als een vriend in nood is en ik kan hem helpen, dan doe ik dat. Jij gaat dan eerst zitten bedenken of de telefoonrekening wel betaald kan worden. De huur of de telefoonrekening kan heus wel een maandje wachten.'

'Ik vind dat je dit soort uitgaven eerst met mij moet overleggen!'

'En ik heb geen zin om voor iedere cent verantwoording af te leggen!'

Astrid zat nerveus een zakdoekje te verfrommelen en in de stilte die viel keken ze elkaar vijandig aan.

'We krijgen zo bezoek, we hebben het er morgen nog wel over,' beëindigde Jeroen het gesprek

Zonder haar antwoord af te wachten was hij de badkamer ingelopen. Verschrikt had ze gezien dat het al tegen zevenen was. Thomas en Marjo konden ieder moment aanbellen.

Met een bezwaard gemoed was ze begonnen het eten voor te bereiden.

Hoofdstuk 4

'Ik zet jou zo thuis af en dan ga ik even op zoek naar Jeroen, ok?' zei Thomas toen ze vlak bij hun huis waren.

'Ga je nu niet mengen in een echtelijke twist, Thomas Kwist,' probeerde Marjo leuk te zijn.

Thomas fronste. 'Ik denk dat er meer aan de hand is en ik was toch al van plan eens met hem te praten.'

'Hij had hem behoorlijk om, denk je dat er dan met hem te praten is?'

Thomas stopte voor hun deur.

'Dan zorg ik wel dat hij nuchter genoeg wordt om met me te praten. Ik kan niet uitstaan dat hij Astrid verdriet doet.'

'Je hebt wel een zwak voor haar hè? Volgens mij kan Astrid best voor zichzelf zorgen,' zei Marjo jaloers. 'Kom mee naar binnen, ik weet wel wat leukers te doen,' zei ze, haar hand suggestief op zijn kruis leggend.

Hij pakte haar hand en kuste die, terwijl hij haar aankeek.'Nee Mar, ik heb echt het gevoel dat ik dit moet doen.'

'Dan niet!' Beledigd trok ze haar hand uit de zijne, stapte uit en sloeg het portier harder dan nodig was dicht. Thomas wachtte even tot ze binnen was en reed weg.

Hij had wel enig idee waar Jeroen zich ophield, en bij het derde café had hij succes.

Achter in de zaak stonden drie speelautomaten en aan de middelste zat Jeroen met een strak gezicht er de ene na de andere gulden in te gooien.

Thomas tikte hem op zijn schouder. 'Jeroen?'

Zonder zijn blik van het speelveld te halen nam hij een slok van zijn bier. 'Kom je doen?'

'Eens met je praten, man. Ik was getuige bij je huwelijk dus ik kan niet toestaan dat je het gaat lopen verkloten. Kom op dan gaan we even bij 'Koos' een broodje eten.'

'Wacht even, hij gaat zo uitkeren! Ik weet het zeker!' zei Jeroen terwijl hij er onafgebroken guldens in bleef gooien.

'Heb jij nog een tientje voor me?' vroeg hij nadat de laatste gulden in de gleuf was verdwenen.

'Nee, kom mee.' Thomas rekende af en Jeroen stond met tegenzin zijn plaats af aan een andere liefhebber. Toen ze bij de deur waren klonk een sirene en een van de speelautomaten begon langdurig rinkelend een stroom guldens te spuwen.

Jeroen verschoot van kleur. 'Ik zei het toch! Dat was godverdomme mijn geld' Hij schudde Thomas zijn hand van zijn schouder en liep terug om te kijken. Thomas schrok van zijn fanatisme en stond in drie passen achter hem. Het was gelukkig niet de automaat waar Jeroen aan had zitten spelen en met zachte dwang kreeg hij hem mee de deur uit.

Ze staken de straat schuin over waar 'Koos', een betere broodjeszaak, dagelijks open was van twaalf uur 's morgens tot drie uur 's nachts. Het was er altijd druk, vooral laat, nadat de bioscopen en de theaters uitgingen.

Thomas bestelde voor hun beiden koffie en voor Jeroen een broodje tartaar speciaal en een broodje half om half.

'Ik heb best trek,' gaf Jeroen toe en hij viel er gretig op aan.

Toen de koffie op was bestelde Thomas nogmaals twee koffie.

'Zo,' zei hij toen Jeroen zijn laatste hap nam. 'Wat ben je nu allemaal aan het doen?'

'Ach, niks aan de hand, een beetje woorden met Astrid, niets om je zorgen over te maken.'

'Dat doe ik toch. Doe je dat vaker, achter zo'n gokkast zitten?'

'Welnee, ik had er alleen de smoor in omdat Astrid zat te zeiken over geld en toen dacht ik, ik waag eens een gokje.'

'Je zat er anders bij alsof je het vaker deed,' zei Thomas die hem niet geloofde.

'Begin jij me nu ook al de les te lezen? Wat is er met jullie aan de hand, eerst Astrid nu jij. Heeft ze bij je zitten klagen of zo?'

'Nee, dat heeft ze niet. Maar ik heb wel ogen in mijn hoofd en ik kan zien dat ze niet gelukkig is. Daarbij zie ik ook dat je teveel drinkt, je meldt je ziek terwijl je niet ziek bent en als ik je nu zie achter zo'n stomme gokkast dan maak ik me als vriend zorgen om je. Dus, wat is er aan de hand?'

Jeroen zat met z'n hoofd in z'n handen, met zijn wijsvingers wreef hij over zijn slapen.

'Er is niet zoveel aan de hand. Ik had nogal wat schulden, nog van voor ons trouwen en ik heb dat niet tegen Astrid verteld en de kerel waar ik van geleend heb begon lastig te worden dus moest ik dokken. Ik heb daarvoor geld van onze rekening gehaald. Daar is Astrid vanmiddag achtergekomen en daar was ze niet blij mee.'

'Ben je er nu vanaf?'

'Nee, nog niet helemaal, nog tweeduizend.'

'Aan wie?'

'Ken jij niet. Piet Blom, een gozer die eigenaar is van een strandtent in Scheveningen.'

'Je betaalt zeker een behoorlijke rente?'

'Kun je wel zeggen.'

'Goed, als ik dit voor je oplos, ben je dan uit de problemen?'

'Jij krijgt nog veertienhonderd van me, dat wordt te gek.'

'Bij mij hoef je in ieder geval geen woekerrentes te betalen, maar als ik die tweeduizend betaal en jou voor jullie rekening nog duizend geef, ben je dan echt uit de brand? Want dat wil ik nu echt wel van je weten.'

'Ja, dan zou alles weer zo'n beetje glad zijn.'

'Ik hoop dat je dan ook ophoudt met dat gezuip.'

'Natuurlijk, dat komt ook van de zorgen, heus. Ik werd zo nerveus van Astrids gevraag en gewroet, daar komt het gewoon door.'

Thomas keek zijn vriend met een beginnende irritatie aan. 'Daar heeft ze ook wel alle redenen toe.'

'Ze is wel braver dan de paus wat betreft haar betalingsgedrag.'

'Het kan geen kwaad je wat verantwoordelijker te gaan gedragen. Enfin, laten we afspreken dat je mij binnen vijf jaar terugbetaalt, ok?'

'Dat moet absoluut lukken, dit jaar ben ik klaar met de opleiding en dan verwacht ik een behoorlijke opslag.'

'Geweldig, hand erop.'

Ze dronken een kop koffie en spraken af de volgende dag

samen de geldzaken in orde te gaan maken. Thomas stond erop de bedragen zelf rechtstreeks te betalen.

'Je vertrouwt me niet,' constateerde Jeroen.

Thomas keek hem alleen even aan. Jeroen keek schichtig weg. 'En... eh, we zeggen hier niets over tegen Astrid?'

'Als jij het wilt vertellen moet je dat zelf doen, van mij zal ze er niets over horen. Maar ik hoop wel dat je haar gelukkig maakt, een betere vrouw zul je nooit treffen.'

'Had je haar soms voor jezelf gewild?' vroeg Jeroen grappend.

'Ik was te laat, en ze is bovendien stapelgek op jou, verpest het nou niet,' antwoordde Thomas serieus.

'Ik vind Marjo een stuk,' zei Jeroen.

'Ja,' beaamde Thomas, hij opende het portier van de auto en zwijgend stapten ze in.

Bij Jeroens huis gekomen spraken ze een tijd af voor de afwikkeling de volgende dag.

'Thomas, je bent geweldig! Ik hoop dat ik ooit nog wat voor jou kan doen.'

Behoedzaam deed Jeroen de deur achter zich dicht. Er brandde nog licht in de kamer. Op zijn tenen liep hij naar binnen. De slaapbank was uitgeklapt en Astrid lag nog steeds in haar badjas, met opgetrokken knieën op haar linker zij. De knokkel van haar rechter wijsvinger had ze kinderlijk in haar mond. Haar tranen hadden een natte donkere plek op het rode kussen achtergelaten en Astrids haar was vochtig aan de kant waar ze op lag.

Vol schuldgevoel keek Jeroen vertederd op haar neer, met een steek in zijn hart zag hij haar gezwollen oogleden en de van de tranen aan elkaar geplakte wimpers. Hij zag het doosje aspirines op tafel liggen.

Hij voelde een onweerstaanbare drang in zich opkomen haar in zijn armen te nemen.

'Wat is ze mooi en wat ben ik een egoïstische klootzak,' dacht hij met een plotseling zelfinzicht.

Heel zachtjes liep hij naar de badkamer om zich daar zo stilletjes mogelijk klaar te maken voor de nacht. Toen hij terug kwam ging hij aan Astrids kant op de rand van het bed zitten.

Hij streelde liefdevol haar wang en haar vochtige krullen. Astrid kreunde en de vinger gleed uit haar mond, een nat spoor trekkend over haar linker wang.

Jeroen boog zich over haar en kuste haar lichtjes op de mond.

'Assepoesje,' fluisterde hij in haar oor, en hij overlaadde haar met kusjes.

'Sorry, sorry, sorry, ik ben een hufter en jou niet waard.'

Astrid deed haar ogen open en kuste hem zwijgend terug.

'Ik beloof je dat ik het allemaal binnen een paar dagen in orde maak. Ik ben er vanavond zelfs al mee bezig geweest. Het spijt me dat ik de avond heb verpest en...'

Astrid legde een hand over zijn mond en met de andere maakte ze ceintuur van haar badjas los.

Daaronder droeg ze slechts een spierwit kanten slipje.

'Assepoesje, Assepoesje,' kreunde Jeroen.

Overweldigd door een acute geilheid sloot Astrid hem in haar armen. Zodra hij in haar was kwam ze klaar. Jeroen nam haar mee op zijn tocht naar verrukking. Door alle emoties stonden alle zintuigen open en ze hoefden niet lang te wachten op de bevrediging die in een volledige overgave kwam.

Na afloop lagen ze tevreden in elkaars armen.

'Weet jij waarom het vrijen na een ruzie altijd zo verschrikkelijk extra lekker is?' vroeg Astrid.

'Volgens mij is dat alleen zo, als je zoals wij, heel veel van elkaar houdt,' zei Jeroen.

'Ja, maar daar tegenover staat, dat ik me wanneer we ruzie hebben heel, heel erg ongelukkig voel. Zo ongelukkig dat ik wel van het dak af kan springen.'

'Ach,' zei Jeroen ernstig, 'Is het zo erg Assepoesje, dan moet ik toch zorgen dat het niet meer gebeurt. Ik wil je gelukkig maken!'

Daarop moest Astrid weer erg huilen. Met die laatste tranen stroomde het laatste restje opgekropte spanning uit haar weg en in Jeroens troostende armen viel ze in slaap.

Jeroen lag nog even na te denken over het verloop van die

avond. Morgen ging hij in ieder geval die ene schuld met Thomas aflossen. Dan had nog die andere, waar hij het maar niet met Thomas over had gehad, maar daar zocht hij zelf wel een oplossing voor. Misschien wel met een persoonlijke lening, Of misschien won hij dit weekend wel bij de paardenrennen. Hij had gehoord dat Arabella 2 in uitstekende vorm was en een hele goede kans zou maken. Met die gedachte viel ook hij in slaap.

Hoofdstuk 5

In gedachten haalde Evelyn de kerstballen uit de boom. Bij iedere aanraking vielen de dennennaalden ruisend op het parket. Er bleef niet veel over van de pracht die de boom haast een maand had getoond. Hij viel zo uit dat hij, toen de versiering eruit was praktisch kaal was.

Toch pakte Evelyn een laken, waarop ze hem naar de straat sleepte, om te voorkomen dat er overal naalden terecht zouden komen. Daarna pakte ze stoffer en blik om de ergste berg op te vegen alvorens te gaan stofzuigen.

Het was vreemd geweest om tweede kerstdag in haar eigen vroegere huis aan de Malakkastraat op bezoek te zijn. Astrid en Jeroen hadden er echt wat van weten te maken. Ze kende het bijna niet meer terug. Haar oude kamer en suite was uitgebroken en waar vroeger de schuifdeuren zaten, hadden ze aan beide zijden boekenkasten gemaakt. De vloerbedekking was verdwenen. Nu lag er een donkere houten vloer. Haar oubollige behang was eraf gestoomd en alle muren waren nu gebroken wit.

Ze hadden op de rommelmarkt een smalle lange kloostertafel op de kop getikt, die Astrid geschuurd en gebeitst had. Op de daarbij horende stoelen had ze kerriekleurige kussentjes gemaakt. In het zitgedeelte hadden ze bruine ribcord zitblokken. Stond heel aardig maar echt makkelijk zat het niet. Net iets te laag voor haar en Willem. Maar de jongelui hingen kennelijk wel comfortabel tegen de rol die als ruggesteun moest dienen.

In de nieuwe keuken had Astrid een heerlijk kerstmaal bereid. Evelyn was trots op haar dochter.

In het eerste half jaar had Astrid regelmatig gebeld met vragen als 'Hoelang moeten de sperziebonen koken?' of 'Wat doe je met asperges?' Maar met het kookboek dat ze voor haar had gekocht, kon ze kennelijk heel aardig uit de voeten.

's Middags hadden Astrid en Evelyn de heren bij het schaak-
bord achtergelaten en hadden ze een lange strandwandeling
gemaakt. Gearmd zoals ze vroeger, (voor Willem) vaak deden
hadden ze eerst een eind tegen de wind in gelopen.

'Ben je gelukkig, kind,' had Evelyn haar gevraagd.

Ze had gezegd van wel, maar ook dat het leven met Jeroen
soms niet makkelijk was. Ze had erg moeten wennen aan zijn
manier van leven en ze hadden in het begin vaak ruzie gehad.

'Maar dat is nu over,' had Astrid haar gerust gesteld.

Evelyn dacht aan haar eigen nieuwe leven met Willem. Zij
hadden geen last gehad van een gewenningsperiode. Zelf was
ze halve dagen gaan werken in het Anthonius Ziekenhuis in
Utrecht. En ze vond het iedere dag weer een feest om thuis te
komen. Willem, die al met de vut was, deed veel in het huishouden en had voldoende hobby's om zijn tijd nuttig door te
brengen. Haar leven was er fijner en rustiger op geworden
sinds ze uit Den Haag weg was.

Ze miste alleen het dagelijkse contact met Astrid.

Astrid zat op de grond en probeerde geduldig het snoer kerst-
lampjes te ontwarren.

Het was een fijne kerst geweest, mijmerde ze. Ze had het
heel leuk gevonden haar moeder en Willem te verwennen met
een kerstdiner. Ze hadden allerlei spelletjes gedaan, Mono-
poly, Risk en, met Willem als maat, had ze met behoorlijk veel
plezier Evelyn en Jeroen ingemaakt met klaverjassen. Astrid
zag hoe goed het haar moeder deed, dat het ijs nu eindelijk
tussen haar en Willem was gebroken.

'Waarom had ik eigelijk zo'n hekel aan Willem?' had ze zich
afgevraagd om tot de conclusie te komen dat het een wat uit
de hand gelopen puberaal gedrag was geweest.

Ze herinnerde zich dat ze destijds had gewalgd bij de
gedachte aan Willem met haar moeder samen in bed. Ze
gunde hem haar moeders aandacht niet. Ze ging zielig zitten
doen als Evelyn een avond of een dagje met hem uit ging. Ze
had het tot de dag van haar huwelijk volgehouden.

Nee, ze had het haar moeder niet al te gemakkelijk
gemaakt.

Je kon zien dat ze dolgelukkig waren met elkaar en dat had haar moeder wel verdiend.

Zelf was ze ook gelukkig. Jeroen en zij hadden nu al vier weken geen ruzie gehad en dat was een unicum in hun relatie die nog maar een maand of acht oud was.

De ruzies gingen altijd of over drank of over geld, en zij was het steeds die begon. Het waren heftige ruzies die steeds eindigde in tranen bij Astrid en weglopen bij Jeroen.

'Maar dat hebben we nu hopelijk achter ons gelaten,' dacht Astrid terwijl ze het bijgelovig afklopte op de houten stoel. 'Dit wordt een geweldig jaar,' beloofde ze zichzelf.

Eindelijk had ze het snoer uit elkaar. Het lag in een grote kring om haar heen. Ze pakte de doos en begon de lampjes een voor een in een vakje te duwen.

'Het zal goed gaan tussen ons!' zei Astrid hardop alsof ze de geesten moest bezweren.

Zelfs met oud en nieuw bij Thomas en Marjo, had Jeroen zich met de drank netjes gedragen. Toen was het Marjo geweest die een beetje uit de band gesprongen was. Toen Astrid naar het toilet ging had ze in de hal, Marjo heftig kussend met Marius, een van hun vrijgezelle vrienden, aangetroffen. Ook Thomas had, misschien wel daardoor, teveel gedronken en had haar om twaalf uur heftig tegen zich aan getrokken. 'Er is geen vrouw op de wereld die zo mooi is als jij, maar ja, jij bent bezet,' had hij in haar oor gemompeld.

Astrid had zich zachtjes aan zijn greep ontworsteld. Ze had hem op z'n wang gekust, hem een fantastisch jaar toegewenst en zich tot de volgende feestganger gewend.

Wat stram kwam Astrid overeind, stapelde de dozen met kerstversiering in een grote verhuisdoos om die op te bergen op de zolder. Nog twee dagen vrij, dan was de kerstvakantie weer voorbij.

Ze had er van genoten.

Thomas legde de hun toegestuurde kerstkaarten op een stapeltje en wendde zich tot Marjo.

'Maar vertel me dan eens wat je dan wil gaan doen.'

'Gewoon niks, het huishouden hier, en zo.'

Thomas had Marjo net verteld dat hij zijn baan bij de gemeente op ging zeggen. Hij had zich laten inschrijven op de T.U. in Delft voor een studie bouwkunde met als doel na zijn propedeuse architectuur te gaan doen.

'Als jij stopt met werken dan doe ik dat ook,' had Marjo gezegd.

'Hoezo?' vroeg Thomas verbijsterd.

'Ik heb er gewoon geen zin meer in en jij hebt toch geld zat, dus waarom zou ik.'

'Maar je kunt toch niet zomaar de hele dag een beetje rond-hangen?' zei Thomas, 'Ga dan ook studeren.'

'Zo'n studiehoofd ben ik niet,' zei Marjo, die etaleuse was bij V&D.

'Ik dacht dat je het zo naar je zin had?'

'Nou, zo leuk vind ik het niet om iedere morgen vroeg op te staan en naar dat werk te gaan.'

'Nee,' dacht Thomas, 'Dat je liever in je bed ligt is mij bekend.'

Het was ieder weekend een strijd om Marjo voor het middaguur tot enige activiteit te bewegen.

'Ik vind het geen goed idee,' zei Thomas, 'ik stop dan wel met werken, maar ik ga studeren. Ik ga een andere richting aan mijn leven geven. Ik had dat misschien eerder moeten doen, maar na de dood van mijn ouders kwam ik net uit dienst en stond mijn hoofd niet naar een studie. Omdat Jeroen bij de gemeente werkte en zei dat ze daar mensen nodig hadden, heb ik daar toen gesolliciteerd. Het is een aardige baan, en de opleiding was ook interessant, maar ik heb niet het idee dat dit nu is wat ik wil. Daar heb ik echt goed over nagedacht, en dat zou jij ook moeten doen.'

'Ik weet ook wat ik wil. Ophouden met werken en kinderen krijgen.'

'Daar hebben we het al zo vaak over gehad. Vind je nou ook niet dat dit iets is waar we allebei voor honderd procent achter moeten staan? Ik wil het nog niet. Ik wil eerst een studie afmaken.'

'Nou kinderen of niet, als jij stopt dan stop ik ook!' riep Marjo boos en ze trok zich terug in de slaapkamer.

'Ga maar weer naar je meest favoriete vertrek, je bent er tenslotte al drie uur uit!' riep Thomas haar na.

Hij zuchtte, pakte het stapeltje wenskaarten en gooide het in de prullenbak. Ze waren nog maar een half jaar getrouwd en hij realiseerde zich de laatste tijd steeds meer dat ze weinig gemeen hadden. Hij was ook liever eerst een poosje gaan hokken, maar vooral Marjo's moeder had er op gestaan dat er werd getrouwd. Links en rechts om hem heen trouwden zijn vrienden. Vaak onder slechte woonomstandigheden. Hij had een compleet prachtig huis tot zijn beschikking en bovendien voldoende geld. Hij trouwde onder de druk van zijn omgeving, maar er echt achter staan deed hij niet. Eenmaal in dit schuitje kwamen er dagelijks steeds meer dingen naar voren die hem niet bevielen.

Met oud en nieuw had hij heel goed gezien hoe Marjo zich met Marius inliet en eerlijk gezegd had hem dat koud gelaten. Hij had zijn ogen de hele avond niet van Astrid af kunnen houden en had tegen zijn gewoonte in meer gedronken dan goed voor hem was.

Hij werd een beetje bang van de gedachte, maar hij realiseerde zich steeds meer dat er op meerdere manieren nieuwe richting aan zijn leven gegeven moest worden. Maar hij huiverde voor de consequenties.

Jeroen reed tijdens zijn lunchpauze door de stad en zag hoe overal de kerstversiering werd verwijderd. Hij hield in achter een vuilnisauto waar mannen met grote felgele handschoenen kale kerstbomen tussen de zakken gooiden.

'Wat een baan,' dacht hij.

Het was na de feestdagen weer zijn eerste werkdag. Hij was bijna twee weken vrij geweest. Kerst viel gunstig zodat het hem maar enkele verlofdagen had gekost.

Het waren huiselijke weken geweest. Astrid had wat gemaakt van de feestdagen, ze had zich uitgesloofd voor Willem en Evelyn en dat was de moeite waard geweest.

Het had hem doen denken aan de sfeer van vroeger toen zijn ouders nog bij elkaar waren. Hij herinnerde zich hoe ze met z'n drieën, hand in hand, hij in het midden, door de knisperende sneeuw naar de nachtmis liepen. Daarna het kerstontbijt met allerlei lekkers. Het kerstdiner met de beide grootouders, zijn moeder kon zalig koken.

Dat was voor de scheiding. Zijn moeder veranderde na de tragische dood van Vincent, zijn broertje, die aan meningitis overleed toen hij nog maar twee jaar oud was. Labiel als ze toen was, liet ze zich bekeren door de Jehovagetuigen. Hij was toen nog maar een jaar of tien. De felle ruzies tussen zijn ouders stonden in zijn geheugen gegrift. Na twee jaar vechten was het uitgelopen op een scheiding. Jeroen en zijn moeder werden opgenomen in het huis van gelijkgestemden in Zwartewaal.

Als hij terug dacht aan de periode die volgde, herinnerde hij zich vooral de eenzaamheid, het gevoel nergens bij te horen en de armoe. Zijn verjaardag, Sinterklaas en Kerstmis bestonden opeens niet meer, niet voor hem tenminste. In de vakanties moest hij met zijn moeder langs de deuren, wat hem bij zijn klasgenoten een outcast maakte. Toen hij bijna zestien was, liep hij weg en kwam via via, terecht bij het Riagg. Hij had geluk dat hij een plaatsje kreeg in een nieuw project 'begeleid wonen'.

Zijn vader was hertrouwd met een Duitse en had in Emmerich, net over de grens, de garage van zijn nieuwe schoonvader overgenomen. Hoewel het contact met zijn vader goed was, behoorde bij hem wonen niet tot de mogelijkheden. Toen hij wegliep zat hij in de derde klas van de Havo en zijn vader had met zijn Duitse vrouw net een tweede kind. Zijn vader was overgekomen om met de hulpverleners van het Riagg naar een oplossing te zoeken en iedereen was blij en tevreden met de uitweg die het project 'begeleid wonen' hen bood. Zijn moeder had hij sinds die tijd niet meer gezien. Hij belde haar wel eens, maar dat initiatief kwam altijd van zijn kant.

Jeroen schudde de nare herinneringen van zich af.

De gezellige huiselijkheid had Astrid in ieder geval goed gedaan en hij nam zich voor om van nieuwe jaar een goed jaar te maken.

39

Hij moest nog even iets in orde maken en daar wilde hij zijn lunchpauze voor gebruiken.

Toen hij twee weken geleden de administratie deed had hij Astrid de aanvraag voor een persoonlijke lening laten tekenen. Hij had hem gestopt tussen andere documenten, waarvan alleen van de bovenste de totale tekst zichtbaar was. Van de andere alleen het onderste stuk, dat moest worden getekend.

Astrid was op dat moment druk in de weer met het componeren van een kerststuk en had zonder verder te kijken de pen aangepakt en getekend. Hij voelde zich daar wel een beetje schuldig over, maar hij had geen andere oplossing gezien. Hij hoopte dat hij de lening kon inlossen voordat Astrid het in de gaten had en met een 'Wat niet weet wat niet deert' praatte hij zijn handelen goed.

Hij was net bij de bank geweest om het bedrag, vijfduizend gulden, te incasseren.

Hij parkeerde zijn auto voor het bookmakers kantoor waar hij begroet werd als een oude bekende. Hij dronk een kopje koffie met zijn bookmaker. De kansen van de paarden die zaterdag moesten lopen werden luidruchtig besproken. Er zat een geheide winnaar bij, Astride 1. Jeroen zou een dief van z'n eigen portemonnee zijn als hij daar niet op zette.

'Je moet grof inzetten om grof te verdienen, man, dan ben je gelijk uit de sores. Ik neem ook wel genoegen met een kleine aanbetaling,' zei zijn bookmaker.

Jeroen voelde de adrenaline stromen, natuurlijk, de naam van het paard, een teken, zijn lucky day. Hij was er van overtuigd dat dit paard zou winnen en zette in.

Met het euforische gevoel al gewonnen te hebben, stond hij even later buiten. Hij liep naar een telefooncel belde naar zijn werk en vroeg naar zijn afdeling.

'Hallo, met Van Gelder. Sorry, maar ik kom vanmiddag niet terug. Mijn kies is afgebroken bij het eten van een hard broodje. Ik heb de tandarts gebeld en ik kan gelukkig zo terecht.'

Hij hield al pratend zijn tong op de vermeende zere kies en zijn hand aan zijn wang en luisterde naar het antwoord.

'Nee, morgen ben ik er gewoon als het tenminste geen

zenuwbehandeling wordt. Ok, ja, dank je, tot morgen.'

Hij stapte in zijn auto en reed door naar Scheveningen. Hij parkeerde zijn auto aan de Badhuisweg en liep naar het casino. Hij zuchtte diep. Dit had hij gemist, de lucht, de atmosfeer het gerinkel van uitkerende automaten. Je moest grof inzetten om grof te verdienen en met wat hij bij zich had moest het wel lukken.

Met een gevoel onoverwinnelijk te zijn, nam hij met zijn muntbeker plaats achter de eenarmige bandiet.

Hoofdstuk 6

Zachtjes neuriënd liep Astrid langs het Joodse kerkhof naar huis met in iedere hand een boodschappentas.

Na een week van grauwe troosteloosheid met veel wind en regen was het opeens weer zomer.

Vanmorgen had het er nog niet naar uitgezien. Toen leek de zon nog moeite te hebben om door de nevel heen te prikken en had ze het koud gehad in haar colbertje.

Half september, misschien de laatste zomerse dagen van het jaar, ze had daarom haar kans gegrepen en de middag vrijgenomen. Nu strekte zich, als ze het weerbericht mocht geloven, een zonnig warm weekend voor haar uit.

Ze had om twee uur met haar collega Lisa in Scheveningen afgesproken.

Lisa werkte sinds januari bij haar op de afdeling. Astrid had haar ingewerkt en ze was al snel in het team opgenomen. Ze konden het buitengewoon goed met elkaar vinden. Lisa nam het voor haar op als ze het weer eens aan de stok had met hun manager, Toos.

Astrid kon zich zo nu en dan erg ongenuanceerd gedragen omdat ze niets van Toos over haar kant liet gaan en Lisa kon haar op dezelfde manier als haar moeder, naar zichzelf laten kijken.

'Kijk daar nu een beetje mee uit,' had Lisa gezegd, 'Ze is wel je baas en jij trekt aan het kortste end als je het laat escaleren.'

'Ik haat die vrouw, dat mens komt al vrolijk uit bed, wat op zich al onnatuurlijk is, en wordt in de loop van de dag steeds blijer. Onuitstaanbaar vind ik dat. En dan de kinderachtige manier waarop ze ons op dat gemaakte toontje toespreekt. Jèèh!'

'Dat mag je vinden, maar we zitten niet meer op school. Jij gedraagt je zo nu en dan bot en respectloos en dat wordt niet gepikt in de grote mensenwereld. Let daar nu op!'

'Mijn moeder had daar ook altijd iets over te zeggen, dus je zult wel gelijk hebben.'

Astrid probeerde er de laatste tijd wel op te letten en bond in als ze de waarschuwende blik van Lisa ving.

Ze liep de Malakkastraat in en grabbelde alvast naar haar sleutels. Toen ze een huis of vier van haar woning verwijderd was zag ze een plakkaat op haar voordeur zitten en ze versnelde haar pas.

Wat ze zag benam haar de adem en ze voelde zich ijskoud worden van schrik.

In vette letters stond daar, dat deurwaarderskantoor Vromink een beslaglegging wilde uitvoeren.

Astrid griste het papier van de deur, keek schichtig om zich heen of ze werd bespied door buren, opende de deur, raapte de post op en roffelde de trap op.

Ze kwakte de boodschappen in de keuken en liet zich met de papieren in haar hand op een stoel zakken. Ze las het wel een keer of drie voordat het een beetje tot haar door wilde dringen. Namens een haar onbekende schuldeiser werd er gesteld, dat zij in gebreke waren gebleven een bedrag van negenduizendachthonderdzesenvijftig gulden te betalen en dat er nu beslag gelegd ging worden op al hun goederen.

Met bevende handen maakte ze ook de rest van de post open. Er zat een brief bij waarin haar een loonbeslag werd aangekondigd. Ze voelde het bloed uit haar gezicht wegtrekken en de inhoud van haar maag kwam spontaan naar boven.

Ze haalde nog maar net het toilet waar ze braakte tot ze niet meer kon. Aan het fonteintje spoelde ze haar mond en keek in de spiegel daarboven. Ze zag lijkbleek met zwarte vegen van de doorgelopen mascara. Met een closetpapiertje poetste ze de vegen van haar wangen.

Hoe kon dit? Jeroen? Ja natuurlijk Jeroen, wie anders!

Ze trok de telefoon naar zich toe. Haar vingers trilden zo erg dat ze een paar keer opnieuw moest beginnen met draaien.

'Met Astrid van Gelder, mag ik Jeroen van Gelder,' vroeg ze met een beheerstheid die ze niet voelde.

Was er niet. Nee de telefoniste wist niet of hij nog terug kwam of wanneer. Moest ze een boodschap aannemen?

Verwezen legde ze de hoorn weer terug op de haak.

43

'Oh God,' dacht ze terwijl ze terug dacht aan de scène van enkele maanden geleden. 'Niet weer!'

In juni, vlak voor hun vakantie, had ze een man aan de deur gehad die geld wilde van Jeroen.

'Zeg tegen die kerel van je dat hij over de brug komt wijfie,' had de man met een zwaar Haags accent gezegd en hij had haar een kaartje met een naam en telefoonnummer overhandigd.

Op van de zenuwen had ze hem die avond opgewacht.

Toen ze hem het kaartje overhandigde was Jeroen beurtelings knalrood en spierwit geworden.

Schutterig had hij haar verteld dat hij deze persoon inderdaad geld schuldig was. Hij had zoals hij zei, nogal overmoedig gewed op paarden en verloren. Hij stortte zijn hart uit en vertelde alles. Ook over de persoonlijke lening.

Vertwijfeld had ze hem aangehoord en ze viel van de ene in de andere emotie. Uiteindelijk had de kwaadheid gewonnen.

Witheet van woede had ze hem de huid vol gescholden. Hij reageerde daar nauwelijks op en zat als een geslagen hond te wachten op nog meer straf. Dat voedde haar woede.

'Zeg dan wat klootzak! Geef antwoord! Waarom? In Godsnaam, waarom?'

Jeroen bleef zwijgend met z'n hoofd in de handen zitten.

'Je bent een klootzak en een loser,' zei Astrid steeds woedender door het gebrek aan reactie. Ze stond op en liep naar de deur, pakte driftig een kandelaar die op het kastje stond en gooide die naar zijn hoofd.

'Dit was het dan. Ik wil scheiden!' beet ze hem toe op het moment dat de kandelaar doel trof.

Zijn kreet deed haar omdraaien en toen ze zag dat het bloed zijn hand kleurde was ze in vier passen ontnuchterd terug bij Jeroen.

'Oh jee, wat erg. Laat eens zien,' zei ze een paar octaven lager op verschrikte toon terwijl ze zijn hand van de wond wegtrok. De kandelaar had hem net boven zijn linker oor getroffen. Ze haalde een natte doek en hield die er tegenaan. De wond was vrij oppervlakkig al bloedde het even heftig.

Ze waren een poosje met de wond in de weer en toen er eenmaal een pleister op zat zaten ze zwijgend naast elkaar op de bank.

'Dat meende je toch niet, scheiden?'

Het bleef seconden lang stil.

'Ja Jeroen, eigenlijk wel. Ik kan dit niet langer aan.'

Weer bleef het stil totdat Astrid gealarmeerd door gemoorde geluiden opzij keek. Jeroens schouders schokten.

'Je kunt me toch niet in de steek laten As, dat kan toch niet,' jammerde hij. 'Dan heb ik helemaal niemand meer. Ik zal het in orde maken. Geef me nou nog een kans. Je moet me helpen. Alleen ga ik helemaal naar de verdommenis.'

Opeens lag zijn hoofd in haar schoot. Als in een reflex streelde ze zijn haren. Het sneed door haar ziel hem zo te zien huilen en met een schok realiseerde ze zich hoe verschrikkelijk veel ze van hem hield.

'Shit, shit, shit, wat ben ik een lul. Waarom verpest ik nou altijd alles?'

Daar kon Astrid ook geen antwoord op geven, dus ze zweeg.

Toen Astrid daar niet op reageerde had het nog meer gesnotter tot gevolg. Haar schoot werd nat en van weeromstuit begon ze zelf ook mee te huilen. Haar hart brak. Als twee drenkelingen klampten ze zich aan elkaar vast.

In een plotselinge hitte versmolten ze met elkaar. Ze snikten en kreunden elkaars naam en in een plotseling verlangen rukten en plukten ze elkaar de kleren van het lijf.

Na afloop lagen ze zwetend en hijgend tegen elkaar aan. Jeroen wilde lachen maar door de volle neus blies hij een bel. Astrid pakte een tissue en veegde zijn neus af alsof hij een jongetje van tien was.

'Astrid..?' vroeg hij met een verstopte stem.

'Ja?'

'Blijf je bij me?'

Ogenblikken lang bleef het stil.

'Ja Jeroen,' zei ze plechtig, 'ik blijf bij je. Je bent dan wel een klootzak maar je bent wel mijn klootzak.'

En nu opnieuw? Nu weer vergeven en verder gaan? Ze dacht het niet. Nu is de rek er dan toch echt uit.

Ze moest er met iemand over praten. Ze pakte opnieuw de telefoon maar nadat ze het netnummer van Vianen had gekozen bedacht ze zich. Ze kon en wilde haar moeder hier niet mee lastig vallen.

'Shit, Lisa!' verschrikt keek ze op de klok. Het was al kwart voor twee. Ze frommelde de documenten in haar tas en rende de straat op. Op de Scheveningseweg pakte ze de tram. Met bonkend hart en knallende hoofdpijn repeteerde ze in gedachten hoe ze er met Lisa over zou beginnen.

Ze was zo in gedachten dat ze bijna vergat uit te stappen toen ze er was, ze kon nog net op tijd uit de tram springen. Lisa zat al op haar te wachten.

'Hallo, jij ziet er ook niet stranderig uit,' riep ze haar toe, zelf gekleed in een hardgroene top op een feloranje rok.

Astrid merkte nu pas dat ze haar mantelpakje van het werk nog aan had.

'Is er iets gebeurd?' vroeg ze Astrid bezorgd aankijkend.

'Eerst iets drinken, mijn tong hangt als een lap leer in mijn mond.'

De bestelling kwam en Astrid sloeg in een teug de tonic achterover en slaakte een bevende zucht.

Ze tastte in haar tas en haalde de papieren tevoorschijn.

'Dit vond ik op mijn deur en deze bij de post.'

Ze overhandigde het aan Lisa, schraapte haar keel en begon te vertellen.

Thomas liet de werklui uit nadat hij de werkbon had afgetekend. Keurend liep hij door het appartement en vond dat ze goed werk hadden verricht.

Drie maanden geleden was de huurster van zijn benedenverdieping naar een verzorgingstehuis gegaan. Thomas wilde het niet opnieuw verhuren maar opknappen voor zichzelf.

De hele woning was gestript en alles was vernieuwd. Echt alles, de vloeren, de kozijnen, de bedrading, een nieuwe keuken en badkamer.

Het was hun bedoeling om zelf naar beneden te verhuizen

46

en de eerste etage een zelfde opknapbeurt te geven. Uiteindelijk wilde hij ze dan met een trap met elkaar verbinden zodat het een huis zou worden.

Het was bloedheet binnen, want de nieuwe verwarming had even op volle toeren proef moeten draaien. Thomas gooide de openslaande deuren open en liep de tuin in. De diepe tuin lag er verwaarloosd bij. Het gras groeide er kniehoog, de struiken waren verdord en het enige dat welig tierde was het onkruid, dat bloeide in al zijn pracht en lelijkheid. De oude dame had daar de laatste jaren de energie niet meer voor gehad.

Thomas had Marjo gevraagd de tuin wat bij te houden, maar die had dat verontwaardigd van de hand gewezen. Dat had hij kunnen weten want het leek verdacht veel op arbeid. Nog even en ze zou zelfs vergeten hoe dat werd geschreven.

Marjo had tot zijn ergernis voet bij stuk gehouden en haar baan per 1 maart opgezegd. Ze besteedde haar tijd voornamelijk aan uitslapen, winkelen en voor de televisie hangen. Het was geëscaleerd toen Marjo, zonder hem erin te kennen een werkster had aangenomen. Thomas had zichzelf tot voor kort beschouwd als een beminnelijke, attente, misschien iets te serieuze man, maar het afgelopen jaar met Marjo had van hem een doorgedraaide, geïrriteerde gedresseerde aap gemaakt. En van de vurige wens een succes van dit huwelijk te maken was zelfs het waakvlammetje gedoofd. Waarom was hij in vredesnaam zo snel getrouwd, vroeg hij zich af. Hij was niet tegen trouwen, nee, hij geloofde er zelfs in. Hij had gehoopt dat, als de ergste verliefdheid was geluwd, tenminste een loyale vriend over te houden, maar niets van dit alles.

Hij liep naar de keuken, pakte een biertje en ging ermee op de grond in de deuropening zitten.

Heerlijk dacht hij, weer alleen en als het aan hem lag bleef dat zo.

Een proefscheiding had Marjo het genoemd.

Een week na hun laatste conflict was ze thuisgekomen met de boodschap dat ze met haar moeder en oudste zus naar haar grootouders in Soerabaja wilde om het veertig jarige huwelijksfeest daar mee te vieren. Als hij haar reis tenminste wilde betalen.

47

'Je wilde toch van me af,' had ze agressief gezegd, refererend aan zijn onvermurwbare standpunt van een week eerder.

'Marjo,' had hij teneinde raad gezegd, 'Nog even en ik ga je echt haten. Ik denk dat we er verstandig aan doen er maar een punt achter te zetten.'

'Waar achter?' Marjo vond het onderwerp niet interessant genoeg om het gevijl aan haar nagels te staken.

Thomas voelde een sterke neiging in zich opkomen zijn vrouw door elkaar te rammelen.

'Ik wil scheiden!' zei hij bot.

'Ik niet.' En ze gooide de flesjes in haar toilettas en verdween heupwiegend naar de slaapkamer.

Thomas bleef even zitten, toen maakte een grote woede zich van hem meester. Hij was in twee stappen bij de deur en gooide hem open.

'Loop niet weg als ik tegen je praat!' schreeuwde hij en hij sloeg het flesje nagellak uit haar handen. Het ketste tegen de muur en felrood droop een vette druppel langs het behang.

Marjo keek hem geschokt een moment aan. Haar ogen vulden zich met tranen die meteen in een onstuitbare stroom over haar wangen liepen.

Thomas kende niemand die kon huilen als Marjo. Niemand die de kraan zo willekeurig open en dicht kon draaien zonder dat het invloed had op de rest van haar gezicht.

Ze snotterde niet, ze kreeg geen rode neus, alleen dikke, dikke tranen.

'Marjo, luister,' zei hij zachter, als tegen een kind en hij liet zich op de rand van het bed zakken, licht voorovergebogen, zijn ellebogen op de knieën en met zijn hoofd in zijn handen.

'Ik verwacht meer van een relatie. Toen we trouwden dacht ik dat je mijn maatje zou zijn. Dat we samen zouden praten over allerlei dingen. Dat er hartstocht en passie zou zijn. Dat we een team zouden zijn, jij en ik tegen de rest van de wereld. Zeg nu zelf, wat is daar van overgebleven? We praten nooit. Jij doet helemaal niets. Je hangt in een stoel voor de televisie of je ligt in bed. Verdomme je bent tweeëntwintig, wat verwacht je nu eigenlijk van het leven?'

'Gewoon, dat je voor me zorgt.'

'Ja, dat is duidelijk, dat verwacht je van mij, maar hoe zie je jouw rol daarin?'

'Wat bedoel je? Neuk je niet genoeg?' vroeg ze grof en ze liet zich obsceen, wijdbeens achterovervallen en trok haar rok omhoog.

Geschokt vroeg Thomas zich af wat hij ooit in deze vrouw had gezien. Hij keek haar vernietigend aan. 'Je maakt iets smerigs van je zelf, ik houd het voor gezien.' Hij was opgestaan en de kamer uitgelopen.

De week daarna hadden ze elkaar zoveel mogelijk genegeerd, totdat ze met het nieuws van de reis op de proppen kwam.

'Natuurlijk betaal ik die reis, maar je moet wel weten dat ik ieder woord heb gemeend. Ik heb van de week al met een advocaat gesproken en ik raad jou aan het zelfde te doen.'

'Ja, ja,' zei Marjo, die niet graag zelf in actie kwam. 'Dat vraag ik wel aan papa als ik terug kom, en jij het na deze proefscheiding echt nog wil.'

De weken voor de reis was Marjo vrolijk en deed ze net alsof er niets aan de hand was.

Telkens als hij erover wilde beginnen, praatte ze eroverheen en toen haar ouders een week voor de reis langskwamen, merkte hij dat ze ook tegen hen nog niets had gezegd over hun problemen en zijn wens om te scheiden. Hij vond het zorgelijk, maar was op dit moment alleen blij dat hij de komende vier weken rust had.

'Misschien neem ik wel een hond, als de scheiding erdoor is,' dacht Thomas.

Jeroen had werkoverleg gehad. Tegen half vijf waren ze uitvergaderd en was het niet meer de moeite om naar zijn werkplek terug te gaan. Blij met dit vroegertje reed hij naar huis.

'Misschien kunnen we voor het laatst dit jaar ergens op een terras gaan eten,' dacht hij.

Fluitend parkeerde hij zijn auto voor de deur en liep naar boven.

49

'Hallo, hallo!' riep hij vrolijk. Hij kreeg geen antwoord.

'Ze is er nog niet,' constateerde hij, en hij liep door naar de keuken om een biertje uit de koelkast te halen. Hij zag de volle boodschappentassen staan en verbaasde zich erover dat ze niet waren uitgepakt. De ontdooide diepvriesartikelen hadden een plasje water op de keukenvloer achtergelaten.

'Schat,' riep hij nogmaals, veronderstellend dat ze toch ergens in huis was. Hij keek om de hoek van de deur naar de slaapkamer, opende de deur naar de hal en riep nogmaals om te controleren of ze misschien op de zolder was.

'Nou ja,' mompelde hij, 'Wat raar.' en hij begon de boodschappen weg te ruimen.

Na een half uur was er nog geen spoor van Astrid.

'Ze zit misschien met collega's het weekend in te luiden op een terras,' dacht hij. Dat deed ze op vrijdag wel vaker en ze verwachtte hem meestal pas rond een uur of half zeven thuis.

Het benauwde hem in huis en hij besloot even bij Thomas langs te gaan.

Thomas was thuis en liet hem trots het beneden appartement zien. Hij haalde twee stoelen uit het schuurtje en voor ieder een biertje uit de koelkast.

'Is Marjo er niet?'

'Nee, ze is voor vier weken met haar moeder en zus naar Indonesië voor het huwelijksfeest van haar grootouders.'

'De boffer, ook toevallig. Ik sprak Marius van de week en hij vertelde dat hij ook naar Indonesië ging, op vakantie natuurlijk.'

'Oh is dat zo?' reageerde Thomas en hij dacht er het zijne van.

Thomas vroeg naar het reilen en zeilen bij de gemeente en vertelde hoe het ging met zijn studie en toen de zon achter de huizen verdween namen ze afscheid.

'Astrid zal nu wel thuis zijn,' zei Jeroen op zijn horloge kijkend.

Hoofdstuk 7

Om een uur of zes liep Astrid ijzig kalm van de tramhalte naar huis. Ze had met Lisa de gehele middag over niets anders gesproken dan over Jeroen. Ze voelde zich verdrietig en leeg. Het had haar goed gedaan haar hart uit te storten bij een vriendin. Want zo beschouwde ze Lisa wel nu ze haar zo in vertrouwen had genomen.

'Gek,' peinsde ze, 'Nadat Tanja, haar hartsvriendin, naar Amerika was verhuisd, drie jaar geleden was daar nooit een echte vriendin voor in de plaats gekomen. Tot nu toe tenminste, want met Lisa kreeg ze datzelfde vertrouwde gevoel als ze met Tanja ooit had.'

Volgens Lisa was Jeroen verslaafd aan het gokken en moest hij hulp zoeken.

Zelf kon ze zich dat niet voorstellen, verslaafd aan gokken. Aan alcohol, dat begreep ze, maar aan gokken?

Ze was het zat. Dit was nu de zoveelste keer. Haar hele korte huwelijk was een aaneenschakeling van dit soort problemen. Als ze zich afvroeg of getrouwd zijn met Jeroen haar gelukkig maakte hoefde ze niet over het antwoord na te denken. 'Nee!'

'Als iets niet deugt voor mij dan is er maar een persoon die dat kan veranderen en dat ben ik zelf,' had ze heel stellig beweerd tegen Lisa.

'Onze relatie deugt niet. Hij maakt me ongelukkig. Ik wil niet ongelukkig zijn, dus ik stop ermee!'

'En de liefde dan? Aan Wouter, mijn man, mankeert ook wel het een en ander, maar ik hou van hem en hij van mij.'

'Nou ja, als bij jou de weegschaal nog steeds meer uitslaat naar het positieve dan naar het negatieve, moet je vooral bij elkaar blijven. Maar ik heb het gevoel het respect voor Jeroen te zijn kwijtgeraakt. Ik wil niet meer en als ik zou blijven, dan is dat uit medelijden met hem. Nou dat is ook geen basis om getrouwd te blijven.'

'Astrid, je bent altijd nogal radicaal en kort door de bocht.

51

Denk eerst goed na voordat je al je schepen achter je verbrandt. Je bent gekwetst en misschien moet je niet zo snel een beslissing nemen.'

Astrid had haar aangehoord, maar haar karakter liet niet toe dat ze zich milder liet stemmen.

Bij haar was het zwart of wit en voor eventuele grijstinten was ze niet gevoelig. Zo was het bij haar nu eenmaal en er moest heel wat gebeuren voordat ze haar mening herzag. Dat kwam bijna niet voor. Nou ja, met Willem, maar haar mening over Willem was voortgekomen uit jaloezie en niet om iets wat hij haar had aangedaan. Het had ruim twee jaar geduurd voordat ze daarin een wat meer volwassen standpunt in kon nemen en hem kon vergeven dat hij haar moeder had afgepakt.

Het gesprek dat ze ging voeren met Jeroen lag als een steen op haar maag. In haar hoofd formuleerde ze al de harde zinnen die ze zou gaan uitspreken.

Nee, wat haar betrof was er geen weg meer terug, als ze het weer zouden gaan proberen zou ze het gevoel hebben voor de zoveelste keer in een lekke reddingsboot te stappen.

Hoe langer ze er over nadacht hoe meer ze zichzelf rechtvaardigde. Ze liep vastberaden haar straat in en stak de sleutel in het slot.

'He, hè, ben je daar eindelijk,' klonk het vrolijk.

Astrid reageerde er niet op. In een ijzig stilzwijgen liep ze de kamer binnen. Ze gooide haar colbertje op de bank, schopte haar schoenen uit en staarde voor zich uit.

'Isser wat?' vroeg Jeroen verontrust door haar strakke gezicht en haar stilzwijgen.

Hij zat aan de whisky, en dat bovenop een flink aantal biertjes had hem verminderd tongvast gemaakt. Dat ontging Astrid niet, en mocht er nog een laatste beetje warme genegenheid in haar hebben gezeten dan veranderde dat nu in een ijsklomp.

Astrid tastte naar de verfrommelde documenten in haar tas.

'Dit zat er vanmiddag op de deur.' Ze streek het papier glad. 'En dit zat bij de post.' Ze gooide de brief over het loonbeslag er bovenop.

Ze keek naar hem en zag hoe hij zenuwachtig naar de papieren keek.

Het bleef oorverdovend stil in de kamer. Astrid hoorde haar eigen hart bonkend kloppen. Jeroen zat zijn nagels te bestuderen alsof hij ze zelf zojuist had ontworpen en nog niet wist hoe hij ze zou noemen.

De verbeten stilte paste niet bij zijn nonchalant afgeknipte spijkerbroek en de vrolijke wijnrode polo. Hij moest nodig naar de kapper en zijn haar krulde uitbundig over zijn oren.

'Ja, komt er nog een reactie?' vroeg Astrid sarcastisch.

'Ik weet ook niet wat ik moet zeggen,' hij keek haar schichtig aan.

'Nee, dat begrijp ik, neem nog een slok, misschien zit de wijsheid wel in de fles!'

'Schat, doe niet zo..., zo hard, zo ken ik je niet.' In een onhandige beweging stond hij op, wilde een pas in haar richting doen, maar struikelde over zijn mocassins, die hij had uitgeschopt en die voor de bank lagen. Hij belandde bijna in haar armen, maar in plaats van hem op te vangen leunde ze opzij zodat hij op zijn knieën voor de bank terechtkwam.

'Jij bent dronken en zo ken ik je helaas wel!'

'Ja, ik heb een paar biertjes gedronken en nu een whisky. Ik heb nog niks gegeten en dan valt het misschien een beetje verkeerd,' verdedigde hij zich.

'Dat je dronken bent, komt er alleen nog maar bij. Maar hier kom je niet mee weg jongen!' zei Astrid terwijl ze de papieren nogmaals onder zijn neus wreef.

'Nee jongen, nu ben je toch echt te ver gegaan. Je bent een loser, jongen, en ik ben het zat!'

Telkens wanneer ze hem nadrukkelijk vernederend 'jongen' noemde kromp Jeroen ineen.

Jeroen was met z'n hoofd in zijn handen op zijn knieën blijven liggen en keek haar ontnuchterd aan.

'We lossen dit heus wel weer op. Heus Astrid, ik weet nog niet hoe, maar ik beloof je dat we hier uitkomen. Heb nu alsjeblieft vertrouwen in me!'

Astrid lachte schamper. 'Vertrouwen? Gebaseerd op wat? Ga toch weg jongen!'

Woedend beende ze de kamer uit. In de slaapkamer wisselde ze haar strakke rokje en bloes voor haar spijkerbroek en een katoenen trui.

Jeroen kwam achter haar aan de kamer in en keek op de rand van het bed zwijgend toe hoe ze zich omkleedde.

'Astrid, ik begrijp dat je heel kwaad bent, maar doe nu niet zo. We komen er samen wel uit, geloof me nou.'

'Dat heb ik nu net een keer te vaak gedaan. Jouw krediet is op, niet alleen daar, maar ook bij mij.'

'Dat kun je niet menen, Astrid, ik hou van je en jij houdt van mij. Ik zal me heus verbeteren, heb nu geduld met me.' Hij liep naar haar toe en probeerde haar in zijn armen te nemen.

Met een woest gebaar trok ze zich los.

'Jeroen, voor geduld heb ik geen geduld meer.'

Ze liep naar de keuken met Jeroen als een hondje achter zich aan. Ze pakte een glas en vulde dat met water uit de kraan. Ze dronk het achter elkaar op en vulde het opnieuw. De spanning maakte dat haar mond uitgedroogd bleef aanvoelen, hoeveel ze ook dronk.

Ze liep weer terug de kamer in en pakte nogmaals de papieren op.

'Wat denk je hieraan te gaan doen?'

'Ik weet het niet, maar voor ieder probleem is een oplossing,' Jeroen schonk zich nog een whisky in.

Dat, en het cliché maakte haar woedend.

Ze pakte haar tas, grabbelde naar haar portemonnee en haalde er een briefje van tien uit. Ze gooide het naar hem toe. 'Hier, dan kun je gaan gokken. Dat is toch jouw manier van problemen oplossen? Dat mag je nu fijn gaan doen. En nadat we gescheiden zijn ga je je gang maar. Ik ga maandag naar een advocaat want je begrijpt zeker wel dat ik niet langer verantwoordelijk wil zijn voor alle financiële ellende die je mij bezorgt.'

'Astrid… nee, dat kun je niet menen. Je kunt me toch niet in de steek laten? Echt schat, ik beloof je alles wat je maar wil als je maar bij me blijft.'

Astrid keek hem boos aan, boos omdat ze een deukje voelde

in het pantser wat ze om zich had opgetrokken. Ze nam hem kwalijk dat ze voelde wat ze voelde en niet wilde voelen.

Ze wilde het mededogen niet toelaten en ze zei vastberaden 'Jeroen, laat het tot je doordringen, het is uit, afgelopen, finito. Ik wil scheiden en daar kom ik niet meer op terug. Dit hele huwelijk is een aaneenschakeling geweest van ellende, beloftes en opnieuw ellende. Ik gun mezelf een beter leven en dat is zonder jou al een heel stuk aangenamer. En dan heb ik het nog niet eens over geld.'

Hij keek haar zo oneindig gekwetst aan dat haar hardheid even wankelde.

'Nee,' zei ze tegen zich zelf, 'de kogel is door de kerk, ik blijf er bij.' Ze draaide zich van hem af.

Zwijgend pakte ze haar fietssleutel van de fruitschaal en haar spijkerjasje van de kapstok.

'Ik ga een eind fietsen, ik houd het hier niet uit,' zei ze meer in het algemeen dan tegen hem in het bijzonder. Jeroen zei niets terug en bleef verslagen met zijn hoofd in de handen zitten.

Hij hoorde de deur even later achter haar dichtklappen.

Astrid zette er flink de vaart in. Ze matte zichzelf af en voelde de spanning een beetje uit zich wegtrekken. De zon verdween en de schemering viel snel in. Na de warme dag voelde het opeens koud en nevelachtig aan. Ze werd bevangen door een immens gevoel van eenzaamheid en een luide kreun ontsnapte aan haar mond. Als vanzelf begonnen de tranen over haar wangen te stromen terwijl ze onverminderd snel doortrapte. Zo nu en dan werd ze verblind door de tranen die ze met haar vuist woest wegveegde.

Ze was al bijna in Kijkduin, toen er een felle regenbui losbarstte. Er klonk een luide donderklap en hagel begon de regen te vergezellen. Ze stapte af en school onder de overkapping van een bushalte. Uit het borstzakje van haar spijkerjack trok ze met natte verkleumde vingers een verfrommeld papieren zakdoekje. Ze bette haar ogen en snoot haar neus.

Even plotseling als de bui was begonnen, hield hij weer op. Met haar mouw droogde ze het zadel en maakte rechtsomkeert, zich plotseling bewust van het feit dat ze ontzettend moest plassen.

Ze had het koud nu en dat maakte de aandrang nog heftiger.

Toen het opnieuw begon te druppelen realiseerde Astrid zich dat ze vlak bij Thomas en Marjo was. Ze versnelde haar tempo, om de bui voor te blijven maar dat lukte net niet en even later stond ze druipend, hippend van het ene been op het andere voor de deur en hield haar vinger langdurig op de bel.

'Ja, ja, rustig maar. Waar is de brand?' Thomas opende de deur en Astrid schoot als een kanonskogel langs hem. 'Oooh, ik moet zo nodig!' en ze verdween in het toilet.

'Dat lucht op,' zei ze schor toen ze de kamer inkwam. 'Ik heb de hele dag nog niet gegeten en alleen gedronken, daar komt het door. Is Marjo er niet?'

Thomas legde uit waar Marjo was.

'Ben je aan de lijn, dat je nog niets hebt gegeten?'

'Nee ik doe nooit aan de lijn, allemaal onzin. Ruzie met Jeroen.' Haar ogen vulden zich weer met tranen.

Thomas keek naar haar en vond dat ze er ontroerend mooi uitzag. Haar wangen waren rood van de kou en de regen, haar ogen glansden van de tranen en uit haar staart waren krullen ontsnapt die nat op haar voorhoofd en wangen kleefden.

Hij liep naar de badkamer en kwam terug met een witte badstof badjas en een handdoek.

'Hier, doe even die natte spijkerbroek uit en deze badjas aan.'

Astrid trok de badjas aan, draaide hem de rug toe en stroopte de natte spijkerbroek van haar benen.

'Ik doe hem samen met je jasje wel even in de droogtrommel,' zei hij, de daad bij woord voegend.

Astrid knoopte de ceintuur dicht en ging met opgetrokken benen op de bank zitten.

'Zo, dat is beter, lekker warm,' en ze trok een kussen op haar schoot.

Thomas kwam terug met een flinke bel cognac voor haar.

'Hier, daar word je lekker warm van. Drink maar.'

Astrid nam een klein slokje en hoestte ervan. 'Ik ben geen

sterke drank gewend, ik voel het helemaal warm naar beneden lopen,' zei ze met haar vinger kinderlijk de route van de drank volgend.

'Zie het maar als medicijn,' moedigde hij haar aan.

'Wil je vertellen wat er aan de hand is?'

Astrid nam nog een slokje en voor de tweede keer die dag begon ze te vertellen. Toen ze klaar was, bleef het stil in de kamer.

'Ik moet alweer plassen,' zei Astrid het kussen van zich af gooiend. Ze stond op en wilde een stap richting toilet doen toen de muren opeens op haar leken te vallen. Ze had het gevoel dat de vloer schuin omhoog liep. Ze verloor haar even-wicht en Thomas kon haar nog net bij de arm grijpen.

'Oeps, ik ben dronken.'

'Je had natuurlijk nog niets gegeten en je drinkt nooit iets sterkers dan wijn. Kom, ik breng je even naar het toilet en weer terug naar de bank. Dan ga jij lekker liggen en dan maak ik even iets te eten voor je.'

Weer terug op de bank dekte Thomas haar toe met een plaid.

Hij kwam terug uit de keuken met een dienblad met brood, kaas en omelet en zag dat ze in slaap was gevallen.

Vertederd keek hij op haar neer. Hij schoof een bloot gevallen been terug onder de plaid., zette het dienblad op tafel en pakte de telefoon.

'Jeroen, met Thomas,' zei hij op zachte toon.

'Astrid is hier, voor het geval je je zorgen maakt.'

'Nee, lijkt me niet verstandig. Ze slaapt.'

'Ja, dat heb ik begrepen.'

'Nee, ik denk dat je het beter kunt laten rusten tot morgen.'

'Ja, ik bel je dan wel.'

Hoofdstuk 8

Wanhopig liep ze heen en weer tussen de verhuizers die haar huis leeghaalden. Ze probeerde ze te beletten haar meubels in de vrachtwagen te zetten. Ze trokken zich niets van haar aan en gingen onverstoorbaar door. Huilend vocht ze met een van de verhuizers om een kabinetje wat nog van haar moeders moeder was geweest.

Hij schudde haar als een lastig insect van zich af. Het kastje verdween in de laadruimte en met een doordringend gezoem werd de laadklep elektronisch gesloten. Het gezoem hield aan en ze opende haar ogen.

Langzaam registreerde Astrid de aanwijzingen over waar ze was. De zon kwam gefilterd door de lichte gordijnen naar binnen. De kamer van Thomas en Marjo, de badjas...

'Natuurlijk, oh God!' De ellende drong meedogenloos tot haar door. Ze sloot haar ogen en trok de deken over haar hoofd om de waarheid nog even buiten te sluiten.

Vergeefs, vaag bereikte haar de stemmen. Thomas stond aan de deur met Jeroen te praten.

Ze wilde hem niet zien. Nee, dat kon ze niet aan, nu nog niet en in een snelle beweging kwam ze overeind. Met oren op steeltjes trachtte ze te verstaan wat er werd besproken, maar meer dan zacht, gebast gemurmel ving ze niet op. Tot Jeroens stem uitschoot en ze hem duidelijk hoorde zeggen: 'Maar ik wil haar spreken.' De geluiden duidden erop dat ze naar binnen zouden komen. Ze bedacht zich geen moment en draaide de deur van de badkamer op slot op het moment dat de deur open ging.

Astrid leegde haar blaas en bleef met haar hoofd in haar handen op het toilet zitten.

'Wat moet ik doen? Ik heb alles gezegd wat er te zeggen viel en ik wil er niet op terug komen.'

Ze kreunde. 'Wat voel ik me klote, strontmisselijk, licht in m'n hoofd, gisteren de hele dag niks gegeten. Ik voel me niet in staat er weer met Jeroen over te praten. Ik ga naar Vianen,' besloot ze.

Thomas klopte op de deur.

'Astrid, Jeroen is er en hij wil met je praten.'

'Ik niet met hem. Hij weet wat ik gisteren heb gezegd en ik ben niet van gedachten veranderd.'

'Schatje, toe, we moeten praten,' smeekte Jeroen.

Bij het horen van zijn stem kwamen de waterlanders.

'Verdomme, trut hou op met dat stomme gejank,' riep ze zichzelf tot orde en ze maakte gebruik van het lawaai van het doorspoelen om haar neus te snuiten.

'Ik wil nu niet met je praten en ik wil je ook voorlopig even niet zien. En ik kom niet te voorschijn voordat jij vertrokken bent.'

Jeroen gaf zich niet zo snel gewonnen en probeerde haar door de gesloten deur te overreden.

Hij argumenteerde, smeekte, bedelde, soebatte en sloeg tenslotte gefrustreerd op de deur.

Uiteindelijk hoorde Astrid dat Thomas hem overhaalde om maar te gaan en ze hoorde dat Thomas hem uitliet. Toen ze het geluid van de wegrijdende auto hoorde kwam ze voorzichtig te voorschijn. Thomas keek haar zwijgend aan.

'Ik ga eerst maar eens zorgen voor een stevig ontbijt.' Hij pakte het onaangeroerde dienblad van de vorige avond en liep naar de keuken. Astrid volgde hem en keek op een keukenstoel toe hoe hij bezig was.

'Is het goed dat ik ondertussen even ga douchen? Ik heb het gevoel dat ik stink als een bunzing.'

'Ik ruik je nog niet,' glimlachte Thomas. 'Maar ga je gang. Je spijkerbroek en jasje hangen aan de kapstok in de gang en in de bovenste lade van het kastje in de badkamer, vind je schoon ondergoed van Marjo.'

Een kwartier later kwam ze weer tevoorschijn.

'Heerlijk!' snoof ze bij de lucht van de gebakken eieren met spek. 'Ik ben uitgehongerd.'

Thomas schonk koffie en sinaasappelsap in en keek geamuseerd toe hoe Astrid het zich liet smaken. Het deed hem goed iemand smakelijk te zien eten. Marjo kon eindeloos pielemuizen met een boterham en was oneindig met de lijn bezig terwijl ze superslank was.

'Doe jij wel eens aan de lijn?'

'Hoezo, eet ik te veel?'

'Nee ik vind het juist heerlijk als iemand van zijn eten geniet. Maar Marjo is er steeds mee bezig. Ik vroeg me het gewoon af.'

'Nee, ik doe nooit aan de lijn en ik lust alles. Ik vind dat gezeur van die vrouwen bij mij op kantoor ook ergerlijk. Ik ben dan wel niet superslank maar dit figuur hoort bij mij en ik ben tevreden.'

'Dat mag je ook wel zijn, ik vind je prachtig.'

Astrid keek op voelde een aangename flits door zich heengaan bij dit oogcontact. 'Wat ziet hij er leuk uit,' dacht ze hem bestuderend. Zijn sluike donkerblonde haar was dik en iets te lang. Zijn grijze ogen straalden warmte uit en zijn mond was breed en trok een beetje scheef. Daardoor leek hij steeds geamuseerd te glimlachen. Hij was ongeveer even groot als Jeroen, maar een stuk steviger waardoor hij er ouder uitzag dan zijn slungelige vriend.

'Thomas,' zei ze hem schalks aankijkend, 'Weet jij wel dat je een fantastisch leuke man bent?'

'Dank je,' zei hij. Hij trok glimlachend zijn wenkbrauwen op en keek haar aan. 'We zijn dus een mooi stel,' constateerde hij.

'Ja,' zei Astrid en ze dacht: 'Hij zal toch niet denken dat ik hem zit te versieren?'

'Ik was vroeger altijd jaloers op Tanja, mijn vriendin, omdat ze twee oudere broers had. Nu ben jij voor mij een beetje de oudere broer die ik me altijd wenste.'

'Nou, dat zal ik dan maar als een groot compliment opvatten. Weet maar dat je altijd bij me terecht kunt.' Het leek hem niet het juiste moment om Astrid over zijn eigen huwelijksproblemen te vertellen.

'Weet je al wat je nu gaat doen, of wil je daar niet over praten?'

Astrid vertelde dat ze besloten had naar haar moeder in Vianen te gaan.

'Ja, dat begrijp ik. Maar je moet ook met Jeroen praten.'

'Nu niet,' zei ze afwerend.

Ze ruimden samen de keuken op en namen de koffie mee naar de kamer. Thomas probeerde haar ervan te overtuigen dat ze niet zo snel moest zijn met haar beslissing. Hij ging er van uit dat het wel weer goed kon komen tussen Astrid en Jeroen. Hij gaf het op en veranderde van onderwerp toen hij zag hoe vastbesloten ze was.

Astrid belde naar Vianen om haar bezoek aan te kondigen en om een uur of elf liet Thomas haar uit, wenste haar sterkte en keek haar na toen ze wegfietste.

Evelyn legde de telefoon weer terug op de haak. Ze staarde naar buiten, waar Willem achter in de tuin in de weer was met een elektrische zaag om de beukenboom van de doorgeschoten takken te ontdoen. Ze stond op met haar handen in haar lendenen en strekte haar rug. Toen de telefoon ging was ze op haar knieën bezig geweest met het verpotten van planten. De tuin moest winterklaar worden gemaakt en ze hadden er dit zonnige weekend voor uitgetrokken. Haar modderige groene kaplaarzen stonden op de rubber mat voor de opengeschoven schuifpui.

Ze konden nu net zo goed even pauze houden en ze legde haar tuinhandschoenen bovenop de laarzen.

'Jij ook zo koffie!' riep ze naar Willem. Door de herrie van de zaag hoorde hij haar niet. Ze haalde haar schouders op en liep naar de keuken.

Astrid had iets op haar lever, zo goed kende ze haar dochter wel, al wilde ze door de telefoon niets zeggen.

'Ze zou toch niet zwanger zijn?' Maar meteen verwierp ze deze gedachte. 'Ze klonk niet vrolijk, dat zou natuurlijk kunnen als het ongepland was…maar nee dat was het niet. Wat dan?' dacht ze zorgelijk. 'Jeroen? Ze had zelf ook wel eens gezien dat hij behoorlijk kon drinken en ze wist dat haar dochter daar een hekel aan had. Hij zou haar toch niet slaan of zo als hij dronken was?'

Ze zette de koffiepot aan en sneed alvast een paar plakken van de cake.

'Verdorie,' dacht ze, 'Het ene moment ben je ontspannen bezig met tuinieren en het volgende moment sta je stijf van de stress om je kind. Laat ik nu maar rustig afwachten en me nu niet al van te voren zorgen gaan maken. Een mens lijdt immers het meest door het lijden dat hij vreest, zei mijn moeder altijd. Maar goed, dat is natuurlijk wel waar, maar wat schiet ik er mee op? De zorg wordt er niet minder om.'

Ze liep terug naar de kamer en riep Willem nogmaals. Hij hoorde haar deze keer, zette de zaag af en kwam behoedzaam van de trap. Hij zette zijn laarzen naast die van Evelyn en kwam op kousenvoeten de kamer binnen.

'Lekker koffie.'

Evelyn liep bedrijvig heen en weer.

'Is er wat?' vroeg Willem, die een feilloze antenne voor haar emoties had.

'Astrid belde. Ze komt straks.'

'Wat leuk, komen ze samen?'

'Nee, ze komt alleen en ik heb het gevoel dat er wat aan de hand is.'

'Heeft ze dat gezegd?'

'Nee, maar ik voel dat. Ze zei alleen dat ze met ons ergens over wilde praten. Maar er is iets loos, leer mij mijn dochter kennen.'

'Als jij dat zo voelt, dan zal het ook wel zo zijn. Wil je alleen met haar praten? Ik vind dat niet erg hoor, dan ga ik er wel even op uit?'

'Ze zei dat ze met ons wilde praten, niet nadrukkelijk met mij alleen.'

'We vragen het haar als ze er is. Ik vind het heus geen probleem om een poosje weg te gaan.'

Nu ze haar onrust met Willem had gedeeld voelde ze zich iets beter. Ze besloot het verpotten nog even af te maken en daarna aan de lunch te beginnen. Ze had nog een pan gekookte aardappelen staan en voldoende draadjesvlees om een lekkere huzarensalade te maken.

'Hi mam,' ze kuste haar moeder. 'Dag Willem, heb ik jullie plannetjes erg verstoord op deze mooie dag?'

Ze omhelsde ook Willem. In hun verstandhouding was geen spoor meer van Astrids vroegere vijandigheid.

'Tja,' dacht Evelyn, 'Als ze iemand mag dan geeft ze zich helemaal, maar je moet het niet bij haar verbruien dan heb je een kwade tegenover je.' Ze was heel blij dat Willem uiteindelijk genade had kunnen vinden in de ogen van haar dochter.

'Evelyn zei dat je iets te bespreken had. Wil je dat alleen met je moeder doen of heb je mij er ook bij nodig?'

'Fijn dat je dat vraagt.' Ze lachte warm naar hem en legde haar hand even op zijn arm. 'Ik wil graag dat je er ook bij bent.'

'Ik schenk eerst even koffie in,' zei Evelyn.

Astrid dronk eerst haar koffie en prees de zelfgemaakte cake.

Toen haalde ze de gewraakte, inmiddels verfrommelde, documenten uit haar tas en begon te vertellen.

Het slaatje was schoon opgegaan en ze zaten gedrieën aan tafel.

Willem pakte een sigaar en stak hem op.

'Goed Astrid, laten we de dingen nu even duidelijk stellen. Wij geven jullie het geld, zodat die schuld betaald kan worden. Dat is dan opgelost. Ik ben het met die vriendin van je, Lisa zei je, eens dat Jeroen zich moet laten behandelen. Of jij dat nu accepteert of niet, gokken kan net zo goed een verslaving zijn als alcohol of verdovende middelen.'

Astrid onderbrak hem. 'Wat Jeroen wel of niet doet zal me een zorg zijn. Ik wil scheiden en niets meer met hem te maken hebben.'

Willem en Evelyn keken elkaar aan. De stilte tikte de seconden weg.

'En de liefde dan schat,' probeerde Evelyn nogmaals.

'De liefde is dood!' zei Astrid hard.

Hoe vaker ze de problemen besprak, met Lisa, met Thomas, natuurlijk met Jeroen en nu met haar moeder en Willem, hoe meer ze er van overtuigd raakte dat ze een juiste beslissing nam. In haar geest was geen ruimte meer voor de zachtheid van de liefde. Ze was te vaak en te erg gekwetst.

Ze zat zo vol rancune dat ze, wanneer ze toe zou geven, het gevoel zou hebben de verliezer te zijn.

'Ik wil ook niet dat jullie al dat geld betalen. Ik wil het lenen en het huis verkopen en dan geef ik het terug.'

'Het is een slechte tijd om je huis te verkopen. De rente is elf procent op het ogenblik.'

'Ik weet het Willem, maar ik zet het toch te koop en er worden heus nog steeds huizen verkocht, dus we zien wel.'

'Jullie zijn in gemeenschap van goederen getrouwd dus de helft van de meerwaarde gaat naar Jeroen.'

'Ja mam, maar nadat ik dit bedrag ervan heb afgetrokken. Laat dat maar aan mij over,' zei ze grimmig.

'Hij heeft die schuld veroorzaakt en het is mijn geld waarmee het huis is aanbetaald.'

'Waar wil je dan gaan wonen?'

'Dat huis is heus niet morgen verkocht. Ik ga me maandag overal laten inschrijven. Ik vind heus wel wat, maak je daar maar geen zorgen om, mam.'

'Mag ik hier blijven tot maandag?' Ze klonk ineens heel kwetsbaar.

'Natuurlijk, moet je maandag niet werken?'

'Ik bel wel met Lisa, dan kan zij doorgeven dat ik een paar dagen vrij neem wegens persoonlijke omstandigheden. Ik heb bijna al mijn vakantie nog. Door zo'n geintje van mijn lieve echtgenoot ging onze vakantie in juni ook al niet door,' zei ze bitter.

Evelyn zag de tranen in haar dochters ogen. 'Je bent lang zo hard niet als je wilt zijn, kind,' dacht ze. Ze zei niets en begon zwijgend de tafel af te ruimen.

Lisa belde maandagmorgen van het werk naar Vianen.

'Toos wil dat je haar in de loop van de dag zelf even belt.'

'Jezus wat een trut, jij hebt het toch tegen haar gezegd?'

'Jawel, maar het is wel zo netjes om persoonlijk even te bellen. Het heeft geen haast en ze vroeg het in alle vriendelijkheid hoor, niet omdat ze het niet geloofde.'

'Ik ga echt bij haar niet te biecht over mijn problemen. Ik moet er niet aan denken dat zij mij gaat adviseren met die zijige rotstem van haar.'

'Ze bedoelt het heus goed. Kijk maar wanneer je tijd hebt

om haar te bellen, ok? En houd me op de hoogte. Als ik soms iets voor je doen kan hoor ik het wel.'

'Dat stomme wijf,' mompelde ze.

'Wie?' vroeg Evelyn, die net binnenkwam.

'Mijn manager, die moet zo nodig weten wat er aan de hand is,' mopperde Astrid.

'Nou dat lijkt me heel normaal schat. Doe toch niet zo ongenuanceerd, de wereld houdt niet op bij jouw problemen, hoe vervelend die ook zijn. Zij moet waarschijnlijk ook verantwoording afleggen aan haar meerdere. Je hoeft heus je hart niet bij haar uit te storten. Ze wil waarschijnlijk alleen weten wanneer je weer komt in verband met de planning.'

'Ja, ja, leer mij Toos Til kennen,' zei Astrid vooringenomen.

Evelyn keek haar dochter bezorgd aan. 'Je hebt het daar toch naar je zin?'

'Ja, heel erg en ik kan met iedereen goed opschieten, behalve met haar.'

'Tja, kind, je kunt nu eenmaal niet met iedereen bevriend zijn, maar dat hoeft een beleefde, zakelijke verstandhouding niet in de weg te staan. Een beetje tact zo nu en dan kan echt geen kwaad.'

'Ja hoor mam, ik bel haar heus wel en ik zal me netjes gedragen,' zei ze geërgerd om een eind te maken aan het onderwerp.

'Willem gaat zo even bellen met die deurwaarder en hij brengt je straks naar Den Haag.'

'Moet je niet werken, mam?'

'Jawel, maar ik heb avonddienst, ik hoef pas om vijf uur te beginnen. Ik ga koffie zetten.

Evelyn verdween naar de keuken en Astrid staarde somber naar buiten. Aan het zonnige weer was eerder een eind gekomen dan de weerman had beloofd. Uit een loodgrijze lucht viel gestaag de regen en de wind blies de afgevallen natte bladeren op een hoop tegen de muur van het terras. Je kon je bijna niet voorstellen dat je de dag ervoor bij wijze van spreken in je bikini in de zon kon zitten. Huiverend trok ze haar vest strakker om zich heen.

'Geen weer om vrolijk van te worden,' dacht ze gedeprimeerd.

Ze zag er tegen op om weer naar huis te gaan. Ze vroeg zich af of Jeroen gewoon naar zijn werk was gegaan. 'Hij zal wel weer zoveel hebben gezopen dat hij zich ziek heeft moeten melden,' dacht ze schamper.

Jeroen had zaterdag meteen bij binnenkomst gemerkt dat Astrid thuis was geweest. De brief van de deurwaarder was weg en in de badkamer miste hij haar toiletspullen. Terwijl hij wanhopig door het huis liep te ijsberen, ging de bel. Hij liet Thomas binnen.

'Waar is Astrid?' was zijn eerste vraag.

Thomas vertelde wat hij wist en ging zitten.

Met horten en stoten had Jeroen Thomas volledig deelgenoot gemaakt van zijn stommiteiten.

De gokverslaving, die hij nu eindelijk toegaf, en zijn drankgebruik. Over zijn slechte functioneren, dat op het werk niet onopgemerkt was gebleven. Dat hij ook daar bezig was met het verknallen van de laatste kans.

Wanhopig vertelde hij zijn vriend hoe alles hem dreigde te ontglippen. Thomas luisterde, zette koffie, maakte brood en luisterde opnieuw.

Het leek een vulkaan die na lang onrustig geborrel nu tot uitbarsting kwam.

Thomas bleef de hele dag bij hem. Hij ontnam hem de fles whisky, toen hij moegepraat daar zijn troost in wilde gaan zoeken. Om een uur of vier in de nacht was Jeroen op zijn dringend aanraden naar bed gegaan. Zelf sliep hij op de bank om, toen Jeroen om zeven uur al weer op was, paraat te zijn om zijn vriend te steunen.

Die zondagmorgen was Jeroen door de paar uren slaap wat rustiger en bereid om te luisteren naar zijn vriend, die het beste met hem voor had.

'Waarom bel je je vader niet?'

'Ach die heeft zijn nieuwe gezin en zit heus niet op mijn problemen te wachten,' had Jeroen nors afgewezen.

'Het is je vader en jullie kunnen toch goed met elkaar opschieten?'

'Ja, dat wel, maar mijn vader heeft genoeg problemen

gehad, na dat gedoe met mijn moeder. Hij dronk toen ook meer dan goed voor hem was. Zo vader zo zoon,' zei Jeroen met een wrange glimlach.

'Reden te meer om met hem te praten. Niemand die je beter kan begrijpen dan iemand die het zelf heeft doorgemaakt.'

Na lang wikken en wegen had Jeroen besloten inderdaad zijn vader te bellen. Het werd een heel lang en indringend gesprek.

Thomas was ondertussen, om zijn vriend wat privacy te geven, naar de Chinees gereden om een maaltijd op te halen. Toen hij weer binnen kwam legde Jeroen net de hoorn neer. Zijn gezicht had sporen van tranen en op de stoel waarop hij zat lagen een tiental verfrommelde vochtige zakdoekjes.

Jeroen zuchtte, hij verzamelde de papieren propjes en gooide ze weg.

Thomas keek hem vragend aan.

'Hij komt, morgen tegen het middaguur zal hij hier zijn.'

'Hoe reageerde hij op al je problemen, heb je hem echt alles verteld?'

'Ja, en hij was niet echt kwaad, eerder bezorgd en hij staat erop dat ik me door hem laat helpen.

Toen hij zelf in een crisis zat, nadat mijn moeder met mij van hem was weggegaan, heeft hij veel hulp gehad van een dokter in Arnhem. Ze hebben nu nog steeds een vriendschappelijk contact met elkaar. Hij wil dat ik ook met hem ga praten. Hij wilde hem vandaag daarover bellen. Nou ja, we zien wel, ik ben in ieder geval blij dat ik hem heb gebeld.'

'Goed, en denk je dat je nu een maaltijd aankunt? Je mag er zelfs een biertje bij, hoe vind je dat?'

'Nou dat lijkt me heerlijk.' Dankbaar omhelsde Jeroen zijn vriend. 'Bedankt,' zei hij schor.

Jaap van Gelder concentreerde zich met moeite op het verkeer. Uit de grijze lucht viel de ene regenbui na de andere. De harde wind, het drukke verkeer en de opspattende regen maakte er een vermoeiende rit van. Na het telefoongesprek met zijn zoon had hij gebeld met zijn vriend en psychiater in

Arnhem. Toen Simon Meijers hoorde over de problemen die zijn zoon had, maakte hij meteen tijd vrij, om Jaap de volgende dag aan het eind van de morgen te ontvangen.

Jaap was die ochtend op tijd vertrokken om via Arnhem naar zijn zoon in Den Haag te reizen.

De weersomstandigheden veroorzaakten lange files zodat hij over de rit van normaal een uur, nu twee uur deed. Jaap was blij de snelweg even te kunnen verlaten voor de tussenstop.

Hij had een goed gesprek met zijn oude vriend, en na een paar koppen koffie en Simons toezegging zijn zoon te willen ontvangen, mits hij dat zelf ook wilde, was hij aan de tweede etappe begonnen.

Om half twee, een uur later dan afgesproken, parkeerde Jaap zijn auto in de Malakkastraat.

Het brak Jaaps hart, zijn zoon zo desolaat aan te treffen. Hij omhelsde hem en nam plaats aan de voor de lunch gedekte tafel.

'Je moet toch nog eten, pa?'

'Ja heerlijk, ik heb wel trek. Ik was vroeg op pad en buiten koffie en nog eens koffie en een plak cake bij Simon Meijers, heb ik nog niets op.'

Ze aten, terwijl ze vooralsnog spraken over ditjes en datjes. Jaap liet de laatste foto's zien van Jeroens halfbroertjes en Ilse, zijn vrouw.

Nadat ze gegeten hadden bespraken ze het onderwerp waarvoor Jaap was gekomen.

Er werden spijkers met koppen geslagen. Jeroen ging ermee akkoord om in ieder geval met Simon Meijers te gaan praten. Als het klikte dan stelde hij zich onder behandeling bij hem. Jaap wilde dat Jeroen een poosje bij hem zou komen wonen, zodat hij, weg uit zijn omgeving, een betere kans zou hebben de gokverslaving van zich af te trappen. Jeroen zou daarvoor, of verlof moeten nemen, of contact moeten opnemen met de bedrijfsarts en zich ziek melden.

Financieel had Jaap niet al te veel armslag. Hij en Ilse hadden net met moeite een hypotheek gekregen voor hun nieuwe huis en met de alimentatie, die hij nog steeds iedere maand voor Jeroens moeder, betaalde hield hij niet veel over. Hij ging echter kijken of hij een lening kon afsluiten.

Halverwege dit gesprek over geld kwamen Astrid en Willem binnen.

Jaap en Willem begroetten elkaar als oude vrienden. Ze hadden elkaar direct vanaf de eerste ontmoeting gemogen.

Met Astrid en Willem erbij, werd het een heel ander gesprek. Het deed Jaap pijn om de verslagen hunkering te zien in de ogen van zijn zoon die niet werd beantwoord door Astrid.

Ze stelde zich ongekend hard op. Jaap had er aan een kant wel begrip voor. 'Die arme meid heeft heel wat te stellen gehad met mijn zoon,' dacht hij triest, maar aan de andere kant kende hij haar niet zo. Ze had hem altijd een loyale vrouw geleken en nu was er geen ruimte voor enige nuance.

Ze had kennelijk haar besluit genomen.

'Ik heb het al tien keer opnieuw geprobeerd en het resultaat is bekend,' was Astrids reactie.

Ze wilde tot verdriet van Jaap en Willem en tot radeloosheid van Jeroen geen druppel water bij de wijn doen. Het huis ging in de verkoop, uit de meerwaarde zou dan de schuld aan Willem en Evelyn worden terugbetaald en Astrid ging een afspraak maken met een advocaat om de scheiding te regelen. Zij zorgde wel dat ze een huurhuis kreeg en wat Jeroens plannen waren was volledig zijn zaak en zij wilde daar part noch deel aan hebben.

'Maar meisje,' probeerde Jaap toch nog, 'Hij laat zich nu behandelen, dat verandert de zaak toch wel een beetje?'

'Te laat, ik zie er echt geen gat meer in.' Haar stem sloeg over. 'Houden jullie nu toch allemaal verdomme eens op om me over te halen tot iets wat ik absoluut niet meer wil!' riep ze uit. 'Jullie moesten eens weten hoe klote ik me gevoeld heb het afgelopen jaar, elke keer weer die leugens, die kutsmoesjes over geld, dat stomme gezuip. Jullie weten niet hoe vaak ik me de ogen uit mijn kop heb liggen janken. Ik wenste soms, dat Jeroen in mijn hoofd zou kunnen kijken en weten zou hoe ik me voelde. Ik dacht dan, als hij echt van me houdt dan zou hij het niet zo doen. Ja, ik ben loyaal geweest, maar nu is het op. Ik kan niet meer! Ik doe het niet meer! En ik wil het niet meer! Is dat nu eens een keertje duidelijk!?'

Ze was opgestaan en leunde met twee handen op tafel. In de stilte die volgde echode Astrids schelle stem.

'Ja kindje,' zei Jaap zacht, 'Het is me duidelijk. Natuurlijk, jij bent hierdoor ook gekwetst en misschien zelfs een beetje getraumatiseerd. Ik wil je toch nog een laatste vraag stellen en daar moet je dan maar mee bij je zelf te rade gaan. Als er nog een spoor van liefde over is voor Jeroen, dan zou ook jij kunnen overwegen om eens met mijn vriend Simon Meijers te gaan praten, misschien dat jullie met een gezamenlijke therapie er nog uit kunnen komen?'

'Mij mankeert niets. Het enige dat ik wil is een normaal leven en daar kan ik zelf heel goed voor zorgen. En dat ga ik dan ook doen! Willem, bedankt voor alles, vind je het erg dat ik naar bed ga? Ik heb barstende hoofdpijn. Dag Jaap,' zei ze terwijl ze hem na een aarzeling omhelsde, 'Sterkte met alles.' Ze verliet de kamer. Jaap, Willem en Jeroen keken elkaar verslagen aan.

'Nou dat was het dan,' zei Jeroen met tranen in zijn ogen.

Jaap sloeg een arm om hem heen.

'We komen er wel uit jongen.'

Hoofdstuk 9

De volgende weken gingen als in een roes aan Astrid voorbij.

Ze had steeds het gevoel de hoofdrol te spelen in haar eigen toneelstuk. Een nare rol, die van een zure verbitterde vrouw, die koste wat kost haar eigen zin doordreef. Maar ze kon niet anders, ze wilde niet dat Jeroen een bres sloeg in haar verdediging.

Pas toen ook Jeroens toekomstplannen zich wat begonnen af te tekenen, werd de situatie in huis weer wat normaler. Jeroen had per half november ontslag genomen en ging in een bescheiden woonruimte, boven het garagebedrijf van zijn vader wonen. Hij was ook al enkele keren naar Simon Meijers geweest. Het klikte en hij vertelde Astrid er over. Eerst had ze er niets over willen weten, uit angst overgehaald te worden om de scheiding niet door te zetten. Maar naarmate de tijd vorderde en Jeroen akkoord ging met alle voorwaarden die zij had gesteld bij de scheiding, werd Astrid wat rustiger, kreeg ze wat meer vertrouwen in de toekomst en konden ze weer gewoon samen praten.

Astrid had vanaf het moment dat alles was gaan rollen, ostentatief op de zitblokken in de kamer geslapen. Zonder dat er verder over werd gesproken, nam ze haar oude plek in het grote bed weer in. Er was noch sprake van intimiteit noch van vijandigheid. Ze leefden als vrienden met elkaar in afwachting van het afscheid eind november.

Ze zochten min of meer in harmonie hun boeken uit, en wat van de huisraad bij Astrid bleef en wat door Jeroen werd meegenomen.

Op een avond, half november draaiden ze de melancholieke muziek van George Moustaki. Ze zaten samen op de grond met een stapel lp's tussen zich in die ze aan het uitzoeken waren.

Astrid zong zachtjes de tweede stem mee:

'Pendant que je t'amais, pendant que je t'avais
L'amour s'en est allé, il est trop tard

Tu étais si jolie, je suis seul dans mon lit
Passe passe le temps, il n'y en a pour très long temps'

Jeroen zong de eerste stem en het klonk heel harmonieus.

Ze genoten van het zingen en keken elkaar diep in de ogen. Astrid voelde de vonken tot diep in haar buik overslaan. Ze sloeg haar ogen neer en probeerde het gevoel dat ze onmiskenbaar had, buiten te sluiten. Vergeefs. Ze werden door een onzichtbare macht naar elkaar toegetrokken en kusten elkaar.

'Dit moeten we niet doen,' mompelde Astrid.

'Waarom niet? We hebben hier allebei zin in.'

'Ja dat wel, maar dan denk jij misschien dat alles weer goed is, en dat wil ik niet.'

'Ik weet heus wel dat dat je grote angst is,' zei Jeroen terwijl hij haar kuste en streelde, 'Wees maar niet bang, nog veertien dagen, en dan verdwijn ik echt, definitief uit je leven.' De woorden die hij sprak pasten absoluut niet bij de handeling.

'Als je dat maar weet, het verandert niets,' fluisterde Astrid die zich qua liefkozingen ook niet onbetuigd liet, en ze gaf zich volledig over.

'Nee, er verandert niets, ik wil niet eens meer blijven, ik verheug me op mijn vrijheid,' loog hij zachtjes in haar oor.

Astrid werd opeens wild en ongeduldig, ze strekte haar handen uit en streelde de binnenkant van zijn dijen en zijn billen. Jeroen vlijde zich zachtjes op haar neer. Zijn vertrouwde gewicht op haar wakkerde haar verlangen alleen nog meer aan. Ze sloot haar ogen. 'Deze laatste keer zal ik me net als de eerste mijn hele leven blijven herinneren.'

Een paar uur later werd Astrid wakker van een onrustige maag. Na het vrijen was ze warm en rozig snel in slaap gevallen. En nu voelde ze zich opeens hondsberoerd. Ze keek op haar wekker.

'Drie uur, iets verkeerds gegeten?' Ze ging rechtop zitten en voelde de inhoud van haar maag omhoogkomen. Bibberend haalde ze nog maar net op tijd het toilet. Ze had haar mond nog niet gespoeld of ze werd overvallen door een heftig geborrel in haar onderbuik en venijnige darmkrampen.

'Ooh, ook dat nog,' kreunde ze en leegde haar darmen in een stinkende stroom. Het klamme zweet stond op haar voorhoofd. Ze trok door en liep huiverend door naar de badkamer om zich te wassen.

'Is er wat?' Jeroen stond met knipperende ogen tegen het felle badkamerlicht in de deuropening.

'Ben je ziek?'

'Ja, vreselijk, overgeven en diarree. Misschien iets verkeerds gegeten, maar ik zou niet weten wat.'

'Nee, we hebben allebei hetzelfde gegeten, dat kan het niet zijn. Ik heb nergens last van, maar er heerst geloof ik een of ander virus. Ik heb er meer mensen over gehoord. Ga maar lekker je bed in, dan maak ik even een kop thee voor je.'

Jeroen liep met haar mee, stopte haar in bed en zette een emmer naast het bed 'voor het geval dat'.

Nog voor Jeroen terug was met de thee zat Astrid voor een tweede serie op het toilet. Daarna voelde ze zich leeg en wat minder misselijk.

'Als het niet gaat maak je me maar wakker,' zei Jeroen terwijl hij zich weer omdraaide. 'Nu kan het nog, schatje,' mompelde hij er zachtjes achteraan.

Met een vermoeid gebaar legde Thomas de hoorn op de haak. De schelle stem van zijn schoonmoeder resoneerde nog in zijn oren.

Marjo was de avond ervoor woest vertrokken naar haar ouderlijk huis. Zijn schoonmoeder dacht er zo het hare van en ze had niet geschroomd dat in een telefoongesprek van drie kwartier aan hem duidelijk te maken.

Thomas had, nadat Marjo terug was uit Indonesië bijna dagelijks geprobeerd met haar te praten over hun toekomst. Telkens weer was ze er, tot zijn frustratie, voor weggelopen. De periode dat hij alleen was geweest had hem eens te meer een bevestiging gegeven van zijn gevoelens, of het ontbreken ervan, voor haar. Hij had zich buitengewoon prettig gevoeld, met het rijk voor zichzelf alleen.

Marjo was nog geen twee dagen thuis, of de spanning in huis was weer te snijden.

Gisteren had hij, terwijl hij net een zware tentamenweek achter de rug had, besloten met haar te spreken. Als het niet goedschiks ging dan maar kwaadschiks. Het was het laatste geworden en ze had gillend en schreeuwend het pand verlaten.

Hoewel hij blij was dat ze weg was, ging het hem niet in de koude kleren zitten. Hij had natuurlijk liever als redelijke mensen een gesprek met haar gehad. Met de beste wil van de wereld kon hij zich niet voorstellen dat Marjo wel vrede had met hun relatie.

Hij moest zijn best doen om zelfs maar vriendelijk tegen haar te zijn, zover waren ze uit elkaar gegroeid.

Marjo weigerde dat onder ogen te zien. Ze was nog steeds dol op hem. Ze zei heel tevreden te zijn met het leven dat ze leidde en ze zei niet te begrijpen dat hij vond dat er iets mis was met hun leven. Toen ze zei dat ze haar ontslag had genomen om voor hem te zorgen en dat ze alles voor hem had opgegeven, brak zijn klomp.

Hij wreef met zijn vingers langs zijn slapen en dacht na over die verbijsterende zinloze discussie van de vorige avond.

'Hoe bedoel je, alles opgegeven. Je weet dat ik er erg op tegen was dat je ophield met werken.'

'We hebben toch allebei evenveel rechten? En jij stopte toch ook met werken?'

'Ik stopte en ik ben gaan studeren, dat weet je donders goed. Jij bent tegen mijn zin gestopt en je doet niets!' beet hij haar toe.

'Ik ben opgehouden omdat we kinderen wilden en ik me aan het huishouden wilde wijden.'

Thomas lachte sarcastisch, 'WE wilden geen kinderen, JIJ wilde een kind en je weet nog niet eens hoe het woord huishouden wordt geschreven, laat staan dat je er wat in doet!

Ja natuurlijk, zet de waterkraan maar open.'

'Ik doe alles voor je,' snikte Marjo, 'Alles, als je wilt vrijen lig ik voor je klaar en ik doe heus ook heel veel in huis.'

'Ga toch weg Marjo, wanneer heb ik voor het laatst met je gevreeën? Misschien wel drie maanden geleden, en waarom? Gewoon Marjo, omdat ik er geen behoefte aan heb. Het is over. En dat heeft nog niet eens iets te maken met het feit dat je met Marius het bed deelt, dat interesseert me totaal niet. Maar ga alsjeblieft niet het toegewijde teleurgestelde vrouwtje uithangen.'

Op dat moment keek Marjo hem onzeker aan, 'Hoe weet jij …, ik bedoel wat bedoel je daarmee?'

'Een kleine verspreking, schat? Een tipje: als je vreemd gaat met iemand, kies dan iemand die niet zo loslippig is dat hij er over wil opscheppen bij zijn vrienden. Hij heeft het in geuren en kleuren tegen Jeroen verteld. Bovendien schat, was je zo kies om ons bed als speelterrein te gebruiken, en zelfs zo stom om een condoom naast het bed te laten slingeren. Ja ja, die was niet opgeruimd door de ijverige huisvrouw.'

Knalrood was Marjo opgesprongen, met wilde gebaren trok ze een tas tevoorschijn en rukte haar kleren van de hangers. Ze trok lades open en gooide kousen en ondergoed in de tas. In de badkamer veegde ze al haar potjes en flesjes in een grote toilettas. Onbeheerst trok ze aan de stroeve rits van de te volle tas.

'Je moet niet denken dat je zo makkelijk van me afkomt,' beet ze hem toe. Ze trok een jas van de kapstok en met een daverende klap, die de ruiten deed rinkelen, sloeg ze de deur achter zich dicht.

'Dat was het dan,' had hij opgelucht gedacht en hij was die zelfde avond al begonnen met het in dozen pakken van haar spullen. Tevreden en opgelucht had hij zich daarna getrakteerd op een borrel.

'Op de toekomst,' had hij met zijn spiegelbeeld getoast en hij was daarna tevreden gaan slapen.

De volgende dag had Marjo het grote offensief ingezet.

Eerst belde ze vriendelijk zelf, maar toen Thomas de zoete broodjes niet wilde eten werd ze weer vuil en venijnig. Vervolgens deed haar moeder het nog eens dunnetjes over.

Hij hoopte het allemaal zo snel mogelijk achter de rug te hebben.

Vrijdag 5 december sloeg Astrid de deur van de bank achter zich dicht. Op de stoep bleef ze even staan en grabbelde in haar tas naar een sjaal. Het was koud en zo goed als donker.

Het miezerde een beetje en er stond een straffe wind. De mensen op straat trotseerden licht gebogen de wind, en liepen diep weggedoken in hun kraag of sjaal, met een hand aan hoed of muts, met snelle passen voorbij. Jaloers keek Astrid naar een stel, dat lacherig achter een door de wind gegrepen pakje aandraafde. Ze waren beladen met kleine en grote pakjes, kennelijk op weg om met vrienden of familie Sinterklaas te gaan vieren. Ze wikkelde de lange sjaal om haar hoofd en hals en zette er flink de pas in. 'Eerst even langs de supermarkt en dan strekt zich voor het eerst in mijn leven, een eenzame Sinterklaasavond voor me uit,' dacht ze vol zelfbeklag. Ze probeerde zich te herinneren hoe het vorig jaar was geweest. 'Oh ja, ze hadden het toen gevierd met de buren van Thomas, Ben en Marieke, die vier kinderen hadden onder de tien jaar. Ben en Marieke hadden Thomas heel goed opgevangen nadat zijn ouders verongelukt waren en ze waren in zijn leven heel belangrijk geworden. Thomas was Sint, en Jeroen was Piet geweest, wat een pret hadden ze gehad om al die spannende surprises en gevatte gedichten! Wat kon het leven snel veranderen, wie weet waar ik volgend jaar zal wonen en hoe mijn leven er dan weer uit zal zien.'

Evelyn had gevraagd of ze naar Vianen kwam, maar ze had gezegd dit eerste weekend zonder Jeroen, alleen te willen zijn.

Jeroen was maandag vertrokken naar zijn vader in Duitsland. Hij had volgens afspraak de auto gehouden en hij had haar opgebeld, nadat hij zich een beetje had geïnstalleerd. Het was een onwennig gesprek. Ze wisten geen van beiden wat zinnigs te vertellen. Ze leken wel vreemden voor elkaar.

'Gek eigenlijk,' dacht ze. 'Je denkt elkaar zo goed te kennen en toch heb je elkaar niets meer te zeggen of weet je de juiste toon niet meer te treffen.'

Vlak voordat hij ophing, vertelde Jeroen dat Thomas en Marjo ook uit elkaar waren.

'Misschien kunnen jullie elkaar een beetje troosten,' zei hij, waarschijnlijk grappig bedoeld, maar het had een wat bittere ondertoon.

Ze was stomverbaasd over deze mededeling. Ze had niet in de gaten gehad dat het zo slecht ging tussen die twee. Ze hadden elkaar het laatste half jaar ook niet zo vaak gezien en ze was door al die toestanden met Jeroen erg op zichzelf gericht geweest.

Ze mocht Marjo helemaal niet en vroeg zich altijd al af wat Thomas in vredesnaam in haar zag. Het was haar ook opgevallen dat Marjo het niet nauw nam met de huwelijkse trouw. 'Misschien was dat wel de reden,' dacht Astrid.

De sinterklaasliedjes, die in iedere winkel uit de luidsprekers klonken, irriteerden haar. Al die vrolijkheid deed geen goed aan haar weemoedigheid.

'Iedereen viert gezellig Sinterklaas en ik zit in mijn eentje,' dacht ze vol zelfmedelijden.

'Wat zal ik nou eens gaan doen? Op de bank hangen en naar de televisie kijken?'

Nee, daar had ze geen zin in.

Ze liep langs een grote bak met allerlei soorten overgebleven chocoladeletters in de supermarkt en kreeg een idee.

'Ik ga bij Thomas langs vanavond, misschien zit hij ook alleen.' Ze kocht zijn naam in chocoladeletters en liep wat vrolijker gestemd door dit besluit, naar huis.

Ze pakte ze alle zes in een sinterklaaspapiertje en ging zonder hem eerst te bellen op weg.

'Zo geheimschrijver,' zei Astrid, toen een verraste Thomas de deur open deed. 'Moet ik nu van Jeroen horen dat jij en Marjo uit elkaar zijn?' Ze trok zijn hoofd naar zich toe en kuste hem op beide wangen.'Stoor ik? Dan moet je maar proberen me er weer uit te krijgen. Nee onzin, komt het uit? Anders ben ik zo weer vertrokken,' ratelde ze.

'Nee, je stoort niet. In tegendeel, ik wou net wat gaan eten en daarna studeren, maar dat studeren laat ik voor fijn gezelschap graag schieten.'

'Fijn, want ik kom Sinterklaas bij je vieren,' ze overhandigde hem de pakjes. 'Chocoladeletters,' verraadde ze. 'Maar allemaal verschillende, melk, puur, wit, melk met hazelnoot, praline, en puur met hazelnoot,' somde ze op.

Ze hing haar jas aan de kapstok en liep door naar binnen. 'Waarom heb je me niet verteld van jou en Marjo?'

'Ach, ik dacht, dat komt wel. Jullie hadden genoeg aan jullie eigen problemen.'

'Wat is er gebeurd dan, of wil je er niet over praten?'

'Laten we het er op houden, dat we toch niet zo goed bij elkaar pasten,' zei Thomas.

'Moet je nog eten?'

'Ja, eigenlijk wel. Stom, ik had natuurlijk moeten bellen, maar ik wou je verrassen.'

'Ik was van plan pasta te maken. De saus is al klaar, dus als jij de tafel dekt dan maak ik er nog een salade bij.'

Astrid dekte de tafel, stak de kaarsen aan en liet zich tevreden door Thomas een glas chianti inschenken.

'Wat heb je het hier toch leuk ingericht, Thomas.' Astrid keek bewonderend om zich heen. Niets van wat Thomas had was doorsnee, over alles was nagedacht. De olijfgroene bank was modern en strak, maar zat heerlijk. De kleuren van de losse kussens kwamen terug in een prachtig Perzisch tapijt dat de lichteiken parketvloer bedekte. Boven de lange eettafel hing een door hem zelf ontworpen eigentijdse kroonluchter, die een gedimd licht verspreidde. De eetkamerstoelen, waren alle zes bekleed met dezelfde stof als de bank maar hadden drie verschillende tinten groen, van het olijfgroen van de bank tot een heldere grasgroene kleur. De kamer bestond uit een doorgebroken kamer en suite met het zitgedeelte aan de straatkant en het eetgedeelte aan de tuinkant. In beide gedeelten werd een tegenovergestelde muur gedomineerd door een antieke Engelse boekenkast. Astrid voelde zich echt thuis in deze kamer.

Thomas kwam binnen met de salade, zette die op tafel en deed de gordijnen dicht.

'Ik blijf nog steeds dingen veranderen,' reageerde hij. 'Op de boekenkasten na, die hadden mijn ouders al, is alles nu naar mijn smaak ingericht.'

'Het is heel stijlvol. Als ik een ander huis heb, kom ik bij jou om advies, afgesproken?'

'Leuk, hoe gaat het met de verkoop, en heb je al een woning op het oog?'

'Kijkers, kijkers, en nog geen kopers. Alhoewel, maandag

komt een stel voor de tweede keer kijken. Volgens de make-laar zijn ze erg geïnteresseerd.'

'Spannend, ik ben benieuwd.'

'Ik sta bij iedere woningbouwvereniging ingeschreven. Als die lui het willen kopen is het toch pas over een paar maanden, dan zal ik heus wel wat vinden.'

Thomas schonk de glazen vol en ze gingen aan tafel.

'Heerlijk,' zei Astrid. 'ik geniet! Ik voelde me eerlijk gezegd een beetje zielig toen ik uit m'n werk kwam, maar dat is nu helemaal weg.' Ze keek hem blozend aan. 'Ik ben blij dat je thuis was.'

'Ik geniet ook van jouw gezelschap, dat weet je toch wel?' Hij keek haar aan en Astrid werd getroffen door de intensheid van zijn blik. Ze sloeg haar ogen neer.

'Twee eenzame zielen die elkaar opvrolijken.' Ze lachte de intimiteit van het moment weg.

Samen ruimden ze de tafel af. Thomas zette alles in de afwasmachine terwijl Astrid koffie zette.

Bij de koffie dronken ze een likeurtje en knabbelden ze ieder aan een chocoladeletter van hun keuze.

Daarna keken ze samen naar 'Lovestory' op video.

Astrid hing wat rozig van de drank tegen Thomas aan die zijn arm om haar heen geslagen had.

Bij het sterfbed van Ali McGraw, reikte hij haar zwijgend papieren zakdoekjes aan. Astrid snotterde onbekommerd. 'Erg hè, wat zielig!' zei ze, Thomas aankijkend met ogen vol tranen.

Thomas zei niets, maar streelde troostend haar haren.

De bel ging. Thomas zette de video stop en deed open. Marjo stoof langs hem heen de kamer in.

'Zo, zo, jullie laten er geen gras over groeien. Komt je zeker wel goed uit hè, nu Jeroen weg is.' Ze draaide Astrid de rug toe en wendde zich, zonder zich verder iets van haar aan te trekken, tot Thomas.

'Thomas, ik wil weg bij mijn vader en moeder. Ik word hart-stikke gek van ze. Ik moet van alles doen en ze willen niet dat ik iemand ontvang. Ik ben bij de gemeente geweest en zolang ik geen werk heb krijg ik geen huis. Ik wil hier beneden gaan wonen. Dat ben je wel aan mij verschuldigd.'

Thomas' gezicht verstrakte.

'Marjo, buiten wat we bij de scheiding hebben geregeld ben ik je helemaal niets verschuldigd. Bovendien ben je te laat want ik heb de etage al aan Astrid verhuurd.'

Astrid, die tijdens Marjo's tirade was opgestaan en met haar glas in de hand naar de eetkamer was gelopen, verstarde verrast. 'Hè...? Maar daar hadden ze nog met geen woord over gerept,' dacht ze. De mogelijkheid was zelfs niet in haar opgekomen omdat ze wist van Thomas' plannen met die woning.

Marjo begon schel gemene taal uit te slaan en Astrid trok zich terug in de keuken om te wachten tot de bui zou zijn overgedreven.

'Hier beneden wonen,' dacht ze, 'Dat zou fantastisch zijn.' Het was prachtig en helemaal nieuw. Ze zou er zo haar spullen in kunnen zetten. Maar nee, dat kon toch niet. Misschien zei Thomas het alleen om van Marjo af te zijn. Ze liet zich op een keukenstoel zakken en schonk het laatste restje chianti uit de fles die op de keukentafel stond. Ze hoorde dat Marjo alle remmen los had gegooid. Ze tierde, raasde en gilde Thomas verwensingen toe. Thomas verhief zijn stem niet. Ze ving zo nu en dan een woord op waaruit ze opmaakte dat hij haar wilde kalmeren. Even later hoorde ze de voordeur dichtslaan en een paar seconden later stond Thomas met een verlegen, scheve grijns op zijn gezicht met zijn handen in zijn zakken op haar neer te kijken.

'Wat zeg je ervan?'

'Je meende het?' vroeg Astrid op een toon vol ongeloof.

'Jazeker, ik had het je willen aanbieden zodra je huis verkocht zou zijn, hier had ik ook niet opgerekend. Sorry dat ik je er zo mee overval.'

'Overvallen,' riep Astrid uit terwijl ze opstond, 'Ik vind het fantastisch!' Ze omhelsde hem en ze liepen samen terug naar de kamer.

'Maar wat kost het eigenlijk? Misschien kan ik het helemaal niet betalen?' vroeg ze praktisch.

'Dat weet ik niet zo precies. Hoeveel kun je betalen?'

'Nou ik denk niet meer dan zo ongeveer zeshonderd, zeshonderdvijftig gulden.'

'Je mag er voor vijfhonderd wonen en dat is inclusief gas, water en licht. Ik heb de leidingen bij de verbouwing allemaal vernieuwd en door laten trekken naar een meter omdat ik er uiteindelijk een huis van wilde maken.'

'Nee, dat is te weinig, dan moet je de energierekening met me delen. Je weet wat je nu kwijt bent dus alles wat het meer wordt, komt dan voor mijn rekening.'

Astrid zat hem overrompeld en blij aan te kijken. 'Maar je plannen dan Thomas.'

'Ach, dat mag wat mij betreft nog wel een paar jaartjes wachten. Ik heb het hier boven precies zoals ik het hebben wil en ik zag er eigenlijk een beetje tegenop om naar beneden te verhuizen.

Het enige voordeel is de tuin. Kom ik gewoon bij jou zitten van de zomer.'

'Mag ik even beneden gaan kijken,' vroeg Astrid opgewonden.

Samen liepen ze naar beneden. Ze bekeek alles met nieuwe bezitterige ogen en richtte het alvast in met haar spullen. 'Kun je voor mij ook niet zo'n lamp maken voor boven mijn eettafel? Of vind je het niet leuk als ik dezelfde wil?'

'Ik maak voor jou een nog mooiere,' beloofde Thomas.

Met moeite kon hij haar losrukken van haar nieuwe woning. Tegenstribbelend liep ze weer mee naar boven om samen de film af te zien.

Ze was te afgeleid en verheugd om weer terug in het drama te komen en met droge ogen en een glimlach om haar mond keek ze toe hoe Ali McGraw de laatste adem uitblies.

Thomas spoelde de film terug en Astrid raakte niet uitgesproken over haar nieuwe huis. Ze bleef met architectenogen de ruimte van Thomas' huis in zich opnemen en probeerde de kamer met haar eigen spullen te visualiseren. Af en toe stond ze op om de maat van een hoekje op te nemen.

'Mijn bureautje past hier denk ik precies.'

'Nou buurvrouw, zullen we er dan op drinken?' Thomas trok een nieuwe fles wijn open en ze klonken samen op de toekomst.

81

Hoofdstuk 10

Astrid was hondsmoe, ze had het gevoel dat ze zich naar huis moest slepen.

'Ik ben verdorie veertien dagen vrij geweest en nog ben ik moe,' dacht ze.

Ze had de kerstdagen en oud en nieuw bij Evelyn en Willem doorgebracht, heerlijk rustig, niets aan haar hoofd en toch leek ze niet uitgerust te kunnen raken. Ze was bij haar moeder ook een paar keer zomaar in de middag op de bank in slaap gevallen.

'Je zult het wel nodig hebben. Je hebt zo'n moeilijke tijd achter de rug. Misschien komen de spanningen er nu pas uit,' zei Evelyn.

Het huis was onverwacht snel verkocht en over twee weken moest het leeg zijn. Het klamme zweet brak haar al uit bij de gedachte.

Thomas had beloofd een bestelbus te huren en samen met Willem zouden ze dan haar spullen overbrengen.

Toos Til, haar manager, had het haar vandaag weer niet makkelijk gemaakt. Met haar lijzige, langzame manier van spreken, had ze geconstateerd dat Astrid niet erg bij de les was.

Ongehoord, vond Astrid het. Dat ze daarvoor nota bene op het matje moest komen in het spreekkamertje.

'Een foutje maakt iedereen toch wel eens en ik ben er twee weken tussenuit geweest,' had Astrid haar fout, in de verdediging gedrongen, weersproken. Daarop was een ellenlang betoog van Toos gevolgd en ze had echt niet kunnen helpen dat ze die geeuw niet kon onderdrukken.

Toos werd boos en uiteindelijk was het uitgedraaid op een officiële waarschuwing.

'Nou ja, ze doet maar,' dacht Astrid onverschillig.

Ze opende haar voordeur en liep naar boven. Ze gooide haar jas op de bank, zette de thermostaat op tweeëntwintig, en liet zich op de bank vallen.

'Eventjes mijn ogen dicht,' dacht ze.

Ze werd wakker van de telefoon. Even wist ze niet hoe het zat. Ze zag haar jas op de bank liggen met haar tas ernaast op de grond. 'Shit,' schrok ze in paniek met een blik op de klok, 'Half negen, ik ben te laat!'

Snel kwam ze overeind, maar liet zich, omdat het haar zwart voor de ogen werd, terugzakken op de bank. De kamer werd weer scherp en ze reikte naar de telefoon.

'Hallo, met mamma, hoe was je eerste werkdag in het nieuwe jaar kind?'

Het tijdsbesef kwam langzaam terug.

'Dag mam, je belt me wakker. Ik dacht dat het al morgen was en dat ik te laat was. Jeetje wat een opluchting. Ik moet even bijkomen. Ik was zo moe toen ik uit mijn werk kwam dat ik even op de bank ben gaan liggen.'

'Heb je dan nog niet gegeten? Het is al half negen.'

'Nee, het is maar goed dat je belde.'

'Toch gek hoor Astrid, die vermoeidheid. Je moet morgen maar even een afspraak met de dokter maken, dan kan hij bloed laten prikken. Misschien heb je de ziekte van Pfeiffer of zo.'

'Ja, zal ik doen. Ik heb er echt last van. Ik moet 's middags gewoon vechten tegen de slaap, ik ga er fouten van maken en toen mijn manager me een preek gaf daarover moest ik onbedwingbaar geeuwen. Dat viel bij haar ook al niet in goede aarde. Ik kan je verzekeren dat ik vandaag geen beste beurt heb gemaakt bij haar.'

'Kun je nog steeds niet goed overweg met je manager? Toos heet ze toch?'

'Nee, niet echt, alhoewel ze wel veel begrip had voor de situatie met Jeroen. Maar ik raak zo geïrriteerd van haar. Ze is altijd zo overdreven blij en dat komt bij mij dan zo onecht over. Maar het zal wel aan mij liggen want de meeste collega's kunnen wel goed met haar opschieten.'

'Tja meisje, doe je best het zakelijk goed met haar te kunnen vinden. Ze hoeft ook niet je beste vriendin te zijn.'

'Ja, ja, mam,' Astrid geeuwde. 'Ik weet het. Ik zal me netjes gedragen en nu ga ik maar eens wat te eten maken en daarna vroeg naar bed.'

'Zorg goed voor je zelf en maak morgen die afspraak, ok?'
'Ja ma, groeten aan Willem en ik bel je van de week wel.
Dag!'

Verbijsterd trok Astrid de deur van de huisartsenpraktijk achter
zich dicht. Het was nog vroeg en het beloofde een mooie dag te
worden. De kinderen op straat joelden uitgelaten op weg naar
school en op een vensterbank koesterde een kat zich achter het
glas in het opkomende winterzonnetje. In de boom zat een vogel
opgewekt te zingen. De wereld zag er schoongewassen uit en
iedereen leek van plan van de dag te gaan genieten, behalve zij.

Een golf van zelfmedelijden bracht de tranen in haar ogen.
Ongeloof, bitterheid en wanhoop streden om voorrang. Hoe
was het in Godsnaam mogelijk? Ze slikte nota bene de pil.

De dokter had gevraagd of ze soms erg had moeten overgeven of diarree had in de periode van de conceptie.

Achteraf realiseerde ze zich dat ze inderdaad ziek was
geweest toen zij en Jeroen de laatste keer gevreeën hadden.
Bovendien was ze in die periode ook niet heel erg secuur
geweest met de pil.

Geagiteerd fietste ze naar haar werk. Bij iedere trap op de
pedalen dacht ze zwanger, zwanger, zwanger. Ze reed op haar
automatische piloot en voordat ze het wist was ze er al. Ze
zette haar fiets in de fietsenstalling en probeerde te kalmeren
door een aantal malen diep te zuchten. Ze drukte haar koude
handen tegen haar gloeiende wangen en probeerde voordat ze
naar binnen ging te bepalen wat ze ging zeggen.

'Ik zeg gewoon dat ik nog bloed moet laten prikken of zo,'
dacht ze.

Ze zuchtte nogmaals diep en liep naar binnen, hing haar
jas in de garderobe en liep eerst even naar de WC.

Toen ze dacht dat ze zich voldoende onder controle had liep
ze haar afdeling op waar ze haar collega's koerend aantrof
rondom een reiswieg.

Dat was ze helemaal vergeten.

Lisa zou langskomen om haar baby Noortje te showen op
de afdeling. Ze had zelf geld ingezameld en een cadeau voor
haar gekocht.

Lisa kreeg haar in het oog. 'Daar ben je, ik dacht al, ze zal toch niet ziek zijn of zo? Maar je moest even langs dokter zei Toos. Alles goed met je?' Lisa keek haar stralend aan.

'Jij hebt mijn kleine geluk pas nog gezien maar wat groeit ze hard hè?'

Astrid bewonderde de kleine Noortje die op de arm van een van haar collega's een heel tevreden indruk maakte.

'Ze is prachtig en wat lijkt ze op jou, Lies.'

'Ja hè, maar ze heeft het haar van Wouter, die heeft ook dat steile haar met op precies de zelfde plek een kruin.'

Dankbaar voor de afleiding overhandigde Astrid het cadeau van de afdeling. Ze dronken koffie en daarna ging Lisa weer met kind naar huis en de rest ging weer doen waarvoor ze salaris kregen.

Astrid was blij dat ze niet aan de balie hoefde te werken vandaag. Ze moest cliënten een brief sturen dat de nieuw aangevraagde pas klaar lag om opgehaald te worden. Een simpel karweitje dat ze net aankon gezien de chaos in haar hoofd.

In de lunchpauze vroeg Toos of alles goed was met haar. Van die onverwachte vriendelijkheid schoten haar de tranen in de ogen en ze wist het te maskeren door te doen alsof ze moest niezen. Ze haalde haar zakdoek te voorschijn, snoot haar neus en toen ze zich weer onder controle had antwoordde ze dat ze bloed moest laten prikken.

'Laat maar weten als je daarvan de uitslag hebt. Je bent steeds zo moe, je hebt vast wat onder de leden,' zei Toos.

Weer voelde ze de tranen prikken achter haar oogleden en ze was blij dat iemand anders de aandacht van Toos opeiste.

Doordat ze zo gepreoccupeerd was, was de middag voorbij voor ze er erg in had.

Thuis gekomen zette ze eerst een pot thee, deed de lampen aan, stak wat kaarsen aan en ging met opgetrokken benen op de bank zitten. Ze trok een plaid over zich heen en probeerde haar gedachten op een rij te krijgen.

In verwachting. Abortus was al in haar opgekomen. Dan hoefde niemand iets ervan te weten. In dat geval kon ze het helemaal zelf oplossen.

Oplossen? Ze hield haar handen beschermend om haar buik. Zwanger zijn was een verwarrende ervaring. Sinds vanmorgen was ze zich steeds meer bewust geworden van het feit dat ze haar lichaam feitelijk deelde.

Toen ze vanmorgen Noortje in haar armen hield voelde ze de wanhoop van haar afglijden en een pril gevoel van blijdschap over wat in haar groeide had zich van haar meester gemaakt.

Verwarrend al deze tegenstrijdige gevoelens.

Maar voorlopig, besloot ze, hoeft niemand er nog iets van te weten. 'Voorlopig ben jij mijn geheim,' zei ze met een klopje op haar buik.

'Na de verhuizing zien we wel weer verder en bovendien kan er in de eerste periode nog van alles mis gaan, ik ben tenslotte nog maar tien weken zwanger.'

Gesterkt door dit besluit stond ze op om de zuurkool van de dag ervoor op te warmen. Ze had er trek in.

Uitgeput maar voldaan keken Evelyn en Astrid om zich heen in het nieuwe huis. De klus was geklaard, alles stond op zijn plek en Thomas en Willem waren de bestelbus aan het wegbrengen en ze zouden op de terugweg Chinees halen.

'Je bent een bofkont,'zei Evelyn met haar arm om haar dochter heen.

'Wat een prachtig huis en een mooi aangelegde tuin. Je mag jezelf gelukkig prijzen met Thomas als bovenbuurman.'

'Ja hè, hij heeft het huis helemaal gestript doen die oude vrouw eruit ging, dus alles is nieuw. Ik ben echt heel gelukkig!'

'Van het kleine kamertje aan de voorkant kun je met gemak een logeerkamer maken.'

'Ja, met gemak,' zei Astrid 'Of een babykamer,' dacht ze er achteraan. Ze had zichzelf nog steeds niet zover kunnen krijgen dat ze haar geheim wilde delen.

Bang voor reacties, bang voor de bemoeizucht die, hoe goed ook bedoeld, zeker zou volgen. Bang dat ze haar voorgenomen scheiding met Jeroen weer zou moeten gaan verdedigen. Ook bang van Jeroens reactie op het aanstaande vaderschap. In haar hart zou ze het hem het liefst helemaal niet vertellen.

Ze was nu ruim drie maanden zwanger en buiten het hebben van veel slaap waren haar andere kwalen bespaard gebleven. Ze voelde zich goed, haar kleding begon wat te strak te zitten maar niemand had nog iets bijzonders aan haar waargenomen.

'Wat ben je stilletjes. Ben je moe?' vroeg Evelyn.

'Nee hoor, gelukkig en voldaan.'

'Heb je nog steeds zo'n slaap iedere middag?'

'Valt mee, ik had wat bloedarmoede en vitaminegebrek maar de extra vitamine, gezond eten en de staalpillen hebben effect.'

'Gelukkig maar. Ik hoor de mannen,' zei Evelyn terwijl ze opstond om de deur open te maken.

Thomas en Willem kwamen binnen met genoeg Chinees eten om tien personen te voeden. Thomas liep naar zijn eigen huis om wat biertjes uit de koelkast te halen en kwam weer binnen met de buren, Ben en Marieke.

'We komen alleen even kijken en je deze bos bloemen geven als welkom,' zei Marieke.

Ze omhelsde Astrid 'Heel veel geluk hier wijfie,' en gaf Willem en Evelyn een hand.

'Laten jullie je niet van het eten afhouden, we zijn zo weer weg.'

'Jullie kunnen makkelijk mee eten, er is genoeg,' zei Thomas.

'Nee we gaan weer. Een andere keer. Ik wilde alleen even de bloemen kwijt voordat ze op mijn aanrecht verwelken. De kinderen zijn alleen, dus we moeten terug, hè Ben.'

'Je hoort het,'lachte Ben. 'Dag buurvrouw. Tot gauw en eet smakelijk allemaal.'

Een paar uur later waren ook Willem en Evelyn naar huis vertrokken.

Astrid zette de borden en het bestek in de vaatwasser en de schaaltjes overgebleven Chinees in de koelkast.

'Dat is makkelijk, een vaatwasser. Ik tref het maar met mijn huisbaas die zo'n mooie keuken in mijn huisje heeft gezet.'

'Ja, als je iets doet moet je het goed doen,' lachte Thomas.

Hij schopte zijn schoenen uit en maakte het zich gemakkelijk op de bank. Astrid kwam met koffie uit de keuken en ging in de andere hoek van de bank zitten.

'Ik heb nog nooit zo'n snelle verhuizing meegemaakt. Alles wat in huis moest is al uitgepakt, er staan alleen wat dozen in de schuur. Het is ongelooflijk. Komt natuurlijk ook omdat alles hier nieuw en schoon is en omdat er overal vaste kasten zijn waar alles zo kon worden ingezet.'

'Ik ben blij dat je zo tevreden bent.'

'Tevreden? Dat is wel het understatement van het jaar! Ik vind het super en dat weet jij ook wel,' zei Astrid terwijl ze zich naar hem toeboog om hem te kussen.

'Bedankt Thomas, voor alles.'

Ze keken elkaar aan.

'Kijk niet zo!'

'Hoe zo?' Hij schoof nog dichter naar haar toe en Astrid voelde zijn warmte.

'Hou op!'

'Dat wil je helemaal niet.' Ze zaten bijna neus aan neus. Astrid kon haar ogen niet van zijn mond afhouden. Haar lippen werden erheen getrokken als was het een magnetisch veld.

Ze probeerde zich te beheersen en deed haar mond open om te protesteren in plaats daarvan ontving ze zijn tong.

Een verrukkelijke sensatie doorstroomde haar.

Dit hoor ik niet te doen zeurde een stem in haar hoofd. Ik ben in verwachting van een ander. Maar ze was te opgewonden om zich te laten overtuigen.

'Dit heb ik al zolang willen doen,' zei Thomas terwijl hij haar borsten met beide handen vasthield en ze een voor een kuste. Hij zoog zachtjes aan haar tepels die supergevoelig waren vanwege de zwangerschap.

'Heerlijke borsten heb je,' mompelde hij. 'Ik ben een echte borstenman. Ik hou van alle vrouwenborsten maar die van jou zijn fenomenaal.'

Astrid kronkelde zich onder hem uit en ontdeed hem opgewonden van zijn trui.

Thomas trok zijn spijkerbroek uit en hielp Astrid uit die

van haar. Ongeduldig schoof hij haar slipje opzij en voelde haar natheid.

Ze namen niet de moeite zich verder uit te kleden. Astrid trok Thomas koortsachtig naar zich toe en leidde hem bij haar naar binnen.

Heel even lagen ze zo doodstil op elkaar wetend dat wanneer iemand zou bewegen het meteen tot een explosie zou komen. Zodra Thomas zachtjes begon te stoten hief Astrid haar heupen op en met zijn handen stevig om haar billen kwamen ze samen tot een orgasme.

Ze bleven een poosje in elkaars armen liggen totdat Astrid het zaad uit haar voelde lopen.

'Geef eens een servet, anders knoei ik op de bank.'

Zonder van haar af te gaan reikte Thomas naar de servetten op tafel en schoof er enkele onder haar billen.

'Zo goed?'

Thomas tilde zijn hoofd op en keek Astrid aan. 'Ik heb helemaal niet aan een condoom gedacht. Sorry schat, is het erg?'

'Nee,' glimlachte Astrid 'ik ben niet in mijn vruchtbare periode.' 'Je moest eens weten hoe safe deze seks was,' dacht ze erachteraan.

Even schoot het door haar heen dat dit misschien wel de ultieme gelegenheid was om het te vertellen, maar ze kreeg het niet over haar lippen. Ze wilde ook dit heerlijke intieme moment niet verstoren.

'Ach, alles op zijn tijd,' dacht ze. Binnen een maand zal het ook wel zichtbaar worden en dan zou het hoge woord er wel uit moeten.

Thomas rolde van haar af. 'Wat is er As, heb je spijt?'

'Spijt? Nee natuurlijk niet. Ik lig nog lekker na te sudderen. Het was heerlijk, maar nu jij van me af bent krijg ik het wel koud en ik voel me een beetje plakkerig nu mijn verhuiszweet zich heeft gemengd met het jouwe.'

'Spring jij dan snel even onder de douche, dan zet ik even thee. Of wil je wat sterkers?'

'Nee een kop thee is prima. Ik heb dorst van die Chinees.'

Vijf minuten later nestelde ze zich weer lekker ruikend in een dikke kamerjas tegen Thomas aan.

Thomas gaf haar een kus op haar neus.

'Ik ben verliefd op je, dame, en niet zo'n klein beetje.'

Astrid bloosde en voelde zich opeens schuldig. Dit kon natuurlijk helemaal niet. In totale verwarring wist ze niet goed wat ze moest antwoorden.

Ze keek hem aan en gaf hem een kus op zijn mond. 'Ach Thomas, het was heerlijk, maar we zullen wel zien waar het toe leidt.'

Dat dit niet het antwoord was dat Thomas verwachtte zag ze in zijn ogen die donker werden van teleurstelling.

Thomas ging wat van haar af zitten en keek haar aan.

'Ik zal eerlijk tegen je zijn Astrid. Ik ben verliefd op je zoals ik al zei. Ik zie ook dat jij die gevoelens niet op dezelfde manier beantwoordt. Laten we maar vergeten wat er is gebeurd. Aan een kant ben ik erg teleurgesteld maar aan de andere kant heb je me wel geholpen een beslissing te nemen. Om jou had ik nogal moeite de knoop door te hakken.'

Astrid keek hem vragend aan.

Ik zit al een half jaar te dubben of ik wel of niet in Amerika mijn studie zal afmaken. Ik heb net besloten om dat in september te gaan doen.'

Astrid zat met neergeslagen ogen aan haar nagels te plukken. Haar hart bonsde in haar keel. Ze zou niets liever doen dan zich in zijn armen storten en zeggen dat ze van hem hield. Maar met Jeroens kind in haar buik was dit onmogelijk, vond ze. Ze voelde een licht gefladder in haar buik maar dat moest wel suggestie zijn, want daarvoor was het nog veel te vroeg. Maar toch. Ze had het gevoel dat haar kind zich liet horen. Ze streelde automatisch beschermend haar buik.

'Ik zal je missen,' zei ze en ze hoorde zelf hoe magertjes dat klonk. Ze maakte een wanhopig gebaar van verontschuldiging, maar hij zag dat niet, te veel in beslag genomen door zijn eigen teleurstelling. Ook hij maakte een gebaar, wat Astrid op haar beurt niet opmerkte.

En zo kon het gebeuren dat een veelbelovende relatie een te vroege dood stierf.

Ze namen bijna als vreemden afscheid toen Thomas al snel besloot naar zijn huis te gaan.

De eerste nacht in haar nieuwe huis huilde Astrid zich in slaap, terwijl ze zich steeds weer afvroeg hoe ze het anders had moeten aanpakken. Ze besloot dat ze morgen Lisa zou bellen voor een tafel voor twee, de code die ze met een vriendinnenclub had. Daarmee gaven ze aan iets belangrijks te bespreken te hebben. Lisa, zelf net moeder, zou wel heel verrast zijn en boos dat ze zolang had gewacht er iets over te zeggen.

'Het wordt tijd om je aan te kondigen, kindje,' zei ze tegen de baby in haar buik.

Eerst met Lisa de juiste strategie bespreken.

Met dit genomen besluit viel ze eindelijk in slaap.

'Ik kan je niet zeggen hoe fijn ik het vind dat jij en Astrid het nu zo goed met elkaar kunnen vinden,' zei Evelyn nadat ze in de auto waren gestapt.

'Ik ook,' zei Willem.

'Het kind is wel met haar neus in de boter gevallen met dat huis.'

'Verdient ze ook wel na al die sores van het afgelopen jaar,' zei Willem.

'Toch is er wat met haar. Ik kan het niet duiden, maar ik heb het gevoel dat ze iets achter houdt.'

'Denk je dat ze weer contact heeft gezocht met Jeroen? Ondanks wat hij heeft aangericht blijf ik toch een zwak voor die jongen houden. Is ook een product van zijn opvoeding en hij heeft het natuurlijk op jeugdige leeftijd ook niet gemakkelijk gehad.'

'Niet gemakkelijk is een understatement. Heel jammer dat zijn vader niet kon ingrijpen in die situatie, hoe hij ook zijn best er voor heeft gedaan. De rechter wees en wijst nog steeds, in dergelijke situaties het kind aan de moeder toe, hoe verkeerd dat ook was voor die jongen. Jaap is een geweldige vader die heeft gedaan wat hij kon. Maar om terug te komen op je vraag: Nee ik denk niet dat ze weer contact heeft met Jeroen. Ik weet dat wel zeker, want vanmorgen belde hij me nog om te horen hoe het met Astrids verhuizing ging.'

'Nou dan kan dat het helaas niet zijn. Jammer, ik vind dat die jongen wel een tweede kans verdient.'

'Als het bij Astrid over is, is het ook echt over. Je hebt zelf aan den lijve ondervonden hoe het is om uit haar gratie te zijn.'

'Dat radicale heeft ze zeker niet van jou, toch...?'

'Ach, misschien een beetje, ik ben met de jaren natuurlijk wat milder geworden, maar vroeger was ik ook wel een beetje zo. Niet zo erg als Astrid, maar wel een beetje.'

'Ik heb daar in ieder geval nog nooit wat van gemerkt,' zei Willem terwijl hij een hand op haar knie legde. 'Het is te hopen dat Astrid met de jaren ook wel wat genuanceerder zal worden want ze maakt het zichzelf, en soms anderen, niet gemakkelijk.'

'Ik weet het. Soms maak ik me daar ook wel zorgen om. Maar ja, hopelijk leert ze van haar fouten en ik kan niet meer doen dan haar gevraagd of ongevraagd adviseren.'

'Je bent een wijze vrouw en een heel goede moeder,' geeuwde Willem.

'Sorry, we zijn er bijna en ik ben blij toe. Ik ben helemaal stijf en stram van het sjouwen. Zo nog een glaasje wijn en dan gaan we lekker naar bed.'

Thomas lag te woelen in bed. Telkens speelde hij de film van de afgelopen avond af en vroeg zich steeds weer opnieuw af waar het was misgegaan.

Had hij zich zo vergist in haar gevoelens? Hij kon het zich nauwelijks voorstellen. Astrid had onmiskenbaar naar hem verlangd. Ze was altijd absoluut en stellig in haar mening, maar grillig was ze niet. Hij begreep er niets van.

Onrustig stapte hij weer zijn bed uit.

Uit zijn bureau haalde hij de papieren voor de inschrijving voor de universiteit in Amerika te voorschijn. Zijn oom, een broer van zijn vader, was er hoogleraar en had hem van harte uitgenodigd om te komen en hij verheugde zich op zijn komst.

Vanwege zijn gevoelens voor Astrid had hij zijn besluit steeds uitgesteld. Nou ja, niet alleen om zijn affectie voor Astrid, hij had ook gewoon moeite de stap te nemen. Weg te gaan uit dit huis waar hij met zijn ouders zoveel had meegemaakt, weg uit Den Haag, waar hij al zijn leven woonde en nu Astrid die hij eigenlijk niet wilde verlaten.

Nog steeds aarzelde hij, maar met de wetenschap dat zijn gevoelens niet werden beantwoord, neigde hij nu steeds meer naar deze nieuwe fase in zijn leven. Hij begon de formulieren in te vullen, schreef een brief aan zijn oom maar plakte deze nog niet dicht.

'Eerst nog maar een nachtje over slapen,' dacht hij.

En met het gevoel dat hij zijn problemen enigszins van zich had afgeschreven, ging hij weer naar bed.

Ook Jeroen kon de slaap niet vatten. Zoals iedere avond dacht hij aan Astrid. Ze was vandaag verhuisd. Zijn gedachten draaiden steeds in hetzelfde kringetje.

Door de therapie kon hij zichzelf inmiddels aardig relativeren en zijn rol in de gebeurtenissen van het afgelopen anderhalf jaar vervulde hem, vooral als de gedachten eraan hem uit de slaap hielden, met afschuw. Het was zo nu en dan alsof hij naar een film keek waarin hijzelf de 'bad guy' speelde.

Dat hij zo met Astrid was omgegaan kwam hem nu vreemd voor. Hij realiseerde zich hoe afschuwelijk het voor haar moest zijn geweest. Hij was wel blij dat ze de laatste maand samen toch nog als vrienden hadden doorgebracht. Met een glimlach dacht hij terug aan hun laatste vrijpartij in november.

Hij was er nog lang niet. Drie weken geleden had hij een terugval en was toen hij van zijn therapie kwam een speelhal ingedoken. Hij had er al vijfentwintig gulden doorheen gejaagd en toen hij daarna een briefje van tien wilde wisselen kwam hij plotseling tot bezinning.

Pas als hij helemaal was genezen zou hij weer proberen Astrid voor zich te winnen.

Hoofdstuk 11

Gehaast schoot Astrid haar jas aan. Ze moest rennen anders zou ze de trein van half zes niet halen op Hollands Spoor en ze had tussen zes en half zeven met Lisa afgesproken bij het Sterretje in het centrum van Schiedam.

Ze haalde hem net en vond zelfs nog een zitplaats. Om kwart over zes kwam ze bij het restaurant aan waar Lisa al op haar zat te wachten.

'Hallo, zit je er al lang? Wat zie je er goed uit! Wat ben je al weer slank. Gaat alles goed met de kleine Noortje?

'Wat een vragen,' lachte Lisa, 'Even denken…, ik zit hier net 5 minuten, jij ziet er ook goed uit. Je bent wat aangekomen maar dat staat je goed en met de kleine Noortje gaat het fantastisch alleen houdt ze haar arme moeder erg uit haar slaap door nog steeds minstens drie keer per nacht te huilen.'

'Oh jee, als dat mijn voorland is. Daar moet ik toch echt niet aan denken. Ik ben zo'n slaapkop en zonder een uur of zeven acht slaap ben ik niet te genieten,' dacht Astrid.

Ze bestelden wat te drinken en gaven hun aandacht even aan de kaart.

Toen de drankjes geserveerd waren en ze hun bestelling hadden gedaan keken ze elkaar aan.

'Zo As, wat heb je op je lever? Voor de draad er mee, meid.'

'Proost,' zei Astrid terwijl ze haar glas cola hief. 'Ik weet niet goed hoe ik moet beginnen, dus ik zal het maar gewoon zeggen. Ik ben zwanger.'

Lisa keek haar ongelovig aan.

'Ik wist helemaal niet dat je alweer een nieuwe vriend had.'

'Geen nieuwe vriend, het is van Jeroen.'

Astrid vertelde Lisa de hele geschiedenis, ook dat zij de eerste was die het wist. Dat ze het niet tegen Evelyn en zeker niet tegen Jeroen durfde te vertellen omdat het getrek aan haar dan weer van voren af aan zou beginnen.

'Jeroen zal zijn aanstaande vaderschap zeker gebruiken om te proberen me weer om te praten, en mijn moeder vindt in haar hart ook dat ik hem nog een kans moet geven.'

'Ik begrijp dat het feit dat je zwanger bent van hem je mening over hem niet heeft veranderd?'

'Nee, in tegendeel, ik wil dit kind maar ik wil Jeroen er pertinent niet bij.'

'Je zult hem toch in de gelegenheid moeten stellen zijn rol als vader op de een of andere manier in te vullen.'

'Ja, dat zal wel. Maar Lies, hoe pak ik het aan?'

'Aan je moeder en Willem moet je het natuurlijk gewoon vertellen. Jouw moeder heeft jou ook in haar eentje grootgebracht dus ze zal blij zijn voor je en je steunen waar ze kan. Aan Jeroen zou ik een brief schrijven. Wel een brief waar je goed over na moet denken. Schrijf hem vanuit jezelf, vanuit jouw gevoel. Wees duidelijk dat deze zwangerschap niets verandert aan jouw besluit, maar probeer ook een beetje begrip voor hem te tonen.'

'Ja, dat zal ik doen,' zei Astrid. 'Het is zo gek dat iedere keer dat ik mild ben, of begrip toon voor Jeroens zorgen en problemen ik bang ben om weer terug te glijden in zijn armen. Ook omdat ik het gevoel heb dat iedereen me een beetje veroordeelt omdat ik van hem ben afgegaan.'

'Nee, dat moet je niet denken, maar je leek af en toe zo hard. Ik begreep wel dat je zo deed omdat je bang was om medelijden te tonen. Maar goed meid,' Lisa kwam overeind, liep om de tafel heen en trok Astrid in haar armen. 'Lieve Astrid heel, heel erg gefeliciteerd met je aanstaande moederschap. Ik ben blij en trots dat ik de eerste ben met wie je het deelt. Mag ik het aan Caro en Bea vertellen als ze morgen komen of doe je dat liever zelf.'

Astrid gaf haar een kus. 'Je mag het ze wel vertellen en ik bel vanavond mijn moeder.'

Evelyn legde de hoorn neer en staarde voor zich uit. Ze had dus goed gezien dat haar dochter iets achterhield, maar dit nieuws had ze echt niet verwacht. Ze staarde naar het journaal op de televisie waarvan ze het geluid had weggedraaid toen de telefoon ging.

'Hallo mam, met mij, ik moet je wat vertellen maar niet schrikken hoor,' zei Astrid.

'Hallo kind, toch niks ernstigs hoop ik.'

'Nee het is eigenlijk heel leuk nieuws mam, je wordt oma!'

'Wat zeg je? Ik begrijp het niet, hoezo wordt ik oma, wat bedoel je?' had ze onthutst gereageerd.

'Ik ben in verwachting mam.'

Er volgde een stilte die minuten leek te duren.

'Mam, ben je er nog?'

'Ja schat, het moet even tot me doordringen en ik moet een zakdoek pakken want de tranen lopen spontaan uit mijn ogen,' snoof Evelyn.

'Als het maar vreugdetranen zijn is het goed.'

Evelyn nam even de tijd om zich te vermannen, ze snoot haar neus en kwam terug aan de lijn.

'Liefje, wat een nieuws! Als jij er blij mee bent dan ben ik dat natuurlijk ook. Gefeliciteerd schat, wanneer ben je uitgerekend? Ben je al bij de dokter geweest? Wanneer ben je vrij dan kom ik naar je toe.'

Astrid glimlachte en pinkte ook een traantje weg. Ze was erg emotioneel merkte ze de laatste weken.

'Ik ben vrijdag vrij, kun je dan?'

'Ik kom dan na mijn werk. Ik ben om drie uur klaar en dan blijf ik slapen. Is dat goed? Dan praten we verder over alles.'

Willem kwam binnen en zag dat Evelyn naar de telefoon zat te staren.

'Is er iets?'

'Ik word oma, Willem, hoe vind je dat, ik word oma!'

Willem spreidde uitnodigend zijn armen. Evelyn stond op en liep in zijn omhelzing.

'Gefeliciteerd omaatje,' fluisterde Willem in haar kruin.

'Lieve Jeroen,' stond er boven de brief die hij zo langzamerhand uit zijn hoofd kende.

'Ik ben zwanger. Moet die avond zijn gebeurd toen we voor het laatst vrijden en ik zo ziek werd.'

Jeroen maakte bijna een sprong van vreugde toen hij die zin

de eerste keer las. Zijn ogen vlogen over de rest van de brief waarin Astrid hem vertelde dat zijn aanstaande vaderschap niets zou veranderen aan de genomen beslissingen. Dat ze wel te zijner tijd een afspraak moesten maken over zijn rol als vader.

Vooropgesteld dat hij in deze omstandigheden überhaupt een rol wilde spelen.

Financieel wilde ze nergens aanspraak op maken. Ze wist immers hoe moeilijk zijn omstandigheden waren. Ze was van plan het wel alleen te redden, daar was ze inmiddels heel goed in.

Zwijgend had hij die avond de brief aan zijn vader laten lezen.

'Tja jongen, het is niet anders,' zei hij.

'Ze wil in ieder geval met je praten. Misschien kun je goede afspraken maken om ook deel uit te maken van het leven van het kind.'

Op zaterdag, een week later zag Astrid ook kans een en ander bij Thomas recht te zetten.

Ze had hem na de avond van haar verhuizing bewust ontlopen. Het zat haar erg dwars dat ze haar liefste vriend had gekwetst en bovendien had ze moeite om met haar eigen gevoelens voor Thomas in het reine te komen. Ze wilde zichzelf best bekennen dat ze verliefd op hem was al zou ze liever haar tong afbijten dan dat aan iemand te bekennen.

Tegelijkertijd wist ze ook zeker dat het nu niets kon worden tussen hen.

Allebei nog geen half jaar gescheiden en zij bovendien in verwachting. Nee, het was beter om afstand te nemen en nu eerst een eigen leven op te bouwen. Dat gold in haar ogen ook voor Thomas. Met die studie, hier of in Amerika, zou hij ook geen nieuwe vriendin kunnen gebruiken. Een die bovendien ook nog zwanger was van zijn beste vriend.

Toen ze die middag tegelijkertijd de deur uit kwamen was ze klaar voor de confrontatie.

Ze vatte meteen de koe bij de horens.

'Hallo Thomas, jou wilde ik net even spreken. Heb je tijd of moet je ergens heen?'

'Nee, ik wilde even een boodschap doen maar dat kan wel wachten. Wil je bij mij of jou praten of zullen we een eindje lopen?'

'Laten we maar een eindje wandelen. Dat praat makkelijker en een beetje beweging is wel goed.'

Ze liepen een eindje zwijgend naast elkaar. Astrid verstapte zich op een scheve tegel en Thomas sloeg als vanzelfsprekend zijn arm om haar heen en liet die liggen.

'Vertel het maar As.'

'Ik ben zwanger,' gooide ze eruit.

De arm gleed van haar schouder toen Thomas abrupt bleef staan.

'Zwanger?' Hij keek haar onthutst aan. 'Van die ene keer en dat weet je nu al? Dat is nog maar ruim drie weken geleden.'

Astrid schoot in de lach om dit misverstand. Ze stak haar arm door de zijne.

'Nee Thom, sorry ik lach je niet uit maar ik had helemaal niet verwacht dat je dat zou denken. Stom van me natuurlijk, want het ligt voor de hand. Het is van Jeroen en ik ben al bijna vier maanden zwanger.'

Het bleef lang stil naast haar. Ze keek opzij. 'Daarom reageerde ik zo bot. Mijn situatie is nu niet bepaald een florissant uitgangspunt om een nieuwe relatie te beginnen en dat wil ik ook niet en jij moet dat ook niet willen met je studieplannen en zo. Maar ik wil niet dat je om mij naar Amerika gaat. Dat moet je doen voor jezelf.'

'Ik begrijp jou wel, maar Astrid ik wil je toch. Zowel met, als zonder kind.'

'Nee Thomas, dat denk je maar. Ik denk dat het niet goed is, voor ons allebei om van de ene relatie in de andere te stappen. Hoe graag ik het zelf misschien ook zou willen, het is niet goed. Ik ga dit kind krijgen. Ik ga voor mezelf en het kind zorgen en wat er in de toekomst gebeurt staat in de sterren.' Haar stem klonk wat schel bij dit betoog en had een toon die geen tegenspraak duldde.

Thomas keek opzij naar haar vastberaden gezicht, haar kin omhoog en haar ogen fonkelend. Hij zag nu ook de beginnende verandering van haar silhouet en hij was ontroerd door haar kranigheid.

'En wanneer komt het, dappere Dodo?'

'Begin augustus.'

'Gelukkig voor ik naar Amerika vertrek en ik sta erop de peetvader te worden van deze kleine, ok?'

'Daar ben ik heel blij mee want ik wil geen andere.'

'En mag ik ook een beetje voor je zorgen de komende maanden?'

'Dat mag, als je het maar niet overdrijft en me maar niet gaat betuttelen want daar ben ik allergisch voor.'

Hij trok Astrid naar zich toe en begroef zijn neus in haar verwaaide krullen. 'Laat me je dan nu maar eerst eens feliciteren, moedertje,' mompelde hij in een warme omhelzing.

'Kom op As dan gaan we ergens eten om het te vieren.'

Hoofdstuk 12

Het was een hete augustusdag. Met een diepe zucht trok Astrid haar boodschappenwagentje over de drempel van haar woning en liep naar binnen. Nou ja, lopen, waggelen was een beter woord.

Haar zwangerschap was zonder noemenswaardige problemen verlopen en ze was inmiddels vijf weken met zwangerschapsverlof.

Op kantoor hadden de collega's met veel goede wensen en een lading cadeaus tijdelijk afscheid van haar genomen. De uitgerekende datum was al drie dagen verstreken. Vorige week had ze de hele dag weeën gehad en had ze iedereen gealarmeerd. Haar moeder was met Willem gekomen. De verloskundige kwam, stuurde haar naar het ziekenhuis en nadat ze een nacht aan een monitor had gelegen was ze weer naar huis gestuurd. De weeën waren gestopt en alles met het kind was in orde. Het was een vals alarm, iets dat vaker voorkwam.

Ze had nu iedereen verboden haar op te bellen want ze werd gek van de telefoontjes met maar een vraag: 'Is het er al?'

'Nee dus!'

Vanmorgen had Marieke zich bij haar afgemeld want ze moest naar een bruiloft.

'Nee echt, nog niets aan de hand jammer genoeg, ga jij maar fijn genieten,' had ze gezegd.

Morgen zou haar moeder komen om de komende weken bij haar te kramen. 'Dan moet er wel gauw iets te kramen vallen,' dacht Astrid terwijl ze zich moeizaam op een stoel liet zakken.

Zwanger zijn was leuk, alleen zouden die laatste weken er niet bij moeten horen. Ze was oververmoeid van het slaapgebrek en wist niet meer hoe ze zitten, lopen of liggen moest.

Haar voeten waren zo opgezwollen dat ze alleen nog maar zeer onelegante gezondheidsslippers kon dragen en iedere inspanning kostte haar erg veel moeite. Ze was de laatste twee maanden van mooi zwanger naar enorm veranderd.

'En dat moet er dan ook nog uit,' dacht ze bezorgd, 'Hoe is het in vredesnaam mogelijk.'

'Het hele Franse leger is zo op de wereld gekomen,' had Ben gezegd toen hij en Marieke de avond ervoor bij haar waren en Astrid zorgelijk had bekend bang te zijn voor de bevalling.

'Typisch weer een mannenopmerking,' zei Marieke, 'Maar ik ben een ervaringsdeskundige en ik kan je zeggen dat het niet meevalt, maar dat het zeker te doen is. En het is waar wat ze zeggen, als je je kind in je armen houdt, weet je waarvoor je het hebt doorstaan. Als het zo verschrikkelijk was, had ik er nu geen drie.'

Astrid moest plassen maar was te moe en te log om overeind te komen.

'Even moed verzamelen,' dacht ze.

Ze moest nu toch echt. Ze zette haar handen aan beide kanten op de stoelleuning om zich af te zetten. Bij de tweede poging, ze was pas half overeind, voelde een scherpe scheut pijn in haar rug die haar de adem benam. De stoel gleed achteruit en Astrid landde met haar billen op de grond.

Ze bleef even liggen tot de pijn wegebde. Het zweet stond op haar voorhoofd. Ze probeerde op haar zij te komen en steun te zoeken bij de tafelpoot om zich daaraan op te trekken.

Na veel inspanning zat ze op haar knieën, maar haar buik zat teveel in de weg om een been onder zich te krijgen.

Op haar knieën kroop ze naar een zitblok. Ze voelde het zweet in haar nek druipen. Ze was er bijna. 'Even uitrusten,' dacht ze en toen ze daarna het zitblok bereikte voelde ze een warme stroom vocht langs haar dijen lopen.

'Heb ik ook nog in mijn broek geplast. Dat kan er ook nog wel bij,' dacht ze.

Ze hoorde de bel gaan.

'Ja dag, nu even niet. Ik ben bezig.'

Er werd weer gebeld en nu aanhoudend, en tegelijkertijd ging de telefoon.

'Nee,' gilde ze gefrustreerd, 'Het is er nog niet!'

Een nieuwe golf pijn trok door haar heen. Paniekerig liet

ze zich weer op haar zij glijden en pufte ze zoals ze op zwangerschapsgym geleerd had tot de pijn weer wegleed.

Er werd op haar raam geklopt en opgelucht zag ze Thomas gezicht tussen de planten turen.

'Ik haal even de sleutel boven,' riep Thomas en binnen een minuut kwam hij de kamer binnen.

'Ach meisje toch, is het begonnen? Kom laat me je even op een stoel helpen.'

Thomas trok haar overeind en overvallen door een nieuwe wee leunde ze tegen hem aan.

Hij liet haar op een stoel zakken.

'Zeg maar wat ik doen moet.'

'Het telefoonnummer van de verloskundige ligt naast de telefoon,' zei Astrid terwijl de tranen van opluchting over haar wangen liepen.

Thomas belde, legde de situatie uit en luisterde naar het advies.

'Ze is op weg naar het ziekenhuis voor een andere bevalling en ze raadt ons aan er nu ook heen te gaan. Wat moet er mee?'

'Mijn tas staat klaar in de slaapkamer, maar ik moet wel even een droge broek en jurk anders maak ik je auto smerig.'

'Kom maar, dan help ik je even naar de slaapkamer.'

Ondersteund door Thomas schuifelde ze naar de slaapkamer en begon, de schaamte voorbij, zich te ontdoen van haar natte kleding. Ze propte wat maandverband in haar slip want bij iedere pijngolf kwam er ook een gulp vruchtwater naar buiten.

Thomas gooide een wijde zwangerschapsjurk over haar hoofd en gaf haar een kus op haar voorhoofd.

'Het komt heus allemaal goed, kom maar mee.'

Weldra zaten ze in de auto op weg naar het ziekenhuis. Hij parkeerde pal voor de ingang, rende naar binnen voor een rolstoel en bracht haar bij de receptie. Daar riepen ze meteen iemand van de afdeling verloskunde op die haar al snel kwam halen. Thomas wilde meelopen maar de dame van de receptie riep hem terug.

'U moet eerst even uw vrouw inschrijven en dan mag u naar haar toe.'

Thomas nam niet de moeite te vertellen dat hij niet de

echtgenoot was, gaf de gegevens van Astrid en wilde zich bij haar voegen.

'Meneer, wilt u eerst even uw auto wegzetten!'

Geërgerd maakte Thomas rechtsomkeert en rende naar buiten, zette de auto op de eerste de beste parkeerplaats en haastte zich terug naar de afdeling verloskunde op de derde etage.

'Daar is hij al,' zei een van de verpleegsters tegen Astrid die al op de verlostafel lag.

'Ze was bang dat u was weggegaan. Het gaat heel hard. Die voorweeën van verleden week hebben kennelijk al voor acht centimeter ontsluiting gezorgd.'

Thomas knikte witjes alsof hij alles van zwangerschappen en bevallingen wist. Hij ging aan het hoofdeind naast haar staan en streelde zachtjes haar schouder.

De weeën volgden elkaar snel op. 'Dit hou ik geen vieren-twintig uur vol,' riep Astrid tussen twee weeën in.

'Dit duurt geen vierentwintig uur,' stelde de verpleegster haar gerust, 'Hooguit nog een uur of twee als ik zie hoe hard je gaat.'

'Ik hou het geen half uur meer vol. Oooh,' kreunde ze.

'Rol maar even op je linkerzij, dan kan je man je rug een beetje masseren.'

Thomas kweet zich braaf van zijn taak.

'Oh, oh, oh, ik moet poepen,' riep Astrid uit.

'Goed blijven puffen en niet persen,' zei de verloskundige die net de kamer inkwam.

Ze trok haar handschoenen aan en bevoelde de ontsluiting.

'Ga jij maar persen, Astrid.'

De verpleegster hield haar ene been vast en Thomas werd gevraagd het andere been voor zijn rekening te nemen.

'Daar komt weer een wee, adem heel diep in, hou vast en persen!'

'Ik zie een bolletje zwart haar, wil je het ook zien? Dan pak ik even de spiegel.'

'Laat maar, daar komt weer een wee.'

'Even zuchten, zuchten, zuchten... ja goed gedaan, kom maar.'

Met een kracht waarvan ze niet wist waar die vandaan kwam perste Astrid haar kind naar buiten. Ze voelde met een warm geflodder iets groots uit haar glijden. Uitgeput zakte ze achterover.

'Daar is ze dan, het is een flinke meid. Heel goed gedaan.'

Ze hoorde een kreetje, zag dat het mondje werd schoongemaakt en ze strekte haar armen uit naar haar dochter.

Astrid kreeg haar dochter nog bebloed en besmeurd in haar armen.

'Kijk eerst maar eens even goed naar haar, we maken haar zo schoon.'

'Wat is ze mooi,' zei Astrid. Ze gaf haar de eerste kus op haar volmaakt ronde hoofdje.

'Alles goed met de pappa?' vroeg de verloskundige. 'We hebben hier vaak vaders die het niet aankunnen en flauwvallen, maar u heeft het ook goed gedaan. Wilt u de navelstreng doorknippen?'

Astrid knikte hem bemoedigend toe.

De verpleegster nam daarna het kindje over om het na te kijken en aan te kleden.

'En nu dacht je dat je klaar was, maar nu moet je nog even persen voor de nageboorte,' zei de verloskundige terwijl ze met kracht op Astrids buik drukte.

Zonder problemen gleed ook die uit haar.

Astrid lag na deze laatste inspanning te sidderen en te beven. Ze kon haar benen niet stil houden.

'Komt door de inspanning,' zei de verloskundige en ze dekte haar toe.

'Zo, nu mag pappa iedereen gaan bellen en een kopje koffie gaan drinken terwijl wij mamma even gaan verzorgen en opfrissen. Over een half uurtje brengen wij haar naar de afdeling en dan mag u er weer bij.'

Thomas gaf Astrid een kus.

'Bel jij mijn moeder en eh..Jeroen?'

'Zal ik doen en dan zie ik je zo weer, ok?'

'Blijf je nog? Enne.. vond je het niet heel erg?' vroeg Astrid nog steeds klappertandend. 'Jij ziet er ook uit alsof je de marathon hebt gelopen.'

Thomas shirt vertoonde grote zweetplakken en zijn haar was ook nat van de transpiratie.

'Zo voel ik me ook. Ik heb plaatsvervangend meegeleden maar ik had het voor geen goud willen missen. Echt niet, tot zo.'

Astrid werd wakker en ze moest zich even realiseren waar ze was.

'Oh ja, het ziekenhuis, ze was bevallen en had een dochter, Louise.' Ze hield haar ogen nog even dicht en dommelde weer weg.

Even later werd ze weer wakker van geroezemoes in de kamer, ze lag op haar zij en zag in de spiegel boven de wastafel Jaap met zijn arm om Jeroen heen staan. Jeroen had de kleine Louise in zijn armen. Ze stonden met hun rug naar haar toe maar ze zag in de spiegel dat de tranen over Jeroens wangen liepen. Het ontroerde haar en ze depte met het laken haar ogen droog voordat ze kenbaar maakte dat ze wakker was.

'Hallo,' zei ze met een stem die nog schor was van de slaap, 'Is ze niet prachtig?'

Jeroen nam niet de moeite zijn tranen te drogen. 'Ze is zo mooi!' zei hij. Jeroen kwam naar haar toe, legde Louise in haar armen, wreef even in zijn ogen en boog zich over haar heen om haar te kussen.

'Gaat het met jou goed?'

'Jawel, alles doet nog zeer en de borstvoeding wil niet, daar baal ik een beetje van. We proberen het vandaag nog en als het dan nog niet op gang komt gaan we maar over op flesjes.'

Ze keken allebei vertederd naar het kleine hoopje mens. Ze lag heel relaxt met beide knuistjes naast haar hoofdje te slapen.

'Zo opa,' zei Astrid tegen Jaap, 'Wat vind je van je eerste kleindochter?'

Jaap gaf haar een kus. 'Ze is absoluut volmaakt,' zei hij en hij trok een stoel bij naast haar bed.

'Ja hè, ik kan niet ophouden naar haar te kijken,' zei Astrid trots.

Na een poosje nam Jaap afscheid. Hij moest weer terug

naar Duitsland maar Jeroen bleef nog een week in Den Haag en logeerde bij Thomas.

'Ik heb met Thomas afgesproken dat ik wanneer ik in de toekomst in Den Haag ben, in zijn huis mag logeren als hij in Amerika is,' zei Jeroen.

'Weet ik, ik zorg voor zijn planten en post, en wanneer ik gasten heb mogen die ook gebruik maken van zijn huis. Dus wel even laten weten wanneer je dat van plan bent want je bent niet de enige,' zei Astrid onbedoeld wat onvriendelijk.

Ze zag aan zijn gezicht dat deze opmerking hem pijn deed. Wat was dat toch met Jeroen dat ze nog steeds het gevoel had dat ze haar grenzen moest bewaken wanneer hij te dicht bij kwam, vroeg ze zich af.

'Ik hoop dat je er vaak gebruik van maakt, want ik wil dat Louise haar vader goed leert kennen,' zei ze om de eerdere opmerking goed te maken.

Even later kwam de verpleegster aankondigen dat het bezoek afscheid moest nemen.

'Ga maar naar mijn huis. Daar is mama, kun je met haar beschuit met muisjes eten. Kunnen jullie vanavond samen komen.'

'Zal ik doen, tot vanavond.' En met een laatste liefdevolle blik op zijn dochter en een kus voor Astrid nam hij afscheid.

Hoofdstuk 13

Louise was een voorbeeldige baby en Astrid genoot met volle teugen van haar kraamtijd. Ze moest na de feestdagen in het nieuwe jaar weer aan het werk. Ze had haar contract van veertig naar tweeëndertig uur teruggebracht en had voortaan een variabele vrije dag in de week. Marieke werd de vaste oppasmoeder van Louise.

Marieke vond het heerlijk weer een baby te vertroetelen want haar jongste had net de schoolleeftijd bereikt en omdat Ben met de drie kinderen die ze hadden het gezin compleet vond zat een nieuwe eigen baby er niet in.

Jeroen nam zijn vaderrol erg serieus en logeerde menig weekend in Thomas' huis vanwaar hij zonder al te veel in Astrids vaarwater te komen met Louise kon optrekken.

Louise gedijde en werd een beeldige peuter en later een ondernemende kleuter.

Zo nu en dan nam Jeroen zijn dochter een lang weekend mee naar Duitsland om haar ook vertrouwd te maken met haar opa die net zo dol op Louise was als Willem en Evelyn.

Astrid voelde zich ook in haar element. Ze had het naar haar zin op haar werk en genoot van het contact met haar vriendinnen. Lisa had inmiddels een tweede dochter waar Louise dol op was.

Bea had net een studie communicatie en journalistiek afgerond en was al weduwe na een huwelijk van slechts drie jaar. Haar man was bij een frontale botsing om het leven gekomen. Ze hadden geen kinderen en Bea had zich na die tragische gebeurtenis op haar studie gestort. Caro was nog steeds een happy single die de ware, zoals ze zelf zei, nog niet was tegengekomen. Zij studeerde psychologie en was van plan als ze klaar was een eigen praktijk te beginnen.

Ze spraken soms met zijn vieren af, maar ook afzonderlijk van elkaar dan met de een dan met de ander. Als er iets ernstigs te bespreken viel, dan noemden ze dat een tafel voor twee. De code duidde aan dat het niet zomaar een afspraak was.

Toen Louise een jaar of vier was hadden de vriendinnen hun eerste, wat ze noemden, 'Wilde Wijven Wadden Weekend'.

Ze gingen naar Vlieland zonder kinderen en hadden daar, hoewel niet echt wild, een erg gezellige tijd met elkaar. Er zouden er nog vele volgen.

In augustus 1989 zaten ze voor een weekend in een bungalow in Vlieland. Iedereen had zijn vakantiekiekjes bij zich.

'Oh,' zuchtte Astrid, de foto's van Lisa bekijkend die op Sicilië naar Club Med was geweest.

'Wat heerlijk, ik heb zo'n spijt dat ik van de zomer helemaal niet ben weggeweest. Eerst had Louise de mazelen toen ik vrij was in juli en in augustus had ik ook nog een week maar toen zijn we gewoon thuis gebleven. Het was prachtig weer dus iedere dag naar het strand of zwembad, maar daar rust je als moeder niet bepaald van uit. Zeker niet als er steeds ook nog twee vriendinnetjes mee moeten. Ik was bekaf van het aan- en uitkleden van die tegenstribbelende klamme kinderlijfjes en minstens drie keer per dag raasde de adrenaline door mijn lijf omdat ik er even een kwijt was. Ik was blij dat ik weer gewoon naar mijn werk kon.'

'Ik kan me voorstellen dat je daar niet erg van bent uitgerust. Ik kon tenminste de taken verdelen met Wouter en ze hadden daar ook een 'kids club' waar ze allebei gelukkig graag heen wilden,' zei Lisa.

'Misschien kan ik je nog een weekje relaxen bezorgen,' zei Bea.

'Ik hang aan je lippen en ben overal voor in,' zei Astrid.

'Ik moet begin november een week naar Berlijn. Voor het eerst op reportage op zoek naar de leuke hippe en interessante plekjes in Berlijn. Heb je soms zin om met me mee te gaan? Ik vind het ook veel gezelliger om met z'n tweeën te gaan,' zei Bea die na haar studie was gaan werken op de redactie van een glossy.

'Lijkt me geweldig!' riep Astrid 'Oppas voor Louise is geen probleem. Misschien komen mijn moeder en Willem wel een week en anders verzin ik wel wat.'

Op zondag 6 november kwam Bea Astrid ophalen voor hun trip naar Berlijn.

Om de twee uur werd er gestopt, dan rookte Bea haar broodnodige sigaretten, dronken ze wat en verwisselden ze van plaats in de auto. Ze waren al heel vroeg op pad gegaan en kwamen om een uur of acht in de avond aan.

Nadat ze zich op hun hotelkamer hadden opgefrist zochten ze een gezellige eetgelegenheid uit in het centrum. Bea had goed voorwerk gedaan en dit restaurantje was ze zeker van plan te noemen in haar stuk over het prachtige Berlijn. De volgende twee dagen bezochten ze musea, hippe winkelstraten en ze maakten een stadwandeling langs de mooiste historische plekjes en aten steeds heerlijk bij niet voor de hand liggende restaurantjes. Op de hotelkamer verwerkte Bea meteen op haar lap-top wat ze die dag allemaal hadden gedaan.

Ze waren net zo verrast als de hele wereld toen de muur van Berlijn viel op 9 november. Al rommelde het er al een poos, niemand had verwacht dat het zo plotseling een feit zou zijn.

De regering had die dag bekend gemaakt vrij reizen aan de DDR-burgers toe te staan, hoorden ze later.

Direct na de uitzending gingen duizenden mensen in Berlijn naar de grensovergang met West-Berlijn. De grenswachten konden de mensenmassa niet aan en openden op eigen gezag de grens. Zo viel zonder geweld de Berlijnse muur.

Er barstte een grandioos volksfeest los. Astrid en Bea trokken de stad in en mengden zich onder het feestende volk. Het was een euforisch feest. Astrid en Bea keken toe en maakten foto's van mensen die brokken beton uit de muur hakten. Ze zagen mensen huilend van vreugde door de straten gaan, iedereen omhelsde iedereen, het was een groot feest. Ze werden meegetrokken door een groep feestende Oost-Berlijners. Astrid en Bea hielden elkaar stevig vast uit angst uiteengedreven te worden door deze vrolijk hysterische mensenmassa.

Uiteindelijk zagen ze kans zich los te maken en ergens een tafeltje te bemachtigen van waaruit ze goed zicht hadden op het feestende volk. Je kon duidelijk de Oost-Berlijners onderscheiden van de West-Berlijners aan hun haardracht en kleding. Maar voor de mensen zelf was er geen verschil meer. Het waren op dit moment allemaal broeders en zusters.

'Wat geweldig, dat we erbij zijn,' zei Astrid. 'Dit vergeet ik mijn hele leven niet. Ik kan tegen mijn kleinkinderen vertellen dat ik erbij was toen de muur viel.'

'Ja, fantastisch dat het net nu gebeurt,' antwoordde Bea, die het ene fotorolletje na het andere volschoot.

'Wat zal de redactie blij zijn met al dit materiaal. Morgen ga ik proberen op straat wat interviews te doen. Oh As, de adrenaline giert door mijn lijf!'

'Waarom doe je dat nu niet?'

'Heeft nu weinig zin. Iedereen is zo euforisch dat er geen serieus gesprek mee te voeren is en bovendien wil ik eerst een aantal vragen voorbereiden. Daar mag jij me straks op onze hotelkamer bij helpen. In ieder geval de vraag of ze geliefden in het westen hebben.'

'Ja echt geweldig, hoeveel mensen zullen na al die jaren nu eindelijk weer herenigd worden met hun familie en vrienden in het westen, moet je eens zien! Wat een emotie!'

Ze keken samen naar mensen die elkaar snikkend in de armen vielen.

'Ja, het is nu op deze prachtige dag allemaal even geweldig, maar let op, als de Oost-Berlijners hier ook willen werken en wonen, zal het snel afgelopen zijn met deze verbroedering,' voorspelde Bea cynisch.

'Maar goed, vanavond is het feest. Kom op Bea, lang genoeg gezeten, we gaan mee dansen,' zei Astrid en ze trok haar vriendin mee de dansende menigte in.

1990

Hoofdstuk 1

Chagrijnig sloot Astrid haar werkdag af. Ze was blij dat het vrijdag was en een heel weekend zich voor haar uitstrekte. Ze had vanavond een afspraak met Bart, een jongen die ze een paar weken geleden had ontmoet en die net als zij dol op dansen was. Dat was tenminste iets leuks om naar uit te kijken na deze enerverende dag. Het leek wel of ze vandaag letterlijk iedereen tegen zich in het harnas had gejaagd, zelfs Lisa, die normaal heel gelijkmatig was.

'Die stomme computer ook,' dacht ze. Sinds de invoering van de computer op iedere werkplek, nu al een paar jaar geleden was haar werkplezier behoorlijk gedaald.

'Lang leve de kaartenbak,' dacht ze.

Helaas waren de meeste collega's het niet met haar eens. Die verdiepten zich gretig in ieder nieuw programma dat op de markt kwam. Aan Lisa was de taak om de opleiding aan haar afdeling te verzorgen en vandaag was er weer een nieuw programma geïnstalleerd. Zoals steeds met iets nieuws zaten er behoorlijk wat kinderziektes in, de klanten klaagden en Astrid had luidkeels haar ongenoegen kenbaar gemaakt.

Lisa had haar die dag een paar keer gewaarschuwd.

'Zet je overal toch niet zo tegen af en gedraag je eens wat professioneler tegen de klanten. Het is echt niet de bedoeling dat je alles wat er misgaat aan de klanten ventileert. Je noteert het gewoon allemaal voor de afdeling Beheer en je zegt dat we het in orde maken.'

'Oh, dus ik mag niet gewoon eerlijk zijn tegen de klant,' had ze narrig gezegd.

'Je weet best wat er wordt bedoeld. Beheers je een beetje,' had Lisa gezegd, waarna ze doorliep naar een andere collega die een probleem had met het invoeren van klantgegevens.

Later op de dag had ze tot overmaat van ramp bij Toos van Til op het matje moeten komen.

'Door jouw gedrag creëer je een slechte sfeer op de afdeling en daar moet snel verandering in komen,' was de strekking van haar boodschap.

Ze was er gelukkig weer voor twee dagen vanaf en vanavond ging ze fijn uit.

Thomas was weer voor drie maanden in Nederland. Hij had zijn studie in Amerika al vier jaar geleden afgerond en werkte als architect voor een grote projectontwikkelaar die ook een vestiging in Nederland had.

Hij zou vanavond op Louise passen en had haar ook al bij Marieke opgehaald.

Toen ze thuis kwam vond ze Thomas en Louise samen voor de televisie.

'Dag mama, ik mag van oom Thomas vanavond heel lang opblijven, we gaan spelletjes doen, we gaan een ijsje eten en hij gaat me voorlezen.'

'Zo, dat is een heel programma, krijg ik nog een knuffel van je?'

Astrid gaf Thomas een kus en strekte haar armen uit naar haar dochter. Ze gaf haar een stevige knuffel waar Louise zich weer snel uitworstelde.

'Hoe is het hier?'

'Je hoorde je dochter, het is gezellig en we gaan het nog leuker maken vanavond, heerlijk zo'n avond met mijn petekind,' zei Thomas terwijl hij Louise over haar bol streek.

'Wat ga jij doen?'

'Dansen met Bart, een vriend.'

'Bart? Ik ben nu bijna drie maanden hier en ik heb al een Peter, een Harrie en een Paulus voorbij zien komen. Het lijkt hier wel een stoelendans.'

'Stoelendans,' haakte Louise in. 'Dat is heel leuk, oom Thomas. Dat hebben we bij Nienkes verjaardag ook gedaan. Dan zijn er bijvoorbeeld tien kinderen en dan zet je negen stoelen in een rondje en dan gaat de moeder muziek draaien en als de muziek dan stopt dan moet je gauw gaan zitten en dan is er een stoel te weinig en dan ben je af als je geen stoel hebt en dan zijn er steeds minder stoelen en dan is steeds iemand af en dan is er nog een stoel en dan loop je met z'n tweeën en wie dan de stoel heeft, heeft gewonnen. En ik had bij Nienke gewonnen.'

'Zo, dat is knap,' zei Thomas.

'Ga jij ook stoelendansen met Bart, mama? Maar dan moet je eigenlijk wel met meer zijn, anders is het niet leuk.'

'Ja,' zei Astrid 'dat snap ik. Ik denk dat ik dan maar gewoon ga dansen met Bart.'

'Oh ja, dat kan natuurlijk ook,' zei Louise en ze ging weer voor de televisie zitten.

Astrid liep door naar de keuken en Thomas liep achter haar aan.

'Waar bemoei jij je eigenlijk mee? Ik ga uit met wie ik wil en ik ga heus niet met al die gasten naar bed als je dat soms denkt! Ik hoorde van Jeroen dat jij je in Amerika ook niet onbetuigd laat en de nodige affaires hebt. Hoe is het eigenlijk met Alicia?'

'Marcia bedoel je? Goed, we gaan nog steeds vaak uit als ik daar ben. Ze is het nichtje van de vrouw van mijn oom, maar dat had ik geloof ik al eens verteld. Het is een lieve meid, ze is advocaat en woont in het zelfde appartementengebouw als ik.'

'Slimme vrouw dus en nog leuk ook. Pak je kans zou ik zeggen,' zei Astrid wat venijnig terwijl ze toch een steek van jaloezie voelde.

'Ik ga me opknappen.' En ze liep naar de badkamer.

'Voor mij is er maar een en dat ben jij,' zong Thomas toen ze langs hem liep.

De klap van de badkamerdeur was het antwoord.

Een half uur later kwam Astrid opgedoft tevoorschijn in een zwierige rode jurk met een laag decolleté.

'Ziet mama er niet prachtig uit, prinsesje?' zei Thomas tegen Louise.

Thomas kwam overeind.

'Zal ik voor jou ook een glaasje wijn inschenken?'

'Ja doe maar, wit graag.'

Thomas overhandigde haar het glas.

'Toch lijkt het me een leuk idee, zo'n stoelendans,' zei hij met een twinkeling in zijn ogen.

'Jij nodigt al je bewonderaars uit en Louise heeft de leiding en zorgt voor de muziek. Ik zie het helemaal voor me al die kerels die rond de stoelen lopen. Louise is natuurlijk op mijn hand, die laat me wel winnen.'

Even keek Astrid hem verbijsterd aan en toen barstte ze uit in een lachbui.

'Oh jee, mijn mascara, ik kom niet meer bij. Ik zie ze al lopen,' gierde ze. 'En wat heb je dan gewonnen?' vroeg ze toen ze uitgelachen was.

'De hoofdprijs natuurlijk...jou,' fluisterde Thomas zachtjes in haar oor. Hij stond heel dicht bij haar en kuste haar zachtjes op haar mond.

Astrid keek hem aan en voelde een hele kolonie vlinders wakker worden in haar buik. Ze deed net haar mond open om te reageren toen het moment werd verstoord door een ronkende motor die voor haar raam werd gezet. Er stapte een jongeman af. Hij deed zijn helm af en schudde zijn lange blonde krullen los.

'Jemig Astrid, is dit nu Bart? Ze worden wel steeds jonger, heb je wel naar zijn paspoort gevraagd? Dadelijk wordt je nog opgepakt wegens verleiding van een minderjarige!'

Boos sloeg Astrid met haar vuisten op zijn borst.

'Weet zijn moeder wel dat hij hier is?' deed Thomas er lachend nog een schepje bovenop.

Astrid griste haar jasje van de stoel, nam snel afscheid van Louise en zonder hem nog een blik waardig te keuren liep ze de deur uit.

'Kom prinsesje,' zei Thomas terwijl hij haar optilde. 'Laten we mama even uitzwaaien.'

Later op de avond toen Thomas Louise naar bed had gebracht zat hij te peinzen over Astrid.

Hij had zeker gevoelens voor haar en stak dat ook niet onder stoelen en banken maar iedere keer als hij dacht haar voor zich gewonnen te hebben ontglipte ze hem weer.

'Wat vind ik nu eigenlijk zo leuk aan haar,' vroeg hij zich af.

Hij hield van haar maar was zeker niet blind voor haar fouten. Ze had haar hart op de tong en flapte meteen haar indrukken eruit. Dit kon bij negatieve gevoelens erg ongenuanceerd en bot overkomen. Bij positieve zaken was het juist weer spontaan. Ze was jaloers, had hij gemerkt en ook dat liet ze dan duidelijk blijken. Een half jaar geleden hadden ze een woordenwisseling gehad over een mogelijk nieuwe liefde in het leven van Jeroen.

Ze waren die dag met Louise naar Madurodam geweest. Jeroen logeerde al een week bij hem en zou die avond op Louise passen terwijl hij en Astrid uit eten zouden gaan.

Het was erg gezellig en er was een prettige spanning tussen hen. Ze zaten gezellig een beetje met elkaar te flirten, Thomas pakte haar hand en wreef die zachtjes terwijl hij haar diep in de ogen keek.

'Denk je ook niet dat we bij elkaar horen? Voor mij is er maar een en dat ben jij.'

'Is dat zo? En die vrouw in Amerika, waar Jeroen me over vertelde toen hij terug kwam van een bezoek aan jou? Hij had heel wat te vertellen over hoe leuk die Marcia, of hoe ze ook mag heten was.'

'Ja,' beaamde Thomas, 'Marcia is een vrouw uit duizenden, maar ja, voor jou heb ik nu eenmaal een zwak. Voor jou laat ik echt iedereen schieten. Trouwens, dat had ik je nog niet verteld maar over Jeroen gesproken, hij is van de week een paar keer uit geweest met een van jouw vriendinnen, Bea.'

Vanaf het moment dat hij deze in zijn ogen onschuldige informatie gaf, was de stemming verziekt. Als door een bij gestoken trok ze haar hand terug.

'Wat!' riep ze uit, 'Met Bea? Dat kan hij niet maken!'

Thomas keek haar verbijsterd aan. 'Wat is daar mis mee? Bea is al twee jaar weduwe en Jeroen al negen jaar gescheiden, ik zie het probleem niet.'

'Nou ik wel en ik wil het niet hebben!'

'Probeer me dan eens uit te leggen waarom niet. Hou je misschien nog steeds van hem en wil je hem zelf terug?'

'Nee, natuurlijk niet,' antwoordde Astrid boos. 'Ik kan het niet uitleggen, het voelt gewoon niet goed.'

'Net als toen Willem in je moeders leven kwam?' vroeg Thomas.

'Nee dat voelde toen ook niet goed, maar het was anders.'

'Wil je dan dat Jeroen eeuwig boet om wat hij jou heeft aangedaan en gun je het hem niet gelukkig te worden met iemand anders?' hield Thomas aan. 'Ik probeer je alleen maar te begrijpen.'

Astrid zat wrokkig voor zich uit te staren en gaf geen antwoord.

'Probeer dan tenminste onder woorden te brengen waarom je er zo over denkt.' Hij legde zijn handen over de hare, die rusteloos een servet aan het vouwen waren.

Boos trok Astrid voor de tweede keer haar handen terug en pakte haar tas.

'Je bent toch architect en geen psycholoog, bekijk jij het fijn even. Ik heb hier geen zin meer in.' Met tranen van woede in haar ogen was Astrid opgestaan en het restaurant uitgebeend, Thomas verstard en verbluft achterlatend.

Een dag later had ze haar excuses gemaakt voor haar gedrag en hij had het niet gewaagd nogmaals een gesprek te beginnen over haar motivatie.

Ze kwamen nooit meer op het punt van voor deze woorden-wisseling, tot net. Even was het er weer, maar ja, toen kwam Bart op de proppen.

Astrid luisterde afwezig naar Bart die, tussen de happen die hij nam van zijn broodje shoarma, vertelde over zijn studen-tenleven in Delft. Thomas had wel een beetje gelijk, hij was echt te jong voor haar. Buiten hun gezamenlijke passie voor dansen hadden ze geen raakvlakken. Zonder echt naar hem te luisteren liet ze zijn woordenvloed over zich heen kabbelen.

'Kan jij even betalen? Ik ben hartstikke blut?' zei hij terwijl hij de laatste hap weg kauwde.

Gelaten liep Astrid naar het buffet om af te rekenen.

Toen hij even later buiten zijn arm om haar heen sloeg liet ze dat toe maar toen hij haar bij de tramhalte in een hoekje duwde en haar probeerde te zoenen duwde ze hem vol walging van zich af.

'Hou daar mee op zeg, je stinkt naar knoflook. Met je dansen vond ik leuk, maar daar blijft het bij, begrepen?'

'Nou ik had eigenlijk gedacht dat we vannacht wel samen

zouden blijven. Ik heb nota bene mijn kamer uitgeleend aan mijn vriend met zijn vriendin.'

'Dat was wel een beetje voorbarig. Ik zou zeggen kruip er maar lekker tussen, want bij mij kom je het huis niet in.'

'Even goeie vrienden, al weet je niet wat je mist,' zei Bart geheel niet uit het veld geslagen.

'Ik heb wel enig idee en als ik op een goede dag naar je smacht, zal ik je bellen,' lachte Astrid.

Bij haar huis namen ze afscheid met een kusje op de wang.

'Nou Adonis, doe voorzichtig.'

'Je weet me te vinden,' was zijn antwoord terwijl hij met meer kabaal dan nodig was wegreed.

'Gezellig gehad?' informeerde Thomas, terwijl hij overeind kwam en zich uitrekte. Hij legde het boek waarin hij had zitten lezen op tafel.

'Ja hoor, heerlijk gedanst.'

'Verder nog wat gedaan?'

'Nee pap, ik ben meteen naar huis gekomen. Wat is dit Thom, een verhoor?'

'Ik moet er een beetje op letten dat je geen rare dingen doet.'

'Oh jee, en hoe moet dat dan als je volgende maand weer terug bent in Amerika? Denk je dat ik het wel zal redden zonder jou? Wat zal ik weer stuurloos ronddobberen zonder jouw aanwijzingen en raad.'

'Ik wist wel dat je niet zonder me kon.'

'Hier alles goed gegaan met Louise?'

'Ja, wat dacht je. Geen enkel probleem en wat is het toch een geinig grietje.'

'Ja hè, ze is het beste en het belangrijkste in mijn leven. Mijn moeder en Willem zijn ook dol op haar. Volgende week gaat ze er het weekend samen met Anna, Lisa's dochter logeren. Ik heb dan met mijn vriendinnen ons jaarlijkse 'Wilde Wijven Wadden Weekend'. Alhoewel, erg wild zal het niet zijn. We gedragen ons tegenwoordig een stuk bedaarder.'

'Nou dat zal wel meevallen,' sprak Thomas tegen.

'Lisa is moeder van twee kinderen, Bea is weduwe en Caro

118

die het langst vrijgezel was heeft een of andere macho Italiaan aan de haak geslagen. Een Nederlandse Italiaan, want hij is hier geboren. Hij heet Gian Carlo Limone, en wij noemen hem om haar te plagen steeds Jan Citroen.'

'Hoe kom je eigenlijk aan deze vriendinnen?' vroeg Thomas.

'Bea, Caro en Lisa zijn al vriendinnen vanaf de lagere school en ik ben tien jaar geleden bij het clubje gekomen toen ik begon bij de bank. Lisa werkte daar al en heeft me ingewerkt. Het klikte tussen ons en op een verjaardag kwam ik de anderen tegen en toen is de vriendschap zo gegroeid.'

'Ik heb Caro en Lisa geloof ik nog maar een keer gezien, toen jij net was bevallen. Bea ken ik wat beter, toen ze met Jeroen uitging heb ik haar een paar keer ontmoet. Een beetje een modepopje.'

Astrids gezicht betrok toen de combinatie Jeroen Bea werd genoemd.

'Valt reuze mee. Ze werkt voor een glossy en ze heeft geld van de verzekering van haar overleden man. Ze kleedt zich inderdaad naar de laatste mode, maar met modepopje zet je haar een beetje onbenullig neer. Dat is ze beslist niet.'

Thomas pakte zijn boek van de tafel en glipte in zijn instappers. 'Ik ga maar eens naar boven,' zei hij.

'Ik ga ook naar bed. Bedankt voor het oppassen.'

Astrid liep met hem mee naar de deur, liet hem uit en sloot af.

Ze keek nog even bij Louise. Het dekbed was half van haar afgegleden. Ze dekte haar dochter weer toe.

'Truste mam,' murmelde Louise zonder echt wakker te worden.

'Slaap lekker schatje,' zei Astrid. Ze liet de deur op kiertje staan en ging naar bed.

Hoofdstuk 2

Astrid en Lisa waren met hun twee dochters op weg naar Vianen waar de twee meiden bij Astrids moeder en Willem zouden logeren. Hoewel Louise ruim anderhalf jaar ouder was dan Anna hadden ze het vanaf het begin goed met elkaar kunnen vinden en ze zaten achterin de auto onafgebroken te babbelen. Astrid en Lisa hoorden het geamuseerd aan.

'En toen gaf Thomas mama een kusje...' giechelde Louise.

'Toe maar,' zei Lisa, 'daar wil ik straks zonder de kleine potjes alles over horen.'

'Nou daar ben ik anders zo over uitgesproken,' ze draaide zich halfom. 'Heb je Anna al verteld waar je pas met papa heen bent geweest?'

'Oh nee,' kraaide Louise, 'naar de Elfteling.'

'Efteling,' verbeterde Astrid.

'Elfteling,' herhaalde Louise onverstoorbaar en Anna kreeg van minuut tot minuut te horen wat daar allemaal te beleven viel.

In Vianen aangekomen verdwenen de meisjes meteen naar hun logeerkamer om zich daar te installeren en dronken Astrid en Lisa een kop koffie voordat ze de reis naar Harlingen zouden vervolgen. Daar hadden ze omstreeks twee uur met Bea en Caro afgesproken bij restaurant De Tjotter waar ze van plan waren eerst de Hollandse Nieuwe te proberen, voordat ze overtocht naar Vlieland zouden maken.

Ze namen afscheid met veel goed gedrag instructies, waar door de meisjes nauwelijks naar werd geluisterd. Die waren samen met opa Willem in de tuin aan het spelen.

'Zo, nu hebben we, bevrijd van ons nageslacht, echt vakantie!' zei Lisa. 'Ik ben er behoorlijk aan toe even wat voor mezelf te doen.'

'Past Wouter op Noortje?'

'Nee, ze is het weekend bij Laura, haar vriendinnetje. Wouter voelt zich nogal gauw in de steek gelaten als ik eens wat heb en heeft toen prompt om mijn weekend te saboteren een zeilweekend gepland zodat ik op het laatste moment nog iets voor haar moest regelen.'

'Leuk is dat, zou ik niet pikken als ik jou was. Het zijn ook zijn kinderen, jij laat veel te veel over je lopen.'

'Nou ja, het is geregeld en ik had geen zin om er ruzie over te gaan maken. Ik ben er, dus ander onderwerp graag,' zei Lisa ontwijkend.

'Ok, boodschap begrepen. We gaan er van genieten.'

Nadat ze in Harlingen de auto in de parkeergarage hadden gezet, liepen ze met hun bagage naar restaurant De Tjotter, waar Bea en Caro hen al wuivend verwelkomden.

'Zitten jullie er al lang?'

'Nee, nog geen half uur. We hebben al wat gedronken maar we hebben op jullie gewacht met bestellen. Gaan we allemaal aan de haring? Hij moet weer geweldig zijn dit jaar,' zei Caro.

Ondertussen had iedereen elkaar begroet en het viel Caro op dat Astrid Bea nogal koeltjes behandelde. 'Zou er wat zijn?' vroeg ze zich af.

'Zullen we de boot van half vier nemen?' vroeg Bea toen de borden werden weggehaald, 'Dan hebben we net tijd voor nog een glaasje of koffie.'

Ze dronken nog wat en stortten alle vier honderd gulden in de pot en kibbelden even over wie deze reis de portemonnee moest beheren. Caro nam het uiteindelijk op zich en stond op om af te rekenen.

Twee aan twee kuierden ze kletsend naar de boot waar ze zich op het buitendek installeerden.

Bea had twee tweepersoonskamers geboekt bij het strand-hotel Seeduyn.

De twee rokers maar bij elkaar werd er beslist, wat inhield dat Bea en Lisa een kamer deelden en Astrid en Caro de andere.

'Hou toch eens een keer op met die smerige gewoonte. Het is slecht voor je gezondheid en je verpest de lucht van je omge-ving,' zei Astrid.

'We zullen niet binnen roken, hè Lies?' zei Bea.

'Nee,' zei Lisa, 'Maar het weer is gelukkig prachtig dus daar zullen we niet al te veel onder hoeven te lijden en wij gaan ook niet roken in de kamer waar we ook moeten slapen, toch?'

'Nou, misschien eentje bij het open raam of op het balkon als we dat hebben tenminste.'

Nadat ze zich wat hadden opgefrist en hun spullen waren uitgepakt, verzamelden ze zich weer op het terras van de Brassery. Ze bespraken een tafel tussen zeven uur en half acht in het specialiteitenrestaurant Entre Deux Mers en gingen op weg om een strandwandeling te maken. Ze hadden vrij laat geluncht en na die lange reis hadden ze alle vier wel behoefte aan wat beweging.

Met hun schoenen in de hand liepen ze langs de zee en lieten de golfjes over hun voeten lopen. Af en toe moesten ze uitwijken voor een pittige golf die hun rok of broek dreigde te raken.

'Oh, wat is dit lekker,' zei Bea, 'En wat is het hier stil. Ik was verleden maand nog met Jeroen in Hoek van Holland in die hete week, weet je nog, maar daar komt uit iedere strand-tent weer een ander genre muziek. Dan is dit hier een verade-ming.'

'Wat moet jij trouwens met Jeroen?' vroeg Astrid op een wat ruzieachtige toon.

'Wat bedoel je As, we kwamen elkaar gewoon een poos geleden tegen toen hij aan het fietsen was met Louise. Hij ging met haar bij de pannenkoekenboerderij eten en ik zat daar op het terras. Hij kwam bij me zitten en we hebben toen gezellig met z'n drieën gegeten. Had hij je dat niet verteld?'

'Oh gezellig,' zei Astrid snerend, 'Net een leuk klein gezin-netje.'

'Wat is er met jou aan de hand?' vroeg Bea stomverbaasd.

'We zouden nooit iets beginnen met elkaars vriendjes, weet je nog?'

'Maar As, jullie zijn al negen jaar gescheiden.'

'Nou en?' en voordat Bea er over door kon gaan liep ze verder om zich bij Lisa en Caro te voegen. Bea kon niets anders doen dan haar volgen en ging aan de andere kant naast Caro lopen.

Caro, die een fijne antenne had voor stemmingen, keek ze even aan.

'Wat vervelend nou,' dacht ze. 'Ik hoop niet dat, wat er ook moge zijn, het hele weekend gaat beïnvloeden.'

'Houden we het wel gezellig, dames?' zei ze, 'We hebben ons hier allemaal erg op verheugd.'

'Nee natuurlijk, Caro, wat dacht je, niks aan de handa,' grapte Bea.

Astrid keek neutraal en deed alsof ze het niet hoorde en riep iets naar Lisa.

'Ok, laat ik het niet merken!' zei Caro quasi streng.

'Kom we gaan terug, mijn maag begint te knorren,' zei Lisa.

Ze maakten rechtsomkeert en nadat ze nog even hun kamer hadden bezocht om hun make-up bij te werken en hun haar te kammen gingen ze aan tafel.

Ze genoten eensgezind van het verrassingsmenu dat veel vis te bieden had. De fles wijn die ze bestelden was snel leeg en ook de tweede die volgde. Ze waren alle vier even stil toen ze de zon als een oranje vurige bal in de zee zagen zakken. Aan Astrid en Bea was niets te merken van enige onmin al vermeden ze het elkaar directe vragen te stellen.

Na de koffie met een likeurtje liepen ze nog naar het nabije strand om hun benen te strekken.

'We kunnen nog even op ons balkon een afzakkertje nemen,' zei Lisa. 'Ik heb expres twee flessen wijn meegenomen want ik dacht, aan boodschappen komen we niet toe de eerste dag, en ik heb ook nog wel wat te snacken in mijn tas.'

'Het zal weer niet waar zijn. Jij bent altijd voorbereid voor het geval dat je niet aan het juiste alcoholpercentage komt. Je hebt altijd drank in je koffer,' zei Astrid, die zelf een heel matige drinker was.

'Nou daar profiteren jullie anders altijd wel mooi van mee,' antwoordde Lisa. 'Maar gaan jullie nog even mee of niet?'

'Ja natuurlijk,' antwoordde Caro, 'Lekker hoor, nog even een afzakkertje op het balkon en dan bespreken we meteen of we morgen gaan fietsen, wandelen of luieren.'

'Luieren doen we niet aan,' sloot Bea meteen de derde categorie uit. 'We moeten bewegen meiden. Dat is goed voor ons. En morgen hou ik me met eten ook een beetje in. Ik zit zo vol.'

Ze wreef over haar maag.

'Je kunt beter wat minder drinken en jij ook Lisa. Ik ben een beetje allergisch geworden voor mensen die meer drinken dan goed voor ze is na Jeroen.'

'Oh oh, horen we hier de stem van onze moeder? Kom op Astrid, we zijn met vakantie!'

Astrid ving de waarschuwende blik van Caro. 'Nee, sorry, je hebt gelijk. Ik lust ook nog wel een glaasje,' koos ze eieren voor haar geld.

Lisa had niet alleen wijn en toastjes en olijven bij zich maar ook waxinelichtjes waarmee ze het op balkon gezellig maakte. Het was een van die zeldzaam zwoele avonden en ze zaten te kletsen en drinken tot Caro het om een uur of half twee welletjes vond.

'Ik ga naar bed, want anders moeten jullie me morgen op mijn fiets tillen en de hele dag duwen,' zei ze terwijl ze opstond en zich uitrekte.

'Ik ga met je mee,' zei Astrid. 'Trusten meiden, slaap lekker en morgen ontbijt tussen negen en half tien, ok?'

Toen Lisa en Bea de volgende morgen om kwart over negen het terras opliepen, zagen ze Astrid al zitten in een geanimeerd gesprek met een paar mannen die aan het tafeltje naast het hare zaten.

'Oh jee,' zei Lisa, 'Ze heeft weer Anschluss. Dat heeft ze nou altijd. Hoe ze het doet, doet ze het maar als ik met haar ergens zit en ik moet even naar het toilet, altijd als ik dan terugkom heeft ze contact gelegd met iemand. Ik zeg altijd tegen: haar als ik je maar even alleen laat ben je verloofd als ik terugkom.'

Astrid had haar vriendinnen gezien en stond op. 'Lekker geslapen?' vroeg ze. 'Dit zijn Hans en Erik,' stelde ze de heren voor. 'Ik vertelde dat we gaan fietsen en ze zouden wel mee willen maar dat mag niet hè?'

'Nee,' zeiden Bea en Lisa in koor, 'Sorry jongens, dit weekend is echt een damesaangelegenheid.'

'Zei ik al, maar ze geloofden me niet en hadden een overmoedig vertrouwen in hun onweerstaanbare charmes,' lachte Astrid. 'Nou een prettige dag en tot ziens dan maar.'

Ze liepen met z'n drieën naar de andere kant van het terras waar de tafels voor het ontbijt waren gedekt. Caro kwam, met nog natte haren van de douche, aangelopen.

'Ik heb onze fietsen al klaar laten zetten en ik heb bij de receptie een fietsroute gehaald,' zei ze.

De serveerster bracht koffie en thee en van het buffet konden ze zelf nemen waar ze trek in hadden.

Na het ontbijt gingen ze alle vier even terug naar hun kamer om te pakken wat ze mee wilde nemen op het fietstochtje. Ze hadden afgesproken een fietstocht door de duinen te maken. Halverwege stopten ze om een paar uur op het strand te luieren en te lunchen. Caro had bij het hotel voor ieder een lunchpakket laten maken. Toen ze het zonnen en zwemmen zat waren en weer droog genoeg om wat aan te trekken klommen ze weer op de fiets om hun tocht door de duinen te vervolgen.

Om een uur of vier stalden ze hun fiets bij Het Posthuys op de zuidwest punt van het eiland, waar ze buiten op het grote terras wat wilden drinken.

'Moeten we straks nog ver naar het hotel?' vroeg Lisa.

'Nee, hooguit twintig minuten,' zei Caro.

'O, dan neem ik een lekker koud droog wit wijntje.'

Daar hadden de andere drie ook wel zin in en ze bestelden er nog wat kaas en worst bij.

Heerlijk loom, een beetje verbrand en rozig zaten ze bijeen. Erik en Hans zaten er ook en ze wenkten uitnodigend vanaf hun tafel aan de andere kant.

Ze gebaarden 'nee' en de mannen haalden berustend hun schouders op.

'Dit is echt genieten,' zei Astrid terwijl ze een slokje nam. 'Heerlijk zo even een paar dagen los van alles. Zonder kind, geen gedachten aan werk of welke zorg dan ook, ik knap er zo van op!'

'Ik ook,' zei Lisa met haar ogen dicht, 'Ik was werk, Wouter, de zorg en de kinderen meer dan zat en ik zit nu heerlijk mijn accu op te laden.'

'Ik moet zeggen,' zei Caro, 'dat ik mijn Gian Carlo wel een beetje mis. Dit is de eerste keer sinds we getrouwd zijn dat we elkaar een paar dagen niet zien.'

'Ja, kan ik me wel voorstellen,' zei Bea, 'Alles is nog nieuw en pril. Vond hij het niet erg dat je wegging?'

'Nee, hij vond het verontrustend prima,' antwoordde Caro een beetje bezorgd.

'Het is ook nooit goed. Wouter claimt me enorm en dat is zeker niet leuk en jouw Jan Citroen zegt, 'Schatje, ga maar, geniet ervan, ik vind het ok,' en dan is het ook weer niet goed. Meid, wees blij dat je niet zo wordt overgenomen als ik.'

'Jij laat te veel toe,' zei Bea. 'Je moet niet zoveel over je kant laten gaan, laat jezelf toch eens gelden!'

'Dat ben ik nou eens met je eens,' beaamde Astrid.

'Ja, ja, jullie hebben allemaal gelijk, maar laat mij het nou maar op mijn manier doen. Als ik advies nodig heb vraag ik er wel om, meisjes,' zei Lisa vriendelijk.

'En jij Bea, is er iemand verdrietig omdat hij je een paar dagen moet missen?'

'Nee, helaas niet. Ik kom maar niemand tegen. Waar ik werk zijn alle heren getrouwd of homo en verder wil het ook niet echt lukken.'

'En Jeroen dan?' dacht Astrid, maar ze durfde het toch niet aan haar te vragen uit angst over wat ze zou zeggen en ook omdat ze bang was voor haar eigen reactie.

'Maar ik was net als jullie wel weer eens toe aan een uitje met mijn beste vriendinnen. Het is erg druk op de redactie en er is veel afgunst op mijn functie. Als je even niet oplet probeert men de poten onder je stoel vandaan te zagen.'

'Lijkt me ook geen prettige sfeer om in te moeten werken,' zei Caro.

'Het is niet anders. Ik zal me moeten bewijzen om wat respect af te dwingen. Maar dat gaat me lukken!'

'Waar eten we vanavond?' vroeg Lisa.

Na wat mogelijkheden besproken te hebben besloten ze te gaan eten bij strandpaviljoen Badhuys, vooral geliefd om de romantische zonondergang, stond er in de folder van de VVV.

Er moest wel even worden bijgestort in de huishoudkas van Caro want de uitgaven liepen snel op.

'Hoe denken jullie erover dames? Het is vijf uur, moet de penningmeesteres al afrekenen of willen jullie nog wat?'

Er werd unaniem besloten te gaan. Caro rekende af en ze klommen weer op de fiets voor het laatste stukje naar het hotel.

Moegepraat zaten Lisa en Astrid zondagavond in de auto weer op de terugweg naar Vianen om de dochters op te halen.

'Wat hebben we weer lol gehad,' zuchtte Astrid.

'Jij en Bea maakten het nogal laat vannacht. Ik geloof dat Bea pas om half drie de kamer in kwam stommelen.'

De vorige avond hadden ze na hun etentje bij strandpaviljoen Badhuys, voor de derde keer die dag een ontmoeting met de twee mannen Erik en Hans.

Ze zaten net te genieten van de koffie met een likeurtje toen de heren binnenkwamen.

'Drie keer is scheepsrecht, dan moet er getrakteerd worden,' zei Erik. 'Wat willen jullie van me drinken?'

Ze vroegen door ervaring wijs eerst of ze er bij mochten komen zitten. Dat werd deze keer goed gevonden. Het bleken zo op het eerste gezicht gezellige praters, Erik wat drukker dan Hans, die een wat introverte indruk maakte. Astrid liet zich hierdoor niet van de wijs brengen en later op de avond zaten ze in een diep gesprek verwikkeld. Erik was heel ad rem en tussen Bea en hem vlogen de kwinkslagen over de tafel.

Om een uur of twaalf gingen Lisa en Caro terug naar het hotel en lieten het viertal, dat inmiddels aan het dansen was, achter.

'Ja, 't was leuk met die gasten, ik lag er ook pas om half drie in.'

'Hebben jullie nog adressen uitgewisseld met Hans en Erik?'

'Nou, ze waren daar een weekend op vakantie om hun beider scheiding te vieren, maar Erik vierde wat meer dan Hans. Erik had maar een half jaar verkering gehad en Hans was vijf jaar getrouwd geweest en heeft een dochtertje. Zijn vrouw is bij hem weggegaan, ze had een ander en ik had niet de indruk dat hij het al een beetje verwerkt had. Dus toen hij mijn telefoonnummer vroeg heb ik het niet gegeven. Ik zei dat

127

we elkaar nog wel eens zouden tegenkomen. Hij woont name-lijk ook in Den Haag.'

'Verstandig van je. O ja, ik vergeet de hele tijd aan je te vragen wat Louise op de heenweg bedoelde met 'toen gaf Thomas mama kusjes'? Heb je wat met Thomas? Is wel een erg leuke man en ik dacht toen jij net bevallen was dat hij verliefd op je was.'

'Nee, ik heb niks met Thomas. Het is Jeroens beste vriend en zoals je weet mijn huisbaas,' ontkende Astrid.

'Vind je hem niet leuk?'

'Ik vind hem erg leuk, maar hij maakt me ook vaak onzeker. Hij neemt me nogal makkelijk in de maling en vooral over mijn vrienden is hij altijd heel kritisch.'

'Daarin staat hij niet alleen, ik heb het er ook vaak genoeg met je over gehad als je me weer eens aan zo'n vreemde vogel voorstelde. Je zoekt altijd van die rare gasten uit, of ze zijn erg jong of ze zijn dakloos, of kunstenaar zonder een cent te makken. Er is altijd wel wat mee.'

'Ja ja,' zei Astrid een beetje geïrriteerd. 'Ik zal het wel aan-trekken, maar je weet wat we hebben afgesproken: ik zou jou niet meer kapittelen over Wouter en jij mij niet over mijn lovers.'

'Ok, ander onderwerp. Is er wat aan de hand tussen Bea en jou?'

'Niet echt, ik vond het alleen niet zo'n geweldig idee dat ze met Jeroen aan het daten was en dat heb ik haar gezegd ook.'

Lisa schoot in de lach. 'Wat ben je toch een rare druif! Nou je maakt je zorgen om niks, het gaat echt niets worden tussen die twee. Toen Bea hem wilde stylen is hij snel afgehaakt.'

'Er valt aan Jeroen ook niets te stylen, wat denkt ze wel!' riep Astrid uit alsof ze haar kind verdedigde.

'Ach je kent Bea. Ze wilde hem gewoon een ander trendy kapsel aanpraten en andere kleren dan hij zou kiezen. Maar goed, Astrid het is niet jouw probleem dus ik begrijp niet dat je je daar druk om hebt gemaakt en daar bijna een ruzie om riskeert met een van je beste vriendinnen.'

'Al goed, je hebt gelijk, zal ik een muziekje opzetten? Kunnen we nog even een beetje wegdromen voordat onze dochters onze aandacht weer opeisen.'

Hoofdstuk 3

Een week na Louise's veertiende verjaardag had Astrid 's avonds onder de douche opeens een knobbeltje in haar linker borst gevoeld. Het hele weekend had ze het betast tot ze er gek van werd. Meermalen had ze de hoorn van de telefoon opgepakt om iemand te bellen om haar onrust te delen. Maar toch had ze dat niet gedaan. Ze wist dat haar moeder spoorslags naar haar toe zou komen en dat kon altijd nog als er echt reden toe was. Haar vriendinnen belde ze ook niet, want als die haar gingen beklagen wist ze dat ze haar zelfbeheersing zou verliezen. Zolang niemand het wist kon ze flink zijn en met haar blik op oneindig doen wat ze doen moest.

Ook Louise had ze niets gezegd. Ook niet toen ze opmerkte 'Wat zit je de hele tijd aan je tiet te voelen, heb je wat?'

'Nee, sorry,' had ze betrapt gezegd. 'De beugel van mijn bh is stuk en prikt de hele tijd.'

'Trek dan een ander aan, enne mam, ik ga straks naar Schiedam, ik blijf bij Anna slapen.'

'Dat is goed, doe de groeten aan Lisa.'

Ze was opgelucht toen Louise afscheid nam en de deur achter haar dichtsloeg. Hoefde ze tenminste niet meer normaal te doen en kon ze zich overgeven aan haar gemoedstoestand.

Maandag ochtend was ze al om acht uur bij de praktijk van haar huisarts. Gelukkig was het niet zo erg druk en al een kwartier later mocht ze naar binnen.

De dokter bekeek, betastte en vergeleek de ene met de andere borst en schreef meteen en verwijzing voor het ziekenhuis.

'Is hier een wachtlijst voor?' vroeg Astrid benepen.

'Ik zal wel even bellen of je vandaag nog langs mag komen.'

'Je kunt meteen door', zei hij terwijl hij de hoorn op de haak legde.

Astrid belde in een telefooncel naar haar werk om zich ziek te melden en pakte daarna de tram naar het ziekenhuis waar ze van de inschrijving naar de röntgenafdeling ging. Daarna moest ze wachten op de uitslag en zenuwachtig zat ze in de wachtkamer van de chirurg te wachten tot haar naam werd afgeroepen.

Eindelijk was ze aan de beurt.

De chirurg nam wat gegevens met haar door en legde uit dat er een biopsie moest worden gedaan. Met een holle naald zou er een stukje weefsel worden verwijderd. Dit weefsel zou dan worden onderzocht waarna er een diagnose kon worden gesteld.

'Is het allemaal duidelijk?'vroeg hij.

'Ja, wanneer gaat dat gebeuren en wanneer heb ik dan de uitslag?'

Hij raadpleegde een lijst. 'De biopsie kan vanmiddag nog en de uitslag heb ik dan over twee dagen. Dus als je je om half twee meldt op deze verdieping, kamer 27, dat is aan het eind van de gang, dan zie ik je overmorgen weer om half tien.'

Hij overhandigde haar het kaartje met de afspraak.

'Ga maar lekker even wat eten en drinken,' zei hij.

Woensdag was ze na een slapeloze nacht met een bezwaard gemoed naar het ziekenhuis gegaan om het vonnis te vernemen.

Om negen uur zat ze al in de wachtkamer. 'Nog een half uur,' zuchtte ze.

De chirurg stak zijn hoofd om de hoek van de deur. Hij keek Astrid recht aan en negeerde de andere wachtenden.

'Kom u eerst maar even, mevrouw Tuinman.'

Met knikkende knieën liep Astrid achter hem aan naar binnen en ging zitten.

Hij keek haar lachend aan. 'Ik zag je zitten en ik dacht laat ik haar maar eerst even uit haar lijden halen. Ik heb goed nieuws, het is een goedaardig gezwelletje. We gaan het wel weghalen, maar je hoeft je er geen zorgen over te maken. Het is echt honderd procent in orde.'

'Oh wat fijn,' zuchtte Astrid 'Er valt een hele last van me af. Wat ben ik blij!'

'Ik ben ook blij mevrouw Tuinman. Ik begin mijn werkdag ook liever als brenger van goed nieuws.'

Hij gaf haar de map met haar gegevens om bij de receptie een afspraak te maken voor de kleine operatie. Het zou poliklinisch worden uitgevoerd. Ze moest die dag wel door iemand worden opgehaald, maar dat zou ze wel regelen.

Bijna dansend verliet Astrid het ziekenhuis. De uitslag had heel haar kijk op het leven weer veranderd.

Ze liep langs de banketbakker waar ze een grote doos gebak kocht om te trakteren op de afdeling.

Met een glimlach die niet van haar gezicht af te krijgen was liep Astrid met het gebak de afdeling op. Lisa kwam net met een groepje aspirant bankmedewerkers, die ze aan het opleiden was, de afdeling op. Toos, haar manager liep op Astrid toe.

'Wat hebben we te vieren?'

'Het is geen kanker!' riep Astrid uit alsof iedereen op de hoogte was van haar hectische dagen.

'Hoe bedoel je?' vroeg Toos.

'Wat is er gebeurd?'vroeg Lisa.

Astrid gooide het hele relaas eruit van dag tot dag en toen ze bij de uitslag kwam barstte ze in tranen uit.

'Ach meisje,' Lisa sloeg haar armen om haar heen. 'Dat soort dingen moet je toch niet in je eentje opknappen, sukkeltje, daar heb je toch je vrienden voor.'

'Ja, maar als iedereen het weet en me beklaagt verander ik in een eindeloze huilbui. Nu kon ik tenminste nog enigszins functioneren. Nu is alles in orde en je ziet wat er gebeurt. Ik ben zo snel in tranen dat ik al begin te huilen als ik in het programmablad zie dat 'Het spijt me' komt.'

Astrid huilde en snotterde en kon niet ophouden.

'Maar ik ben echt heel blij hoor,' hikte ze. 'En ik heb voor iedereen gebak gekocht.'

Lisa aaide haar kalmerend over de rug. 'Neem een gebakje en hou maar even pauze in de kantine. Over een half uur zie ik jullie weer in het leslokaal,' zei ze tegen haar groep.

'Zo,' zei Toos, die terug kwam met een blad koffie voor de afdeling. 'We gaan nu eerst jouw gezondheid vieren en daarna ga jij lekker naar huis of even een strandwandeling maken. Al die opgekropte spanning komt er nu uit dat begrijp ik ook wel. Astrid, als je morgen ook nog nodig hebt om bij te komen, laat het dan even weten. Er is alle begrip voor.'

Hier moest Astrid weer opnieuw om huilen.

Een uur later verliet ze haar werk.

Eigenlijk geen slecht idee, dacht ze, een strandwandeling. Het was een zonnige dag, een graad of tweeëntwintig en er stond een lekker briesje. Ik doe het, dacht ze en ze rende naar de tram die ze in de verte al aan zag komen.

Nadat ze een flink stuk van Scheveningen richting Kijkduin had gelopen zocht ze een terras uit om wat te eten en te drinken. Ondanks de mooie dag was het er niet druk. De vakanties waren voorbij en je kon merken dat het seizoen naar het einde liep. Op het terras zocht ze een beschut plekje uit want de wind die van zee kwam voelde fris aan. Achter glas was het heerlijk en Astrid trok haar jasje uit, hing het over haar stoel legde haar voeten op de andere stoel en ze sloot gelukzalig haar ogen.

'Heerlijk, wat ben ik gelukkig,' dacht ze. 'Ik ben gezond en ik heb een erg leuke dochter die het goed doet op school.' Ze vertoonde zo nu en dan wel afzetgedrag naar haar toe, maar dat hoorde bij puberende dochters. Hun ruzies gingen gek genoeg niet om de vriendjes van Louise, maar om die van haar zelf. Astrid vond dat ze er wel voorzichtig mee was en niet snel iedereen mee naar huis nam, maar er waren er genoeg de revue gepasseerd om Louise kwaad te maken.

'Ik kan moeilijk, omdat het jou niet zint, iedere keer in een gelegenheid gaan zitten. Dat is me bovendien veel te duur. Jij sleept toch ook iedereen mee naar huis.'

'Ja, maar ik ben het kind en jij bent de moeder!' had ze geroepen.

'Ze komen me gewoon ophalen om uit te gaan, ze blijven toch niet slapen.'

'Moest er nog eens bijkomen. Als je maar weet dat ik het heel gênant vind om mijn moeder in de stad tegen te komen en dan sta je soms nog te dansen ook!'

Ze doelde op een incident met Koninginnendag toen ze zich amuseerde met een groep mensen die ze op het strand had leren kennen.

'Wees blij dat je een vlotte jonge moeder hebt. Ik ben nog

maar vijfendertig, een beetje jong om me nu al achter de gera-
niums te verschuilen, vind je niet?'

'Zal wel, maar toch schaam ik me dood.'

Astrid glimlachte bij de herinnering aan deze conversatie.
Ze kon het zich aan een kant wel voorstellen. Toen zij zo oud
was kon ze zich ook heel erg ergeren aan haar moeder en vond
ze ook alles raar wat haar moeder zei tegen haar vrienden.

Louise was in de zomervakantie met Jeroen naar Boston
geweest, naar Thomas die daar weer voor de duur van een
project woonde. Ze hadden het fantastisch gehad.

Ze had Louise bij thuiskomst verrast met de verwisseling
van hun beider slaapkamers. Astrid vond dat Louise nu ze
wat ouder werd recht had op de grote slaapkamer.

Ze had voor haar een twijfelaar gekocht, zodat ze niet meer
met matrassen hoefde te slepen als Anna kwam logeren. Ze
had nieuwe gordijnen genaaid in de zelfde kleur als het
dekbed en een klamboe aan het plafond gemaakt. Bovendien
had ze nu voor het eerst een televisie op haar kamer. Ze was
door het dolle heen, toen ze haar nieuwe kamer zag.

'Wat gaaf!' had ze uitgeroepen. 'Ik ga gelijk bellen of Anna
komt logeren. Dat mag toch, mam?'

Natuurlijk mocht dat en Anna bleef meteen een week,
waarna Louise de laatste week van haar vakantie weer bij
haar in Schiedam ging logeren.

Ja, dacht Astrid het was een goede beslissing geweest haar
de grote kamer te geven. Ze keek nu ook vaker televisie op
haar eigen kamer zodat Astrid niet meer naar iedere matige
soap mee hoefde te kijken. Natuurlijk keken ze ook nog wel
eens samen naar een film die ze allebei wilden zien.

Nee, mijmerde Astrid, het ging heel goed tussen hen nu ze
allebei wat meer konden genieten van hun privacy.

'Hallo, wat leuk om jou tegen te komen!' riep een stem haar
terug naar de werkelijkheid.

Met een hand boven haar ogen probeerde Astrid te zien wie
dat tegen haar zei. Een lange man stond voor haar stoel maar
tegen het licht in kon ze niet goed zijn gezicht zien.

'Hallo,' zei ze aarzelend, nog steeds niet wetend wie ze voor
zich had.

133

Ze haalde haar voeten van de stoel en stond op om hem beter te zien.

'Bekend gezicht, maar waarvan?'vroeg ze zich hardop af.

'Ik kan me wel voorstellen dat het je niet een twee drie te binnen schiet. Het is ook nogal een tijd geleden. Maar als ik zeg: Vlieland een paar jaar geleden?' vroeg hij verwachtingsvol.

'Oh, wacht, ik weet het, niets zeggen, ik kom er zo op.' Ze keek hem aan en ze zwaaide met haar wijsvinger nadenkend naast haar hoofd.

'Ja, Hans was het, heb ik het goed onthouden?'

'Precies, ik ben wel een beetje teleurgesteld dat ik kennelijk niet al die tijd in je gedachten ben gebleven maar toch weer een beetje blij dat je me nog kon opgraven.'

'Als ik al die tijd over jou had moeten denken zou dat wel iets zeggen over mijn sneue lege leven, denk je niet?'

'Hoezo, waren er nog andere hoogtepunten dan?'

Astrid lachte en gaf hem een plagerig duwtje, waarop hij zich in een stoel liet vallen.

'Wat drinken om de hernieuwde kennismaking te vieren?' vroeg hij.

'Lekker, bestel voor mij maar thee, ik heb dorst van die uitsmijter die ik heb gegeten.'

Ze raakten niet uitgepraat met elkaar en om een uur of vier liepen ze samen langs de vloedlijn weer terug richting Scheveningen waar ze beiden de tram pakten naar hun respectievelijke adressen.

Astrid ging vroeg naar bed. Het leek heel lang geleden en toch was het die ochtend dat ze voor de uitslag in het ziekenhuis was. Ze moest echt even de dag doordenken want er was zoveel gebeurd dat het leek alsof ze voor drie dagen had meegemaakt.

Ze liet alles wat Hans haar had verteld nog eens haar gedachten passeren.

Hij was wel een stukje ouder, al veertig, maar leuk, en interessant en bovendien ook nog een mooie man. Ze kreeg het warm bij de gedachte aan hem. Was dit echt liefde op het eerste gezicht? vroeg ze zich af. Nou ja, op het tweede als je de ontmoeting op Vlieland wilde meerekenen.

Hij was precies haar type, lekker lang en slank met donker haar met een beetje slag erin. Het viel mooi om zijn hoofd, hij droeg het achterovergekamd en hij haalde in een gewoontegebaar steeds zijn hand door zijn haar waardoor een lok in zijn gezicht krulde.

Had nog een interessant beroep ook, hij was schrijver van detectives. Arno Jacobs, privé detective, was de hoofdfiguur in zijn romans, die volgens Hans matig succesvol verkocht werden.

Ze had er nog nooit een gelezen, maar Hans zou er vrijdag, wanneer ze elkaar weer zouden zien, een voor haar meenemen.

Naast zijn schrijfwerk gaf hij zestien uur Nederlands op een middelbare school aan de Beeklaan.

Maar als hij echt zou doorbreken als schrijver zou hij daar graag mee op willen houden. Hij was nu bezig met een literaire thriller, waar hij en zijn uitgever veel van verwachtten.

Astrid rekte zich uit.

Ik ben echt verliefd, ik kan haast niet wachten tot ik hem vrijdag weer zie.

Met die gedachte draaide ze zich op haar buik en viel bijna meteen in slaap.

Ook Hans van de Welle lag in zijn bed na te denken over zijn hernieuwde kennismaking met Astrid.

Wat een prachtige vrouw. Dat had hij destijds op Vlieland al gezien maar toen waren zijn ex Margriet en zijn dochter Doortje nog niet uit zijn gedachten geweest. Dat waren ze overigens nog steeds niet, dacht hij vol wrok.

Niet aan denken, concentreer je op deze vrouw, Astrid. Hij wist zeker dat hij haar wilde zoals hij ooit zijn zinnen op Margriet had gezet. Ze was zo mooi met haar Rubensachtige figuur. Groot, maar ietsje kleiner dan hij, met mooi half lang krullend kastanjebruin haar, lichtgrijsgroene ogen en een prachtige teint die geen make-up nodig had.

Het klikte tussen hem en haar dat was wel duidelijk. Hij dacht na over wat ze over zich zelf had verteld. Ze zag haar ex

135

nog regelmatig omdat ze samen een dochter Louise hadden. Dat vond hij wel een nadeel, de dochter die bij haar woonde en die ex, die wanneer hij in het land was, in het huis boven haar logeerde. Hoe dat nou weer precies zat was hem nog niet helemaal duidelijk. Ze had verteld dat haar ex in Duitsland woonde, dat wist hij zeker.

Hij dacht er over haar nog even op te bellen en keek op zijn wekker. Nee toch maar niet het was al bijna elf uur.

Vrijdag zou hij haar weer zien en vrijdag zou hij haar stukje bij beetje veroveren. Dit was de vrouw voor hem. Hij wist het zeker. Met die gedachte draaide hij zich op zijn zij en viel bijna meteen in slaap.

Hoofdstuk 4

Het was half januari en Astrid en Lisa hadden allebei een extra uurtje vrij genomen om buiten het kantoor te gaan lunchen.

'Ik wil je spreken,' had Lisa serieus gezegd.

'Dat komt goed uit, ik jou ook,' zei Astrid.

Zodra ze aan een tafeltje zaten en een drankje hadden besteld stak Lisa een sigaret op.

'Moet dat nou?' Astrid waaierde met haar hand de rook weg.

'Eentje, ok?'

'Hoe komt het dat we je de laatste tijd helemaal niet meer zien? Bea en Caro klagen er ook over, is er iets aan de hand?'

'Welnee, ik heb een nieuwe liefde in mijn leven en het lijkt net of ik nergens anders tijd voor heb,' zei Astrid.

'We zien je gewoon nooit meer, ja even op het feest met oud en nieuw bij Bea, maar dat was ook niet echt een succes met jouw nieuwe liefde erbij.'

Astrids gezicht betrok. Hans was ook niet bepaald gezellig geweest bij het eerste bezoek dat hij bracht aan haar moeder en Willem. Tweede kerstdag gingen ze naar Vianen om daar te eten. Louise zou de hele kerstvakantie bij Evelyn en Willem logeren. Evelyn had hen enthousiast onthaald en babbelde er gezellig op los. Astrid had haar verteld dat Hans eerder getrouwd was geweest en dat hij ook een dochter had die nu acht jaar was. Niets mis mee, zij was ook getrouwd geweest met Louise als resultaat. Maar toen Evelyn wat doorvroeg, was de stemming, van toch al ongemakkelijk, naar ijzig veranderd. Hans zat wat nors voor zich uit te kijken en gaf nauwelijks antwoord en Astrid ratelde maar door over zijn schrijverschap om hem toch bij het gesprek te betrekken. Ze waren met een smoesje, voordat Evelyn het toetje, haar favoriete gerecht, kon serveren weggegaan.

'We bellen nog wel, is alles goed met je?' had Evelyn haar

toegefluisterd terwijl ze haar een in haast verpakt stuk tarte tartin toestak.

'Ja mam, we bellen,' zei ze, haar bezorgde blik negerend. 'Lief zijn Louise!' kuste ze haar dochter. 'Tot 5 januari.'

Ze had daarna erg veel moeite moeten doen om Hans over te halen mee te gaan naar dat bewuste oud en nieuw feestje bij Bea.

Hij wilde haar liever voor zich zelf houden en niet delen met vrienden. Ze had het toch doorgedrukt en dat betekende ook meteen hun eerste echte ruzie.

Zwijgend waren ze naar Maassluis gereden en daar aangekomen had Astrid zich, niets van hem aantrekkend, in het feestgedruis gestort. Ze praatte gezellig met haar vriendinnen en hun vrienden. Ze was verbaasd geweest ook Erik daar aan te treffen. Die had na de ontmoeting op Vlieland het contact met Bea aangehouden en ze waren goede vrienden geworden.

Opgetogen over dit feit was ze naar Hans toegelopen, die in een hoekje met een glas wijn stond te kniezen. Ze had gedacht hem met deze informatie op te monteren want Erik was immers een vriend.

Precies het tegenovergestelde bereikte ze. Hij stond op, greep haar bij haar arm en sommeerde haar mee weg te gaan.

'Ik denk er niet over, en als het je hier niet bevalt ga je zelf maar weg.'

'Denk goed na wat je hebben wilt, dit domme stelletje vrienden of mij. Als ik hier wegga en jij gaat niet mee is het afgelopen!'siste hij haar toe.

'Ik ga naar beneden. Ik wacht tien minuten, als je er dan nog niet bent zal ik mijn conclusies trekken.'

'Dat is chantage, zo los je een probleem niet op,' zei Astrid verontwaardigd, maar ze sprak tegen zijn rug want hij liep zonder van iemand afscheid te nemen de flat uit, Astrid verbijsterd achterlatend.

'Trouble in paradise?' vroeg Erik die het van een afstandje had zien gebeuren.

Haar feeststemming was totaal weg en ze voelde het bloed uit haar gezicht wegtrekken.

Ze zocht Bea om met een smoes afscheid van haar te nemen en vond haar in de keuken.

'Ach meid vervelend, migraine, ga maar gauw lekker naar bed.' Ze omhelsde haar en liep terug naar haar gasten.

Erik liep met haar mee naar de hal.

'Ik moet je echt waarschuwen. Hans is een vriend, maar hij is ziekelijk jaloers, heeft verlatingsangst of wat dan ook en zou zich moeten laten behandelen. Hij heeft zijn ex gestalkt en hij heeft zelfs zijn eigen dochter ontvoerd om Margriet terug te krijgen. Ik weet niet wat hij jou heeft verteld over zijn verleden, maar hij heeft nu om die reden geen bezoekrecht meer en ik ben eerlijk gezegd inmiddels ook behoorlijk op hem afgeknapt.'

Astrid had deze informatie in zich opgenomen en was naar beneden gesneld waar ze de terugreis even zwijgzaam als de heenreis aanvaardden.

Zodra ze haar huis binnenkwamen veranderde Hans als een blad aan de boom.

Hij trok haar in zijn armen en overlaadde haar met kussen. Hij streelde haar gezicht, zijn handen dwaalden af naar haar borsten die hij uit haar bh tilde. Hij ontdeed haar van haar kleren, zijn mond nam de plaats van zijn vingers over. Ze dreigde de controle over haar lichaam kwijt te raken.

'Dit is toch veel leuker dan zo'n stom feestje?' murmelde hij met een vinger in haar terwijl hij met zijn duim haar clitoris masseerde.

Overvallen door haar eigen geilheid gaf ze zich helemaal aan hem over. Ze kwam klaar, eerst door zijn tong, daarna kwam hij in haar en hij nam haar bijna bruut. Hij hield haar handen boven haar hoofd bijeen. 'Kijk me aan, ik wil je zien klaarkomen.'

Ze gehoorzaamde en keek hem aan toen ze klaarkwam. 'Je bent van mij, geil wijf,' zei hij met een sensuele grijns op zijn gezicht. 'Van mij! Van mij!' Dit herhaalde hij bij iedere stoot weer tot ook hij met een siddering klaarkwam.

Later, nadat ze het nieuwe jaar hadden ingeluid met een glas champagne had ze haar ouders en Louise gebeld. Ze had besloten dat het nu niet het juiste moment was om over zijn vreemde reacties te praten.

Toen Hans al sliep had ze lang wakker gelegen en had ze alles nog eens overdacht. Waarom kon het nou niet leuk en ongecompliceerd gezellig zijn, ook met andere mensen erbij? Als ze samen waren was er nooit iets aan de hand.

Er moest echt gesproken worden zijn gedrag bij haar ouders en vrienden.

'Nee Lies,' zei Astrid, weer terug bij het heden, 'Dat was inderdaad geen succes, ik had hoofdpijn,' loog ze.

Lisa keek haar onderzoekend aan. 'Hoofdpijn? Ik had een andere indruk. Volgens mij is deze man niet goed voor je. Het kan nooit in orde zijn als je de vrijheid van je partner belemmert. Wetend hoe jij altijd over Wouter te keer gaat en over het feit dat ik te veel van hem pik begrijp ik niet dat jij niet inziet dat deze man nog tien keer zo erg is.'

'Het voordeel van deze relatie is wel dat ik jou en Wouter nu veel beter kan begrijpen,' probeerde Astrid zich er met een glimlach vanaf te maken.

'Nou, dat is echt niet nodig. Maar As, zie je echt niet dat Hans je te veel manipuleert?'

'Nee, hij besteedt erg veel aandacht aan me, wil alles over me weten, ik kan met hem overal over praten en ik geniet echt van hem. Ik heb nog nooit een vriend gehad die me zo op handen draagt.'

'Al die aandacht kan ook wel eens te veel zijn als hij zich overal mee gaat bemoeien,' zei Lisa. 'Hij belt je ook minstens drie keer per dag op je werk.'

Drie keer? Een keer of zes kwam dichter bij de waarheid. Ze had allang spijt dat ze hem het doorkiesnummer van haar werk had gegeven en in haar hart wist ze dat haar vriendin wel een beetje gelijk had. Ze had al snel ontdekt dat Hans tegenspreken geen zin had. Hij hield niet van tegenspraak en drukte steeds zijn mening door haar het gevoel gevend dat ze een dom gansje was.

Deze gedachte drong ze weer snel naar de achtergrond. Hans was een leider en daar hield ze wel van na al haar onvolwassen relaties.

'Het is in iedere relatie geven en nemen,' zei ze hardop.

'Dat is waar, maar Bea, Caro en ik zijn bang dat je je te veel door hem laat inpakken en dat je er tegenwoordig geen eigen dingen meer mag doen van Hans.'

'Dat is helemaal niet waar!'

'Bewijs dat dan maar. We willen een avond afspreken om ons jaarlijkse 'Wilde Wijven Wadden Weekend' vast te leggen. We moeten met steeds meer kinderverjaardagen en vakanties rekening houden. Jij hebt ook pas een computer, toch?'

'Ja die heeft Hans verleden week geïnstalleerd en ik weet al hoe ik moet mailen.'

'Dat is fijn, mail dan even aan de anderen welke zaterdag of zondagavond je vrij bent om bij elkaar komen, Bea wilde in het Jachthuis in Hoek van Holland gaan eten en dan kunnen we van te voren als het weer het toelaat een strandwandeling maken om alvast in de waddensfeer te komen.'

'Afgesproken,' zei Astrid terwijl ze zich afvroeg hoe ze dat aan Hans ging verkopen.

'Mag ik nu weer een sigaret roken? Ik heb gezegd wat ik te zeggen had. Maar waarover wilde jij me spreken?'

'Ja, je mag roken,' zei Astrid.

Ze had Lisa willen spreken over het gedrag van Hans, maar ze had niet in de gaten gehad dat iedereen al zo zijn mening over hem had.

'Ach, over Louise die het niet goed met Hans kan vinden. Maar nu ik zo jouw gedachten over Hans heb aangehoord zal je het wel met Louise eens zijn, dus laat maar.'

'Ja, ik hoorde van Anna dat ze hem een eikel vindt. Ze vertelde dat hij het raar vindt dat zij de grote slaapkamer heeft en ze heeft hem tegen jou horen zeggen dat je dat weer moest omruilen. Daar maakt hij natuurlijk geen vrienden mee.'

'Heeft ze ook verteld dat ik heb gezegd dat daar geen sprake van kon zijn?'

'Jawel, maar toen was het kwaad al geschied. Ze vindt hem een eikel en een spion.'

'Spion?' Astrid keek haar vragend aan.

'Ja, ze zei dat ze een keer thuis kwam en zag dat hij jouw agenda aan het overschrijven was.'

'Daar geloof ik niets van,' zei Astrid.

'Nou ja, meid,' Lisa drukte haar sigaret uit. 'Als jij maar gelukkig met hem bent en als hij maar goed voor je is, hou ik verder mijn mond op voorwaarde dat je je vriendinnen niet verwaarloost. En als er wat is kun je altijd bij mij terecht. Kom op, we moeten terug. Mijn cursisten wachten en van jou wordt vast ook nog wel enige inspanning verwacht vanmiddag.'

Een paar weken later had Astrid Louise voor de krokusvakantie bij haar moeder en Willem in Vianen gebracht. Ze had tegen Hans gezegd dat zij er ook dat weekend zou blijven en zondagavond pas laat zou terugkomen. Dat kwam goed uit, wist Astrid, want in datzelfde weekend was er een reünie op de school waar Hans werkte waar hij bij aanwezig moest zijn.

Om een discussie erover te voorkomen had ze maar niet gezegd dat ze die zondagmiddag met haar vriendinnen had afgesproken om hun jaarlijkse 'Wilde Wijven Wadden Weekend' te bespreken. Ze hoorde hem al zeggen dat ze dat ook makkelijk telefonisch of via de mail kon regelen. En ze kon ook al voorspellen hoe miskend hij zich zou gedragen. Zo'n heel weekend in Vianen vond hij al overdreven.

Het was prachtig weer, wel koud maar zonnig en ze maakten inderdaad de door Bea voorgestelde strandwandeling. Tegen vijf uur waren ze bij het jachthuis waar ze bij de open haard alle vier glühwein bestelden om de kou uit hun lijf te verdrijven.

Daarna trokken ze hun agenda's. Na veel 'dan kan ik niet, en dan is Noortje, Wouter, of mijn oma jarig of dan vieren mijn ouders hun trouwdag' kwamen ze tot een weekend in juli waarop iedereen kon.

Ze schreven het alle vier in hun agenda en vroegen de kaart om uit te zoeken wat ze wilden eten.

Ze haalden herinneringen op aan de vorige jaren en bespraken welk eiland dit jaar aan de beurt was. 'Als we ze allemaal gehad hebben zoeken we het verderop. We hebben de Canarische eilanden, de Bovenwindse en Benedenwindse eilanden,' dolden ze. 'Moeten we dan wel wat meer tijd voor uittrekken.' ' En geld,' beaamde een ander.

Het zou Texel worden. Maar dat ze daar dat jaar niet terecht zouden komen wisten ze toen nog niet. Ook wisten ze niet dat ze werden gadegeslagen door Hans, die op de hoogte was van Astrids afspraak omdat hij dagelijks haar mail controleerde.

Het weekend werd uiteindelijk afgeblazen omdat Caro's oudste zoontje Micha net die periode met een meningitis in het ziekenhuis was opgenomen. Na een angstige week die ook de vriendinnen in de greep hield, knapte hij gelukkig weer op. Van een nieuwe afspraak kwam het dat jaar niet.

Hoofdstuk 5

Vermoeid van de reis van Boston naar Den Haag sleepte Thomas zijn koffer naar boven.

Met een zwaai tilde hij hem op bed, liep naar de keuken om iets in te schenken en liet zich op de bank zakken. Het was lang geleden dat hij hier was, bijna twee jaar. Astrid had de boel goed bijgehouden en wetend dat hij kwam, de koelkast gevuld.

Hij maakte de tas waar zijn handbagage inzat open, haalde er twee foto's uit en zette deze op de tafel voor hem. De ene was van zijn vrouw Marcia en de andere van zijn zoon Ben.

Hij zuchtte, het was goed weer hier te zijn, al miste hij Ben nu al, terwijl hij slechts vierentwintig uur geleden afscheid van hem had genomen.

Marcia had Ben helaas nooit leren kennen. Hij had maar een foto van haar en Ben samen en die koesterde hij. Ben op haar buik, net geboren. Marcia's trotse vermoeide glimlach en haar hand beschermend om het hoofdje van Ben. Wat was dat een gelukkig moment geweest. De dag erna was heel drama-tisch verlopen. Marcia had een bloeding gekregen die men niet onder controle kreeg. Na drie transfusies kreeg ze opeens een hartstilstand. Men probeerde haar te reanimeren maar het mocht niet baten.

Hij had zijn verdriet door hard werken proberen te vergeten en hij had ook heel veel steun gehad aan de ouders van Marcia en zijn oom. Zijn beste vriend Jeroen was naar Amerika gekomen om hem door die moeilijke eerste periode heen te helpen. Later dat jaar in de schoolvakantie, waren Jeroen en Louise samen gekomen. Louise was dol op de kleine Bennie en ze mocht de nanny helpen hem te verzorgen.

Ben was nu bijna drie jaar en logeerde met zijn nanny bij Marcia's ouders.

Thomas zakte verder weg in de kussens van de bank en viel in slaap.

Toen hij wakker werd zag hij dat het al bijna zes uur was

en hij hoorde vaag de aanwezigheid van de bewoners van de benedenverdieping.

'Astrid is thuis, dus ik zal me zo maar eens bij haar gaan melden,' dacht hij.

Nog steeds een beetje stram van de reis kwam hij overeind, rekte zich uit en liep naar de badkamer om zich wat op te frissen.

Met nog vochtige haren en de cadeautjes voor Astrid en Louise in een tasje liep hij naar beneden en belde aan bij Astrid.

'Tsja,' dacht hij, terwijl hij wachtte tot er werd opengedaan. 'Van zijn plannen om van de twee huizen één te maken was tot nu toe niets terecht gekomen. Hij had gehoord dat Astrid al langer dan een jaar omging met iemand. Hij moest eerst maar eens zien wat haar plannen waren.

Louise deed open en sprong hem om de nek. 'Oom Thomas, wat fijn dat je er bent!'

Ze liepen samen door naar de kamer waar hij de vriend van Astrid trof met een schort voor, want hij was bezig met koken. Astrid kwam uit de slaapkamer.

'Ha Thomas, wat fijn je weer te zien. Mag ik je voorstellen aan Hans van de Welle?'

Thomas schudde hem de hand. 'Ik stoor toch niet? Moeten jullie naar een receptie of komen jullie van een begrafenis?'

'Nee, hoezo?'

'Je ziet er zo anders uit, zo ken ik je niet.'

'Hans houdt van truttige jurkjes,' was het commentaar van Louise 'en mama doet wat hij wil.'

'Nou je moeder heeft heus wel een eigen willetje,' zei Hans terwijl hij haar kapsel door de war maakte met een glimlach op zijn gezicht die zijn ogen niet bereikte.

Astrid onthield zich van commentaar en om de aandacht van haar persoon te verleggen vroeg ze uitgebreid naar Thomas' wel en wee.

Thomas gaf Louise de nieuwste Nikes die hij voor haar mee had genomen uit Amerika. Aan Astrid gaf hij haar favoriete parfum Angel. Hij kuste haar toen hij het haar gaf. 'Bedankt voor het zorgen voor mijn huis. Alsjeblieft Angel voor een engel.'

Astrid vroeg of hij wat wilde drinken. 'Ik heb net een fles rode wijn opengemaakt,' zei ze terwijl ze een van de gereedstaande glazen inschonk.

'Het eten is bijna klaar hoor,' zei Hans. 'We gaan zo aan tafel.'

Thomas nam een slokje van de wijn, de sfeer hier in huis was anders dan hij was gewend. Alleen Louise was zichzelf. Dat hij niet werd uitgenodigd aan te schuiven was ook heel apart. Hij nam haastig nog een slok en zette de wijn op tafel.

'Als jullie moeten eten dan ga ik maar gauw, ik zie jullie nog wel.' En voordat hij Astrid de gelegenheid gaf hem alsnog uit te nodigen was hij vertrokken.

In zijn eigen huis trok hij zelf ook een fles rode wijn open, sneed wat kaas af, schonk zichzelf een glas in en ging weer op de bank zitten.

'Proost,' zei hij tegen de twee foto's voor hem op tafel.

Zijn gedachten gingen naar zijn korte ontmoeting met Hans. Wat een onaangename man.

Het idee dat hij het bed deelde met Astrid vervulde hem met weerzin.

Hij was in het verleden nooit echt jaloers geweest op haar aanbidders. Maar deze man gaf hem de kriebels. Toen hij daar zo stond met zijn schort voor en met die arm bezitterig om Astrids schouder had hij de neiging deze, meteen met die zelfvoldane trek op zijn gezicht, weg te slaan.

Waar was de vrouw gebleven met haar zwierige zwaai jurken, haar zigeunerachtige rokken en haar bloesjes en truitjes met een verleidelijk decolleté?

Je kon hem niet wijsmaken dat ze zich hier opeens prettig in voelde. Ze wist nooit hoe snel ze haar werkmantelpakje wat ze moest dragen bij haar werk bij de bank, moest omwisselen voor iets makkelijks.

'Hans houdt van truttige jurkjes en mamma doet wat hij zegt,' had Louise gezegd.

'Het zal toch niet waar zijn?' dacht hij.

Beneden zette Hans in een beladen sfeer het eten op tafel.

'Smaakt het niet,' vroeg hij toen Astrid haar bord nog halfvol wegschoof.

'Jawel hoor, maar ik heb niet zo'n trek. Ik heb laat geluncht.'

'Met wie?'

Astrid zuchtte. 'Gewoon met mezelf, ik moest wat afmaken, was de tijd vergeten en toen ik klaar was, was het al kwart over twee.'

'Waar ben je gaan eten,' ondervroeg hij haar verder.

'Gewoon in de kantine. Een collega had voor mij een slaatje en twee broodjes besteld en dat stond daar klaar. Moet je ook nog weten wat er op de broodjes zat?' vroeg Astrid geïrriteerd.

'Ja mam, hou ons niet langer in spanning. Vertel op!' zei Louise om de onaangename stemming met een grapje te doorbreken.

Astrid glimlachte naar haar.

'Mag ik van tafel?' vroeg Louise toen ze uitgegeten was. 'Het was erg lekker kok,' zei ze tegen Hans.

'Ga maar,' zei Astrid.

Toen Louise naar haar eigen kamer verdwenen was zei Astrid 'Ze heeft wel gelijk over die truttige jurkjes. Weet je, ik ga wat makkelijks aantrekken en eens een avondje lekker lui in bed liggen lezen.'

'Je bedoelt dat ik kan gaan,' vroeg hij met een onaangenaam toontje in zijn stem.

'Dan kan jij lekker aan je boek werken, je was toch zo fijn op dreef?'

Met tegenzin vertrok Hans nadat ze samen hadden opgeruimd naar zijn eigen woning.

Het was ongeveer vijftien minuten fietsen en onderweg bedacht hij dat het hoog tijd werd dat ze gingen samenwonen.

Astrid wilde daar nog niets van weten. Ze wilde wachten tot Louise klaar was met haar school en dat zou nog wel anderhalf jaar duren. Astrid was wel tevreden met de LAT relatie die ze hadden. Op maandag en dinsdag werkte hij op school en hij sliep dan meestal in zijn eigen huis, een portiekwoning aan de Pijnboomstraat. De rest van de tijd ging hij meestal in de loop van de middag, als hij was uitgeschreven naar Astrids huis, waar hij dan alvast wat aan het eten deed terwijl hij op haar wachtte. In het begin van hun relatie had hij haar iedere dag bij haar werk opgewacht. Maar dat wilde Astrid niet, eerst vond ze het wel lief, maar op den duur vond ze het beklemmend.

'Sta ik nog even met iemand te praten en dan voel ik jouw ogen in mijn nek, erg onvrij, dus ik kom liever zelf naar huis.'

Zo nu en dan hield hij zich toch verscholen op vlak bij haar werk om te zien met wie ze naar buiten kwam. Hij moest het gewoon controleren, voor zijn eigen gemoedsrust.

Zijn literaire thriller schoot maar niet op. Hij besteedde er niet genoeg tijd aan. Zoals het er nu naar uit zag, zou hij het komende schooljaar meer, in plaats van minder uren moeten gaan lesgeven.

De verkoop van zijn Arno Jacobs detectives was ook praktisch stil komen liggen, en al vroeg zijn uitgever om een volgende in de serie. Hij kon zich er toch niet toe zetten. Hij had zijn zinnen gezet op zijn literaire thriller. Kon hij zich maar wat beter concentreren, maar als hij niet precies wist waar Astrid was en wat ze deed raakte hij totaal geblokkeerd en kon hij aan niets anders denken dan aan haar.

Met een zucht van verlichting hoorde Astrid de deur achter Hans dichtvallen.

Ze hield echt van hem, maar sommige dingen die in het begin van hun relatie zo leuk hadden geleken waren hun glans kwijtgeraakt.

Dat halen en brengen was er een voorbeeld van. Ze was er zich opgejaagd door gaan voelen en had hem gevraagd het niet meer te doen.

Zijn nieuwsgierigheid naar al haar doen en laten had ze in het begin aangezien voor liefdevolle interesse maar dat was na enkele maanden veranderd in vervelende bemoeizucht. En al kon ze zich een leven zonder Hans niet meer voorstellen en wilde ze hem absoluut niet kwijt, toch waren er dingen die haar een beetje begonnen op te breken. Die truttige jurken had hij gekocht. Toen ze elkaar een maand of zes kenden had hij haar daar mee verrast. Hij zei dat hij het leuk zou vinden dat ze zich als ze uit haar werk kwam een beetje voor hem zou kleden.

'Moet ik daarvoor zo'n jurk aan?' had ze verbaasd gevraagd. 'Dat is toch helemaal niks voor mij?'

'Nee, maar daaronder moet je dit aantrekken.'

Hij haalde een tas van Christine le Duc tevoorschijn waar hij de meest sexy lingerie uithaalde, halve bh's in het zwart, wit en rood, jarretelgordeltjes met zwarte kousen met kant eraan en een keur aan broekjes met en zonder kruis. Astrid wist niet wat ze zag.

'Dat vind ik nou leuk, je moet het meer als een spelletje zien. Je hebt dan onder zo'n heel net jurkje een heel sexy niemendalletje aan en alleen ik weet het dan. Daarna ga ik je lekker uitpakken en neuken.'

Astrid had de gedachte hieraan ook wel opwindend gevonden en had zich onder zijn toeziend oog in een zwarte compositie gehuld, de bh waar haar borsten als op schoteltjes werden gepresenteerd, de kousen aan de jarretels vast, ze stond met een slipje in haar handen. 'Moet dat jarretel-gordeltje er nu over, of onder?'

'Laat maar helemaal uit,' had hij schor van verlangen gezegd.

'Nu dat zedige jurkje erover en die hoge hakken aan en dan hier komen.'

Gehoorzaam had ze het jurkje over haar hoofd getrokken en ze liep naar de stoel waarop hij naar haar zat te kijken.

Ze stond voor hem en hij tastte onder haar rok naar haar billen, langs haar heen in de spiegel kijkend.

Astrid keek achterom en zag zijn hand over haar blote billen strijken en tussen haar benen verdwijnen. Haar benen iets uiteen en in die kousen gestoken vond ze het zelf ook wel een geil gezicht.

Hans bleef haar betasten en strelen tot hij voelde dat ze bijna klaar kwam.

Met een snelle beweging werkte hij zich uit zijn broek en trok haar jurk over haar hoofd. Hij ging staan en deed zijn penis tussen haar gezwollen schaamlippen en bewoog zachtjes heen en weer, zonder in haar te gaan.

Astrid stond te wankelen op haar hoge hakken en hij dirigeerde haar richting bed waar hij haar achterover duwde en in haar kwam.

Het was de beste vrijpartij van haar leven geweest.

Maar om zich nu avond aan avond zo te kleden ging haar wat ver, al deed ze tot nu toe wel wat hij van haar verwachtte.

Soms vreeën ze niet eens maar telkens als ze even samen waren voelde hij dan onder haar rok en kneep dan even in haar kruis. 'Van mij,' fluisterde hij dan in haar oor. Bijna altijd hing er als ze uit haar werk kwam een jurkje voor haar klaar met datgene dat eronder moest. 'Hun geheimpje,' noemde hij dat.

Hoewel de seks fijn was voelde ze zich de laatste tijd door zijn dominante gedrag vaak achteraf een beetje goedkoop en gebruikt. Ze had zich een keer onder hem uitgeworsteld en had zelf het initiatief genomen. Ze had schrijlings op hem gezeten. 'Oh, het vrouwtje wil de baas spelen,' had hij quasi geamuseerd gezegd, maar hij had zijn ontevredenheid erover niet kunnen verbergen.

Hij had er volslagen passief bij gelegen, wat haar na even doorgaan een belachelijk gevoel had gegeven. Ze was zonder dat een van beiden klaar was gekomen van hem afgeklommen en naar de badkamer gegaan.

Toen ze er later over probeerde te praten kon ze hem niet duidelijk maken wat ze bedoelde.

Astrid zuchtte en vroeg zich af of ze haar leven met Hans nog wel voornamelijk leuk vond.

Hoofdstuk 6

In de maanden die volgden drong het besef dat er in deze relatie teveel was dat ze niet wilde langzaam tot Astrid door.

Niet dat er iets specifieks gebeurde, het waren de incidenten die zich steeds herhaalden, het onbehaaglijke gevoel dat ze werd gecontroleerd. Ze zag dat Louise zich steeds meer tegen Hans en ook tegen haar ging afzetten. Ze had de blik in Thomas' ogen gezien toen Hans zich buitengewoon horkerig tegenover haar gedroeg.

Dat was wel een typisch voorval geweest, als ze er aan terugdacht kreeg ze nog het schaamrood op haar kaken.

Thomas en Astrid hadden gezellig in de tuin zitten kletsen en drinken toen Hans thuis kwam. Hij had een sleutel en had zichzelf binnengelaten. Astrid had hem niet horen binnenkomen. Ze hadden het net over een eventueel bezoek aan Boston deze zomer. 'Waarom komen jij, Hans en Louise niet? Ik heb ruimte genoeg,' zei Thomas.

'Samen met Louise, daar wil ik wel over denken, maar met Hans erbij? Denk niet dat het een erg goed idee is. Louise en Hans liggen elkaar niet zo, de stemming is zo nu en dan te snijden en ik heb echt geen zin om daar de hele tijd tussen te zitten. Dan is het voor mij ook een stuk relaxter zonder Hans. We kunnen trouwens wel een adempauze gebruiken in onze relatie.'

'Is dat zo, gaat het niet goed?'

'Niet goed is teveel gezegd.'

Op dat moment had Hans zijn aanwezigheid kenbaar gemaakt. Astrid kleurde, niet wetend wat hij allemaal had gehoord.

'Het gaat heel goed tussen Astrid en mij,' zei hij terwijl hij haar ostentatief te lang vol op haar mond kuste.

'Heel goed,' herhaalde hij. 'Astrid doet alles voor mij, hè poesje?' Hij ging in een tuinstoel zitten en terwijl Astrid ging staan om ook voor hem een glas wijn in te schenken liet hij zijn hand onder haar rok glijden en kneep gevoelig in haar kruis, terwijl hij Thomas, die het niet ontging, wellustig aankeek.

Astrid schaamde zich dood, ze wilde met Thomas erbij geen scène maken en ze wist ook niet zeker wat hij gezien had.

Thomas stond op. 'Ik voel me teveel,' zei hij met een effen blik op Hans. Astrid wilde met Thomas meelopen maar Hans duwde haar terug in haar stoel. 'Ik laat meneer wel even uit!'

Thomas liet zich niet door Hans van de wijs brengen. Hij boog zich naar Astrid en kuste haar op haar verhitte wang.

'Sterkte,' fluisterde hij. 'Kom maar een keer naar boven. Op mijn terrein ben ik de baas.'

Toen Hans weer terugkwam in de tuin deed hij net alsof er niets was gepasseerd.

'Hmm, lekker wijntje,' zei hij waarderend terwijl hij de fles omdraaide om naar het etiket te kijken.

'Bracht Thomas mee.'

'Aardig van hem. Fijne vent hè, die Thomas?'

Astrid keek hem verbaasd aan, ze had verwacht dat hij op Thomas zou afgeven en ze had in gedachten haar messen geslepen voor de strijd die ze verwachtte. Nu nam hij haar al de wind uit de zeilen.

'Hoelang blijft hij nog?'

'Even denken, wacht ik heb het in mijn agenda.' Ze bladerde. 'Hier tot maandag na Pinksteren.'

Ze zuchtte en zette de glazen op het blad om mee naar binnen te nemen.

'Waarom ga je naar binnen? Het is zulk lekker weer.'

'Hans, we moeten eens praten,'zei ze en ze liep naar binnen. Hans volgde haar en deed de deur dicht.

Ze begon met te zeggen dat ze de laatste tijd veel over hun relatie had nagedacht. Ook met betrekking tot haar verleden met Jeroen. Toen had ze ook veel te lang alles op zijn beloop gelaten en steeds gedacht en geloofd dat het wel in orde zou komen. Tot het te laat was. Ze wist van zichzelf dat ze heel lang heel ver mee kon gaan. Maar als haar grens eenmaal gepaseerd was, het afgelopen zou zijn. Er was dan geen weg meer terug.

'Hans, wat je zoëven deed in de tuin is voor mij echt over de grens. Hoe kom je erbij me zo te vernederen. Als dat liefde is, dan wil ik die niet, hoor je. En ik wil ook niet dat je me steeds controleert.'

'Controleren? Dat doe ik helemaal niet,' verdedigde Hans zich zwakjes. Hij zat ineengedoken in het hoekje van de bank met een plotseling spierwit gezicht en het zweet op zijn bovenlip.

'Astrid alsjeblieft, in 's hemelsnaam. Als ik jou kwijt raak wil ik echt niet verder. Dan hoeft het hele leven voor mij niet meer. Ik wil dat niet nogmaals meemaken. Dan maak ik er een eind aan.'

'Stel je niet zo aan!' riep Astrid uit, 'Wat is dat nou weer voor een flauwe kul. Wordt meneer eens een keer aange- sproken op zijn onaangepaste gedrag, en dan gaat hij me een beetje zitten chanteren met zelfmoord? Kom op zeg, wees eens een vent en praat eens normaal over wat je dwars zit. Ik heb al honderd keer geprobeerd met je te praten maar ik kom er niet doorheen. En als je er echt, omdat ik het nu eindelijk eens een keer niet meer van je accepteer, een eind aan wil maken, dan ga je je gang maar. In de schuur ligt nog wel een geschikt touw en in het Scheveningse bos is vast wel een boom te vinden.'

Er viel een geladen stilte en Astrid was eigenlijk wel geschrokken van wat ze er zo opeens uit had gegooid.

'Oei,' dacht ze, 'Dat klonk wel heel erg hard.'

'Wat wil je dan dat ik doe?'vroeg Hans. De tranen liepen over zijn wangen.

Astrid stond in tweestrijd. Aan een kant brak het haar hart hem zo desolaat te zien. Maar aan de andere kant was ze ook bang dat ze als ze toegaf aan haar compassie, ze de touwtjes weer uit handen zou geven, hij ze weer zou overnemen en er niets zou veranderen. Nee, besloot ze, ze moest nu doorpakken.

'Als we met elkaar verder gaan wil ik antwoord op een heleboel vragen:

Wat is er gebeurd tussen jou en je ex.? Ik heb van Erik een en ander gehoord, maar ik wil het van jou horen.

Waarom heb je geen contact meer met je ouders en je enige broer?

153

Waarom word ik niet aan ze voorgesteld?

Waarom gedraag je je zo vervelend bij mijn vrienden en zelfs bij mijn ouders?

Je hoeft van mij echt niet met iedereen goed op te kunnen schieten en wat mij betreft kan ik ook heus wel alleen naar feestjes van mijn vriendinnen, maar als ik alleen ga loop je me te bespioneren en als je mee gaat gedraag je je onmogelijk.

Leg me maar eens uit waar dat vandaan komt.

Je lijkt zo geobsedeerd door mij, dat is echt niet normaal. Ik wil dat je er over praat, met mij maar misschien ook met een professionele hulpverlener.'

Er was weer een minutenlange stilte die werd doorbroken door het geluid van de telefoon. Astrid nam op. Ze luisterde naar degene die haar belde en sprak af er over twee uur te zijn.

Astrid hernam zich alsof er geen intermezzo met de telefoon was geweest.

'Hans, je hebt mijn vragen gehoord. Ik wil daar zo spoedig mogelijk een antwoord op en dan zullen we verder praten. Ik ga morgen naar mijn ouders en ik ben er zondagavond weer voor je als je er dan uit bent. Ik stel voor dat je nu weggaat want ik heb zo een afspraak.'

'Met wie?' vroeg Hans op zijn hoede.

Astrid keek hem meewarig aan. 'Het gaat je niets aan, maar ik heb geen geheimen, al denk jij altijd van wel. Ik heb net met Caro afgesproken voor een tafel voor twee. Ze heeft me nodig. Dat is waar vriendinnen voor zijn.'

Hans stond op en Astrid liep naar hem toe. Ze omhelsde hem. Met haar hoofd op zijn schouder gleed haar strengheid weg, ze brak en snikte de spanning eruit.

'Het komt vast wel weer goed, zondag praten we verder.'

Hans pakte zijn spullen en ze liepen samen naar de deur.

'Astrid, je moet wel weten dat ik vreselijk veel van je hou.'

'Weet ik, schat, maar overheersing, jaloezie en wantrouwen maken een schijnvertoning van de relatie tussen twee mensen.'

Astrid sloot de deur achter hem. Ze leunde ertegen niet in staat een stap te verzetten.

154

Ze zuchtte diep terwijl ze zich hernam en een groot gevoel van tevredenheid kwam over haar.

Ze was eindelijk in staat geweest haar gevoelens onder woorden te brengen. En, wat nog belangrijker was, het was bij hem aangekomen.

Ze ging met haar gezicht in haar handen op de bank zitten en liet de hele conversatie in haar gedachten nogmaals de revue passeren.

'Ja,' dacht ze, 'ik ben blij dat ik in ieder geval nu eindelijk een poging heb kunnen doen om het bespreekbaar te maken. Ben ook blij dat Louise een paar dagen bij een vriendin is. Hoef ik daar ten minste geen rekening mee te houden'

Ze liep naar de keuken om snel even wat te eten voordat ze naar Caro ging die haar wilde spreken.

Bij Hans wisselden angst, boosheid en frustratie elkaar af.

Moedeloos liet hij zich op de bank vallen, huilde en dacht na.

Hij kon zijn eigen waarheid er wel op na houden, maar met twee relaties die om dezelfde redenen strandden was het misschien toch eens tijd om de hand in eigen boezem te steken.

Ze wilde antwoorden en die zou ze krijgen. Hij wist alleen nog niet precies welke dat zouden zijn.

Hij stond op, liep naar de badkamer en plensde wat koud water in zijn gezicht. Hij snoot zijn neus, nam wat aspirines en dronk een groot glas water.

Hij zette zich achter zijn computer, opende een bestand en begon te schrijven.

Hij deed net alsof het een Arno Jacobs verhaal was.

Het gaat over een klein gemankeerd jongetje. Een heel jaloers jongetje dat alles doet om de liefde en de aandacht van zijn moeder te winnen, maar daar niet in slaagt. De moeder heeft na zijn geboorte een postnatale depressie die in die tijd nog niet als zodanig werd herkend.

Deze jongen krijgt als hij twee jaar is een broertje, het oogappeltje van zijn moeder. Het oudere jongetje probeert in zijn kinderlijke onmacht het kleine broertje pijn te doen. Legt een kussen op zijn hoofd, laat de kat stiekem in de babykamer en geeft zijn broertje als hij wat ouder is knikkers nadat zijn moeder had gezegd die uit zijn buurt te houden. De ouders sturen hem naar een psychiater die hem allerlei vragen stelt en tekeningen laat maken, maar hij slaagt er niet in de situatie van het jongetje te verbeteren.

. Als het jongetje acht jaar is gaan de ouders scheiden. De moeder neemt het jongste kind mee en de oudste blijft bij zijn vader die de opvoeding overlaat aan een interne hulp in de huishouding.

Het jongetje groeit eenzaam en liefdeloos op. Hij ziet zijn moeder alleen in de vakanties die geen succes zijn omdat hij er steeds weer in slaagt iets te doen wat haar niet zint. De broers hebben veel ruzie en ook als het niet de schuld is van de oudste krijgt hij die steeds toch.

Als de jongen ouder wordt is hij moeilijk in staat vriendschappen te onderhouden. Na zijn studie Nederlands gaat hij lesgeven en na een aantal mislukte relaties vindt hij Margriet, zijn grote liefde.

Door zijn jaloerse bezitterigheid gaat deze relatie te gronde. Ze hebben dan inmiddels al een dochter, Doortje. Hij begint haar na de scheiding te stalken en hij maakt haar het leven onmogelijk. Hij volgt haar en op een dag wanneer Margriet in een winkel even niet oplet rijdt hij de buggy met zijn dochter erin naar buiten en neemt haar mee naar een vakantiehuis in de buurt van Utrecht waar hij met haar onderduikt.

Margriet is wanhopig. Ze weet dat het haar ex moet zijn die haar dochter heeft meegenomen. Na een ingesproken bericht op haar antwoordapparaat hoort ze weken helemaal niets meer.

Er loopt een opsporingsbevel naar hem en de kleine Doortje.

Alles komt uit als Doortje hoge koorts krijgt. Niet wetend wat te doen klopt hij aan bij zijn broer die in Maarsbergen woont. Deze belt stiekem de politie en gaat met hem naar het ziekenhuis. In het ziekenhuis wordt hij bij de eerste hulp gearresteerd.

Hij zit twee dagen in een cel, waarna hij in afwachting van de rechtszaak wordt vrijgelaten.

Tijdens de rechtzaak is het niet alleen Margriet, maar ook zijn ouders, broer en vriend Erik die tegen hem getuigen.

De uitspraak was een voorwaardelijke straf, een verbod om in de buurt van ex en kind te komen en bezoekrecht alleen wanneer Margriet daarmee in zou stemmen.

Hans schreef en schreef, bijna twee dagen achter elkaar.

In het verhaal verwerkte hij waarom er geen contact meer is met zijn ouders en broer, maar ook waarom hij doet wat hij steeds doet.

Hij kan niet anders. Is doodsbang om weer een liefde kwijt te raken.

Hij schreef dat hij pas rustig wordt als hij haar heeft gecontroleerd en als hij niet weet waar ze is, hij zich fysiek onwel voelt worden. Hij weet ook wel dat dit niet normaal is en hij schrijft bereid te zijn voor haar in therapie te gaan.

Als ze hem in vredesnaam nog maar een kans wil geven.

Op zondagmiddag printte hij het allemaal uit en stopte het in een grote enveloppe om mee te nemen naar Astrid.

Hij verheugde zich erop haar weer te zien al zat er van de zenuwen een knoop in zijn maag.

Tijdens het schrijven had hij zich meer dan eens afgevraagd of deze ommezwaai van Astrid het begin van het einde inluidde.

Ze zei dat ze van hem hield, maar dat deed Margriet ook totdat hij haar in elkaar had geslagen. Dat was nadat Margriet gezegd had dat het zo niet langer ging, dat ze zijn jaloerse gedrag niet langer verdroeg omdat ze op die manier al hun vrienden kwijtraakten. Hij had toen, precies zoals hij het nu van plan was, zich voorgenomen om zijn leven te beteren. Het ging een paar maanden redelijk, maar hij had toen gemerkt steeds meer alcohol nodig te hebben om zijn gedachten af te leiden. Op een avond was Margriet in zijn ogen veel te laat thuis van een avondje sauna met haar vriendin. Hij had de ene borrel na de andere gedronken om zijn ongenoegen te onderdrukken. In plaats van controle te krijgen was hij zijn zelfbeheersing verloren en had hij haar rake klappen gegeven en toen ze viel nog een trap na.

Margriet was net zwanger, nog maar zeven weken en kreeg een miskraam. Dat hij niet had geweten dat ze zwanger was, deed niets af van het feit dat de miskraam een gevolg was van mishandeling. Dat hij haar daarvoor nog nooit met een vinger had aangeraakt maakte ook niets meer uit. Het was het einde van hun relatie.

In zijn uitleg aan Astrid had hij niet gerept over drankproblemen of mishandeling. Dat was volgens Hans in zijn relatie met Astrid niet relevant. Astrid dronk zelf heel matig en hij wist dat ze een hekel had aan lui die te veel dronken. In de tijd dat ze bij elkaar waren had hij dan ook nog nooit meer gedronken dan goed voor hem was.

Hoofdstuk 7

Astrid schrok toen Caro de deur open deed. Wat was ze mager geworden en wat zag ze er slecht uit.

'Hé, hallo wat is er aan de hand met je? Ben je ziek?'

Caro glimlachte. 'Kom binnen, ik ben blij dat je er bent.'

Astrid liep achter Caro aan naar de kamer.

'Wat is het hier toch prachtig. Je kunt wel merken dat je bij een familie van terrazzowerkers bent ingetrouwd.'

De prachtige grijs zwarte natuurstenen vloer liep door naar het terras buiten en de keuken had een u-vormig natuurstenen aanrechtblad. En omdat het niet de eerste keer was dat Astrid hier was wist ze dat zich op de eerste verdieping een geweldige badkamer bevond.

Astrid liet zich op de kussens van een diepblauwe bank zakken.

'Jan Citroen er niet?'

'Nee, Gian-Carlo is met zijn broer Mario in het huis van zijn andere broer Claudio aan het klussen.'

Caro kwam met een serveerblad uit de keuken. Ze zette het blad op de tafel tussen de twee banken in en ging zelf in de hoek van de andere bank zitten.

'Thee?'

'Ja, lekker.'

'Smaakje, citroen, kamille, bosvruchten, rooibos of gewoon?'

'Rooibos, Caar wat is er met je? Je ziet er zo mager en moe uit, ben je ziek?'

'Nee hoor, ik ben niet ziek. Maar ik heb nogal een nare tijd gehad. Eerst kreeg verleden zomer Micha menigitis en dat ging me echt niet in de koude kleren zitten. Toen hij weer helemaal beter was kreeg Luuk een periode dat hij geen nacht meer doorsliep en daarna kreeg ik zelf een zware griep en dat is allemaal niet goed voor een mens zoals je ziet.'

Astrid keek haar aan. Normaal was Caro slank en lang, ze waren ongeveer even groot, maar waar Astrid maat veertig had was bij Caro maat zesendertig soms nog te groot. Nu was ze ronduit mager. Haar sleutelbeen stak uit en haar polsen zagen er breekbaar uit.

'Maar schat, je ziet er uitgehongerd uit. Wat is er, eet je wel goed?'

'Als ik zorgen heb of ongelukkig ben, dan krijg ik geen hap door mijn keel.'

'Dus je bent ongelukkig?'

'Ja, heel erg.' Er liep een traan over haar wang, die ze met een geërgerd gebaar wegwreef,

'Sorry, hoor.'

'Niks sorry.' Astrid stond op, ging naast Caro zitten en sloeg haar arm om haar heen.

'Vertel het allemaal maar aan Astrid..

'Gian-Carlo is uit de kast gekomen,' piepte Caro.

'Gian-Carlo is wat?' zei Astrid, die het niet meteen vatte.

'Hij is homo en heeft een vriend.'

Astrid liet haar los en keek haar verbijsterd aan. Dit was wel het laatste wat ze verwacht had te horen. Misschien dat hij vreemd zou gaan met een andere vrouw. Ze had Gian-Carlo en zijn broers Mario en Claudio altijd gezien als echte macho mannen en nog hele mooie ook.

'Je had helemaal geen idee?'

'Nee, buiten het feit dat hij het helemaal nooit vervelend vond als ik weg was, met jullie of voor mijn studie en dat hij in bed niet zo heel erg actief was, heb ik geen signalen gehad. En dat valt nu pas een beetje op zijn plaats. Als ik weg was kon hij zijn natuurlijke gang gaan en in bed kon hij alleen klaarkomen als ik op mijn buik lag.'

'Goh meid, wat erg voor je. Ik weet gewoon even niet wat ik daarop moet zeggen.'

'Kan ik me voorstellen, ik weet het nu een week en ik weet ook niet wat ik er mee moet. Het is niet iets waarvoor je in therapie kunt. Je bent homo of je bent het niet, dus het is een voldongen feit.'

'Wist hij toen hij met jou trouwde al dat hij homo was?'

'Dat is ook zo wat'. Hij zegt dat hij met me is getrouwd omdat hij echt van me houdt. Hij zegt dat hij slechts latent wist dat hij homo was maar in zijn familie en met zijn broers zou hij daar nooit mee voor de dag durven komen, laat staan dat hij het ooit een kans heeft gegund. Hij zegt dat hij ook nog nooit echt waanzinnig verliefd is geweest, tot nu toe dan.'

'Weet zijn familie het al?'

'Nee, nog niet, hij durft niet.'

'Kom op zeg, durft niet. Hij heeft het jou verteld dus de ergste barrière is genomen, toch?

'Hij wil het eerst zijn broers een voor een vertellen en daarna pas aan zijn ouders.'

'Wanneer dan?'

'Weet ik niet.'

'Gaan jullie scheiden?'

'Niet overhaast, maar op den duur wel.'

'Gelukkig dat de kinderen nog te klein zijn er iets van te merken.'

'Ik ben blij dat ik het nu eindelijk ook aan iemand heb kunnen vertellen. Het zit me zo verschrikkelijk hoog, mij hele leven staat op z'n kop.'

'Weten Lisa en Bea het nog niet?'

'Nee, Bea zit in Brussel en Lisa geeft een cursus in Amsterdam en komt pas morgen weer thuis.

Wat ben ik een slechte gastvrouw, nodig ik je uit voor een tafel voor twee en je krijgt helemaal niets.'

'Ik had die tafel voor twee ook eerder als een noodkreet om een gesprek gezien dan een eet uitnodiging. Ik had thuis trouwens al wat gegeten dus dat is wel ok.'

'Gaat het met jou en Hans wel goed?' vroeg Caro nadat ze over Gian-Carlo waren uitgesproken.

Astrid vertelde wat er tussen hen was gebeurd en hoe blij ze was dat ze nu eindelijk eens kans had gezien haar gevoel over hun relatie te bespreken.

'Je weet dat we geen van allen erg gecharmeerd zijn van Hans, maar op Wouter van Lisa valt zo nu en dan ook wel wat aan te merken. En dat zeg ik, ik ben nota bene met een homo getrouwd. Wel een leuke, dat is waar,' lachte ze. 'Meid als hij jou maar gelukkig maakt is het goed. Wij blijven toch wel vriendinnen.'

Om een uur of elf ging Astrid weer naar huis. Ze pakte

161

thuis gekomen haar weekendtas in zodat ze morgenochtend meteen op pad kon en ze lekker vroeg op de koffie in Vianen zou zijn. Ze nam zich voor zich dit weekend eens fijn door haar moeder te laten verwennen.

Zondagmiddag reed Astrid terug naar Den Haag. Ze had het heel gezellig gehad bij Evelyn en Willem. Het was de hele maand al lekker warm en ze hadden heerlijk in de tuin van de zon kunnen genieten. Zaterdag was ze met Evelyn gaan winkelen in Utrecht en waren ze allebei leuk geslaagd. Zondag had ze uitgeslapen en hadden ze in de tuin gebruncht en daarna was ze haar spullen gaan pakken want ze wilde om een uur of vier weer thuis zijn. Ze verwachtte Louise pas omstreeks tien uur in de avond terug. Met Hans had ze rond etenstijd afgesproken.

Ze was benieuwd. Haar hart maakte een sprongetje als ze aan hem dacht. En ze had een wat zenuwachtig gevoel in haar maag, een beetje bang voor de dingen die gingen komen.

Ze had veel nagedacht het weekend en ook veel gepraat met haar moeder en Willem. Ze hoopte maar dat ze met Hans tot een gesprek zou kunnen komen. In haar hoofd passeerden alle mogelijke scenario's. Wat, als hij niet met antwoorden kwam op al haar vragen. Zou ze hem dan de deur wijzen?

'Ja,' dacht ze, 'Ik neem nu geen gas meer terug. Zo verder wil ik niet.'

'Misschien ben ik vanavond wel weer vrijgezel,' dacht ze terwijl een voorbarig gevoel van rouw daarover haar hart binnenkroop.

'Kom op,' sprak ze zichzelf toe, 'Het zal wel loslopen.' Ze schudde de naargeestige gedachten van zich af en zette ter afleiding de radio aan. In plaats van vrolijke muziek hoorde ze tot haar ontsteltenis het nieuws dat Lady Diana, prinses van Wales en haar vriend Dodi Al Fayed na een fatale rit door Parijs waren verongelukt. Ze werden toen het gebeurde volgens de nieuwslezer achtervolgd door paparazzi op motoren. Ze bleef luisteren na verdere details van dit vreselijke nieuws en voor ze het wist reed ze haar straat in en kon warempel de auto praktisch voor de deur kwijt. 'Dat is een gunstig teken,' dacht ze terwijl ze haar deur opende.

Ze had haar tas nog maar net uitgepakt en wilde zich met een kop thee voor de televisie installeren toen Hans al binnenkwam.

'Heb je het gehoord van lady Di?'

'Nee, wat dan?' Astrid vertelde het hem en samen keken ze op de televisie naar de reacties van mensen uit de hele wereld.

Na een uur toen de verslaggevers zich begonnen te herhalen zette Astrid de televisie weer uit, ze moesten immers praten.

Hij kuste haar. 'Ik ben blij dat ik je weer zie, ik heb je gemist.'

Astrid kuste hem terug en keek hem een beetje op haar hoede aan. 'Toch niet weer business as usual?' dacht ze.

'Zullen we buiten praten? Het is nog zulk lekker weer,'vroeg Astrid. Ze pakte haar thee op en liep naar buiten. 'Wil je ook thee, of liever iets anders?'

'Nee, thee is goed.' Hans ging zitten en wachtte tot Astrid terug kwam met de thee.

Toen Astrid ook zat keken ze elkaar in een ongemakkelijke stilte afwachtend aan.

Ze begonnen allebei gelijk te praten.

'Zeg jij het maar,' zei Astrid.

'Ik heb vanaf donderdagavond nagedacht, over jou, over mezelf en mijn verleden. En op een gegeven moment dacht ik, ik kan het het beste opschrijven en dat heb ik gedaan.' Hij haalde een grote witte enveloppe tevoorschijn en legde deze op tafel tussen hen in.

Astrid pakte hem op en woog hem in haar hand.

'Zo dat is heel wat. Je hebt een halve roman geschreven.'

'Nou meer een Arno Jacobs verhaal. Ik heb het allemaal in de derde persoon geschreven. Misschien ga ik het wel helemaal uitwerken. Daar zou mijn uitgever blij mee zijn want die zeurt al een half jaar om een nieuw verhaal. Maar waar ik het voor geschreven heb is om alle misverstanden tussen ons uit de weg te helpen. Ik hoop dat het je antwoord geeft op al je vragen. Ik stel voor dat jij het gaat lezen, hier of binnen en dan ga ik ondertussen nasi maken en dan kunnen we er onder het eten over praten.'

163

'Ik blijf er mee in de tuin zitten.'

Al gauw was Astrid helemaal verdiept in het verhaal over het kleine jongetje dat Hans ooit was.

Ze vond het zo zielig dat ze naar binnen liep om een zakdoek te pakken. Toen ze door de keuken liep drukte ze hem zwijgend een kusje in de nek, pakte een glas water en ging weer terug naar de tuin.

Om half zeven had ze alles gelezen. Ze stopte het weer terug in de enveloppe en bleef nog even nadenkend zitten. De geur van de Indische keuken bereikte haar en ze realiseerde zich dat ze trek had. Ze liep naar binnen.

'Ik heb het uit,'zei ze.

'Fijn, en ik heb het eten klaar. Het is te fris voor buiten denk ik?'

'Ja, zonder de zon is het te koud.'

Ze dekten samen de tafel binnen, schepten op en gingen zitten.

'Jij ook een biertje erbij?' vroeg Hans.

'Ja lekker.'

Toen Hans weer zat keek hij haar vragend aan. 'Wat vind je ervan?'

'Heel zielig,' zei Astrid, 'en ik kan wel begrijpen waar die verlatingsangst of wat het ook is vandaan komt. Is het verlatingsangst?'

'Een beetje, ik voel me altijd erg onzeker als ik niet weet waar je bent, met wie, en wat je doet. Of dat verlatingsangst is weet ik niet.'

'Maar wat denk je dan? Ik bedoel als ik jou een paar dagen niet zie dan vraag ik me niet eens af wat je aan het doen bent en met wie. Als je iets gedaan hebt wat de moeite van het vertellen waard is hoor ik dat wel van je als ik je weer zie. Denk je dan dat ik vreemd ga of zo?'

'Dat niet speciaal, maar ik ben altijd wel bang dat je iemand tegenkomt die je aantrekkelijker vindt of dat iemand jou probeert te versieren. Je bent zo'n mooie vrouw. En als je je met iemand anders amuseert heb ik het gevoel dat ik iets mis of dat je iets deelt met iemand dat je eigenlijk met mij moet delen. Ik vrees dat het gewoon ordinaire jaloezie is.'

'Ja, maar wel een erg ziekelijke jaloezie.'Astrid wond er geen doekjes om. 'Ik denk dat je er toch voor in therapie moet, en dat ga je ook doen stond er op het laatste blad, toch?'

'Ja, ik heb er alles voor over je niet te verliezen. Ik ga morgen een afspraak maken.'

'Fijn.' Astrid gaf hem een kus. 'Ik heb ook dit weekend veel nagedacht en ik vind natuurlijk dat er wel het een en ander moet veranderen. Louise gaat met haar eindexamenjaar beginnen. Ik vind dat er erg veel spanning tussen jullie is en dat is niet goed. Ik wil niet dat Louise om jou steeds het huis uitvlucht, dus ik stel voor dat ik meer naar de Pijnboomstraat toekom en dat jij hier alleen komt als zij uit logeren is. Dat is ze nogal vaak,' zei Astrid om deze boodschap een beetje te verzachten.

'Verder wil ik in principe de woensdagavond helemaal voor mezelf, zodat ik op die avond met mijn vriendinnen kan afspreken, naar de sauna kan gaan of gewoon het gezellig hebben met mezelf en Louise.'

'Je gooit me wel meteen in het diepe,' zei Hans die bij al deze voorwaarden steeds onrustiger werd.

'Je zou kunnen proberen om op woensdagavond je vaste therapieafspraak te krijgen, er zijn genoeg psychotherapeuten die ook in de avonduren werken.'

'Ja dat is een goed idee, maar dat je me hier niet meer wilt hebben vind ik wel erg.'

'Je zult hier heus nog vaak genoeg zijn en ik kom immers naar jouw huis. Je hoeft me niet te missen.'

'Ja maar dan kom je natuurlijk pas na het eten en ik vond het net zo gezellig om samen te eten.' 'Tsja,' zuchtte Astrid. 'Daar zul je je toch bij neer moeten leggen. Ik vind het belangrijker dat Louise in alle rust en harmonie dit laatste schooljaar kan doen. En waar praten we over, het is maar voor een jaar. Daarna gaat ze toch naar Boston en dan zullen we wel weer verder zien.'

Hans zuchtte, dit ging helemaal niet zoals hij het zich had voorgesteld.

'Kom op schat.' Astrid ging op zijn schoot zitten en sloeg haar armen om hem heen. 'Kom, je had me toch zo gemist? En als je me daar nog wat van wilt laten merken moet je het wel nu doen.'

Ze stond op en trok hem mee naar de slaapkamer.

Hans was in staat zijn onrust om te zetten in passie en ze vrijden heel bevredigend met elkaar.

Op weg naar huis overdacht Hans de avond. In plaats van opgelucht nu hij alles, nou ja, bijna alles had opgebiecht, voelde hij zich paniekerig. Zo erg dat hij snakte naar een whisky om het te onderdrukken. Dat het geen oplossing bood wist hij wel maar hij had het nu toch echt nodig.

Hij vroeg zich af of hij in therapie zou gaan. Hij was het niet van plan geweest al had hij het wel aan Astrid beloofd. Maar deze plotselinge drang naar alcohol herkende hij als het begin van een slecht pad en het was aan hem om dat al dan niet in te slaan.

De geschiedenis herhaalt zich. Nee, riep hij zichzelf een halt toe. Hij zou het niet toelaten. Morgen, besloot hij, zou hij alles op een rijtje zetten.

Hij zette zijn fiets in de gang en liep naar boven. Met trillende handen schonk hij zich een flinke whisky in.

Hoofdstuk 8

In de volgende twee jaar ging de relatie in een zee van niet nagekomen beloften ten onder.

Astrid deed haar best. Ze hield zich aan de nieuwe afspraken en ging iedere avond nadat ze met Louise had gegeten naar Hans in de Pijnboomstraat en bleef daar dan meestal slapen.

Vaak, als Louise zelf had afgesproken met iemand ging ze meteen uit haar werk.

Ook Hans deed aanvankelijk zijn best. Hij had een therapeut gevonden waar hij iedere woensdagavond om acht uur terecht kon.

Astrid vroeg steeds of hij de indruk had er baat bij te hebben, maar over dit onderwerp wilde hij niet met haar praten.

Na een ruzie over zijn zwijgzaamheid had hij geroepen dat ze hem eens een keer met rust moest laten. Dat liet Astrid zich maar een keer zeggen. Ze grabbelde haar spullen bij elkaar en verliet met opgeheven hoofd zijn huis.

'Je bekijkt het maar en ik hoor het wel als ik je weer mag storen!'

Zodra Astrid de deur uit was had Hans naar de fles gegrepen, iets dat hij de laatste tijd vaker deed. Hij was van whisky overgegaan op de wodka omdat deze drank naar men zei niet te ruiken was. Toch hield hij voor de zekerheid wel steeds pepermunt bij de hand.

Een maand lang was Hans op de woensdagavond bij de therapeut geweest, toen had hij er genoeg van en vond dat hij zijn problemen zelf wel de baas kon worden. Tegen de zin van de therapeut had hij de behandeling beëindigd.

'Ik denk niet dat het verstandig is meneer Van de Welle. U weet hoe het met uw vorige relatie is gegaan en als u niet een andere kijk op het leven met uw nieuwe vriendin krijgt, stevent u af op een volgende mislukking.'

'Misschien heeft u gelijk, maar ik denk dat ik de zaak wel onder controle heb,' zei Hans tegen beter weten in.

'Het is uw beslissing meneer, dan nemen we afscheid en dan hoor ik wel van u als u weer van mijn diensten gebruik wilt maken. Ik blijf erbij dat ik het zonde vind. Ik had het gevoel dat we op de goede weg waren, vooral nu u dat nieuwe Arno Jacobs verhaal hebt geschreven waarin u veel van uw eigen leven heeft verwerkt.'

Dat klopte, de nieuwe Arno Jacobs was verrassend goed ontvangen, het was volgens zijn uitgever de beste geworden in de serie en werd in tegenstelling tot de eerdere boeken uitstekend verkocht. Zo goed dat hij tot zijn eigen vreugde het aantal lesuren niet hoefde uit te breiden. Zo kon hij tenminste Astrid in de gaten houden. Met haar verjaardag had hij haar verrast met een mobiele telefoon. Het straatbeeld was het laatste jaar veranderd, je trof steeds meer mensen bellend, met een toestel aan het oor.

Astrid was echter helemaal niet blij met de telefoon.

'Wat moet ik er mee?' had ze niet erg dankbaar gezegd.

'Dan ben je fijn altijd bereikbaar,' zei Hans.

'Ik wil helemaal niet fijn altijd bereikbaar zijn. Ik vind dat zelfs heel irritant en was tot nu toe volmaakt gelukkig zonder. Als ik thuis ben kan men me bellen en zoniet dan ben ik ergens anders mee bezig. Bovendien, wat kost het wel niet aan abonnements- en gesprekskosten?'

'Daar hoef je geen zorgen om te hebben. Ik heb het abonnement op mijn naam afgesloten dus ik krijg de rekening en Astrid, het is echt reuze handig, voor als je te laat bent, of pech hebt met je auto onderweg.'

'Nou ja, ik vind het heel lief van je, maar ik heb er echt geen behoefte aan. Als ik onderweg wil bellen zijn er overal telefooncellen, en de ene keer dat ik pech op de snelweg had, ging dat ook prima bij de meldpaal voor de ANWB. Hou hem zelf maar, of had je er voor jezelf ook al een gekocht?'

Na veel heen en weer praten had Astrid toch de telefoon geaccepteerd maar ze vergat hem bijna altijd mee te nemen als ze ergens heen ging.

Astrid was op bezoek bij Thomas. Het was haar vrije woensdagavond en ze had zichzelf voor het eten bij hem uitgenodigd want de volgende dag zou hij weer voor een lange periode naar Boston vertrekken. Daar Astrid zijn postzaken en alles over het huis behartigde moest de administratie worden overgedragen.

Thomas had lekker gekookt, peultjes en worteltjes met gerookte zalm, krieltjes met peterselie en een komkommersalade. Een bolletje citroenijs met vanillesaus completeerde de maaltijd en Astrid nipte tevreden van haar glas witte wijn.

'Heerlijk, ik heb lekker gegeten Thomas. Zalig peultjes, ik ben er dol op. Asperges vind ik ook zo lekker, jammer dat je die maar zo kort kunt krijgen.'

'Als het altijd te krijgen is kun je je er ook niet meer ieder jaar op verheugen. Ik vind het steeds weer heerlijk als ze er zijn, net als de Hollandse Nieuwe of de eerste mosselen van het seizoen.'

'Zo en hoe gaat het met jou en Hans,' vroeg Thomas terwijl hij twee kopjes koffie inschonk.

'Heel goed, we hebben nu duidelijke afspraken gemaakt. Ik hou me eraan en hij meestal ook wel.'

'Ik weet dat ik me er niet mee mag bemoeien, maar Astrid, deze man is niet geschikt voor je. Hij zal je nooit gelukkig kunnen maken.'

'Daar moet jij je inderdaad niet mee bemoeien. Jij had sowieso altijd al wat aan te merken op mijn vrienden. En jij, en niet alleen jij, maar ook mijn moeder en mijn vriendinnen roepen altijd dat ik niet zo zwart-wit moet denken, dat ik vaak vergeet naar de andere kant van een verhaal te luisteren en niet altijd meteen mijn mening klaar moet hebben. Nu luister ik eens en geef ik onze relatie nog een kans en dan is het weer niet goed.'

'Maar wat zie je in Hans?'

'Iemand om mijn leven mee te delen. Ik wil al heel lang dat ik zo belangrijk voor iemand ben dat hij ook zijn leven met mij wil delen. Hans was van het begin zo in mij geïnteresseerd, hij wilde werkelijk alles over me weten. Ik voelde me daardoor geliefd, gevleid en belangrijk.'

'Ja maar denk je daar nu nog steeds zo over?'

'Ik moet toegeven dat al die aandacht me na een poosje

begon te beklemmen. Hij was er gewoon altijd en ik had het gevoel dat ik zelfs niet eens adem kon halen zonder dat hij me in de gaten hield.'

'En, deed hij dat?'

Louise vertelde me dat hij steeds in mijn spullen zat te rommelen en ik geloofde dat niet tot ik een keer eerder thuiskwam en hem betrapte. Je hebt zelf gezien hoe bezitterig hij met mij omging laatst.'

'Bezitterig? zei Thomas verontwaardigd. 'Ik vond het gênant en vernederend, ik schaamde me plaatsvervangend.'

Astrid kleurde tot in haar nek.

'Ja, dat was voor mij ook de bekende druppel. Daarna hebben we gepraat en afgesproken dat er heel wat moest veranderen.'

'En, werkt het?'

'Ik ben niet ontevreden,' zei Astrid na een lange aarzeling.

Thomas zuchtte en keek haar aan. 'Ik vind niet dat het echt overtuigend klinkt.'

Het bleef stil aan de andere kant van de tafel en Thomas zag een traan over haar wang lopen.

'Kijk me eens aan Astrid,' drong hij aan, maar Astrid bleef hardnekkig naar het tafellaken staren.

Thomas stond op, liep naar haar toe en trok haar in zijn armen.

'Wat is er nou, dappere Dodo?'

Van dat oude koosnaampje moest ze nog harder huilen.

'Ik weet niet,' snikte ze. 'Volgens mij gaat het wel goed, maar toch heb ik het gevoel dat hij me nog steeds bespioneert en ik vind hem de laatste tijd nogal opvliegend. Ik wil zo graag dat het goed is. Ik wil niet weer alleen zijn. Ik ben al achtendertig,' voegde ze er heel onlogisch aan toe.

'Ja, dat is al erg oud,' lachte Thomas. 'Ik word volgend jaar al veertig en ik ben ook alleen.'

'Ja sorry, je hebt gelijk, ik stel me aan.'

'Nee je stelt je niet aan, maar Astrid, als je zo hard je best moet doen om een relatie te laten werken, deugt die relatie misschien niet.'

Thomas pakte een servet van tafel en depte daarmee de

tranen van haar wangen. Hij gaf een kusje op haar neus. Ze leunde tegen hem aan en keek hem in de ogen. Ze las begeerte in zijn ogen en ze realiseerde zich dat haar lichaam deze gevoelens beantwoordde. Automatisch bood ze hem haar mond en ze verloren zich in een hartstochtelijke kus waaraan ze geen van beiden een eind wilden laten komen.

Toch was Astrid de eerste die zich terugtrok.

'Ik moet dit niet doen, ik heb Hans nog nooit aanleiding gegeven tot jaloezie en ik mag daar nu niet mee beginnen. Zeker niet nu we er alles aan doen om het te laten werken.'

'Nee,' zei Thomas sarcastisch. 'Laten we die arme Hans nou maar niet jaloers maken.'

De stemming was opeens veranderd. Thomas schonk nog een kop koffie in en ze handelden de zakelijke beslommeringen af. Daarna liep Thomas met haar mee naar beneden.

Hun voordeuren bevonden zich naast elkaar. Astrid deed haar deur van het slot en draaide zich om naar Thomas.

'Thom, bedankt voor het eten, en voor de troost. Goeie reis morgen en kusjes voor de kleine Ben enne ...,' ze sloeg haar armen om hem heen en kuste hem, eerst op de wang en daarna op de mond. 'Je bent mijn allerliefste vriend, bedankt voor alles, dat ik hier al zolang mag wonen, dat je er altijd voor me bent en me gewoon laat kletsen als ik het weer eens even niet zie zitten,' ratelde ze.

Thomas legde haar met zijn mond het zwijgen op, pakte haar daarna bij haar schouders en keek haar aan.

'Ik ga morgen naar huis en naar mijn zoon. Laat weten hoe het gaat en ik moet eerlijk zeggen dat ik hoop dat het niet gaat met Hans, nu spreek ik dan echt voor mezelf. Je weet toch dat ik heel veel om je geef? Maar het is wel iets waarmee je zelf in het reine moet komen, want ik blijf erbij, deugen doet hij niet. Hij is echt niet goed genoeg voor jou. Maar wat je ook doet, weet dat ik er altijd voor je zal zijn.'

Hij gaf haar nog een kus en ze gingen ieder door hun eigen deur naar binnen.

Vanaf de overkant werden ze vanuit een portiek gadegeslagen door Hans, die toen de deuren waren gesloten, een fles uit zijn binnenzak haalde en wat van de inhoud nog restte, in een teug achterover sloeg.

Hij gooide vervolgens de fles in onbeheerste frustratie met kracht tegen de voordeur van Thomas woning, wachtte af of er iemand naar buiten kwam om te kijken. Toen dat niet het geval was fietste hij terug naar huis waar hij grimmig een nieuwe fles openmaakte en deze aan zijn mond zette zonder de moeite te nemen een glas te pakken.

De volgende morgen werd hij naast de bank wakker. Hij wreef zijn ogen uit en hees zich half op zodat hij met zijn rug tegen de bank leunde en keek om zich heen en zag de lege fles onder de tafel liggen. De scène van de avond ervoor drong zich weer in zijn bewustzijn en hij voelde de woede in zich opkomen. Stijf kwam hij overeind om te gaan douchen.

Daarna voelde hij zich lichamelijk wat beter al kon hij het beeld van Astrid met Thomas niet uit zijn hoofd zetten. Hij vroeg zich af of hij Astrid zou confronteren met wat hij had gezien, maar verwierp dat omdat hij dan ook zijn aanwezigheid voor haar deur zou moeten verklaren. Hij zou het op zijn beloop laten, besloot hij. Thomas zou vandaag weer weggaan en was voorlopig uit de buurt.

Hij nam een paar aspirines om de kater te bestrijden en ging achter zijn computer zitten om te werken aan zijn literaire thriller die nog steeds niet wilde vlotten.

Hoofdstuk 9

Het duurde nog tot begin augustus 1999 voor Astrid voor het eerst iets van het drankgebruik van Hans merkte.

Ze waren op de verjaardag van Lisa in Schiedam. Het was prachtig weer dus het hele gezelschap zat in de tuin. Louise was dat jaar geslaagd en zou in september naar Amerika vertrekken waar ze als au pair zou gaan werken in Boston. Thomas had een vertrouwd adres voor haar bij hem in de buurt en zou haar ook helpen zich in te schrijven bij de universiteit waar ze een studie wilde gaan volgen. Anna vond het maar niks haar beste vriendin te zien vertrekken. Zelf moest ze nog twee jaar voordat ze van school afkwam. Haar zus Noortje die een jaar had gedoubleerd zou volgend jaar eindexamen doen.

Louise, Anna en Noortje liepen af en aan met drankjes en hapjes zodat Lisa kon blijven zitten en zich met de visite kon bezig houden. Astrid zat aan een tafel met Bea en Erik, Caro met haar oudere zus Francien, Lisa en Wouter en nog twee mannen die zich wel hadden voorgesteld maar waarvan ze de namen al weer was vergeten. Hans had, toen hij bij binnenkomst Erik zag, deze direct ostentatief gemeden. Hij was gaan zitten bij de ouders van Lisa, haar oudere zus Elly en haar man Henk, niet een echt vreugdevol gezelschap op Lisa's vader na.

Bea die al een paar wijntjes op had was lekker op dreef. Ze vertelde een hilarisch verhaal over een reis vol met strubbelingen, verleden maand toen ze naar de fashionweek in Milaan moest.

'Eerst ontsnapte de kat toen ik een vuilniszak buiten zette. Ik wilde dat voorkomen maar gooide toen per ongeluk in een reactie de deur dicht en daar stond ik dan in mijn kamerjas op mijn sokken met rollers in mijn haar.'

Ze zagen het helemaal voor zich, Bea, die nooit zonder lippenstift de deur uit ging. Ze lagen dubbel.

'Ik schaamde me dood. Het was hartstikke vroeg, halfzes

maar ik moest toch bij de buren bellen voor de reservesleutel.'

'Die zullen ook wel blij geweest zijn,' zei Lisa.

'Nee dat waren ze zeker niet, maar ja, wat had ik dan gemoeten? Eenmaal weer binnen wilde ik koffie zetten en maakte het espressoapparaat kortsluiting, ik schonk toen maar een beker thee in die ik omgooide over mijn lap-top. Vervolgens duurde het wel even voordat ik mijn kat naar binnen gelokt had en alsof dat nog niet genoeg tegenslag was geweest was de taxi die me naar Schiphol moest brengen twintig minuten te laat.

We kwamen natuurlijk in een eindeloze file en net toen er weer een beetje beweging kwam kreeg de taxi een lekke band.

Ik kon Schiphol zien liggen!

Terwijl de taxichauffeur de band stond te verwisselen stopte er een auto. Matthieu van Kalsdonk stapte uit en vroeg of ik soms een lift wilde. Hij is die stylist waar ik wel eens mee werk, je weet wel.'

'Die maffe homo die met oud en nieuw ook op je feestje was?' vroeg Lisa.

'Ja precies die. Nou we haalden op het nippertje het vliegtuig maar, Murphy's Law, toen we aankwamen was onze bagage zoek.

We hoorden dat het kwam omdat we zo op het nippertje waren ingecheckt. De koffers zouden met het volgende vliegtuig mee komen.

Wij naar het hotel, ik deed een dutje en ging daarna wat eten en toen ik terugkwam was mijn koffer er gelukkig. Maar toen ik hem openmaakte, zag ik dat het de verkeerde was.

Ik stond net met een paarsgebloemd colbert met een oranje voering met ingeweven tulpen in mijn handen toen er op mijn deur werd geklopt. Ik deed open en wist niet wat ik zag. Matthieu had zich in een van mijn jurken gewurmd en stond in een vrouwelijke pose met een hand in zijn zij en de andere in zijn haar voor mijn deur.

'Oh meid, wat een enig jasje heb je daar,' zei hij terwijl hij heupwiegend mijn kamer inkwam. 'Schat ik krijg de rits niet dicht, kun je me even helpen?' Je had hem moeten zien! Ik had het niet meer.' Bea gierde van het lachen bij de herinnering.

Ze lachten allemaal mee.

'En, verliep de rest van je verblijf verder goed?'

'Ja hoor, Matthieu en ik wisselden van koffer en we hebben een heel leuke week gehad. Die Matthieu is zo ad rem. Hij zegt op zo'n homo maniertje de meest vreselijke dingen en iedereen pikt dat. Het is me al vaker opgevallen dat het heerlijk is met een homo vriendje uit te gaan. Je kunt er altijd vrouwendingen mee bespreken en je hoeft niet bang te zijn dat ze wat van je willen. Lekker relaxed.'

Astrid zag vanuit haar ooghoek dat Hans zelfs niet de illusie probeerde op te houden dat hij zich amuseerde en merkte aan zijn houding dat hij nu al veel te veel had gedronken.

'Ik zal straks maar rijden,' dacht ze. Ze liet haar wijn staan en ging over op cola.

Het zinde Hans helemaal niet dat Astrid zo'n pret had aan een tafel waaraan hij niet zat. Elly en Henk zaten een beetje te zeuren over hun kinderen tegen de moeder van Lisa. Lisa's vader deed wel zijn best om een gesprek met hem te beginnen maar dat liep door zijn gebrek aan enthousiasme al snel dood.

Astrid had geen zin om aandacht te besteden aan zijn gemoedstoestand. Zij kon zich in een gezelschap altijd goed amuseren zonder dat ze zich constant zich met haar partner bezig hield.

Ze had een heel gesprek met Caro, die inmiddels was gescheiden van Gian Carlo en met haar zus Francien, die bij Caro logeerde. Francien was een maand geleden weduwe geworden na een goed huwelijk van tweeëndertig jaar. Omdat ze er allebei weer alleen voorstonden zochten ze elkaar de laatste tijd meer op en probeerden ze elkaar te helpen bij de verwerking.

Astrid was helemaal verdiept in haar gesprek toen ze zag dat Hans nogal onvast ter been met een glas whisky stond te balanceren op een biels die het tuinperk scheidde van het terras.

'Hé kijk uit!' riep ze, maar hij lag al tussen de planten.

Erik schoot overeind om hem te helpen maar dat viel in verkeerde aarde.

175

'Van jou wil ik helemaal niks meer weten,' lalde hij.

'Wat heb jij nou? Heb je zoveel gezopen?' zei Astrid een beetje boos en bezorgd.

'Ja, ik heb zoveel gezopen,' bouwde hij haar na.

'Daar zou ik dan maar gauw mee ophouden, kom op Hans!' Ze pakte hem bij de arm en klopte de aarde van zijn kleren.

'Hier, ga zitten dan haal ik wat water voor je.'

'Ik wil geen water. Ik wil whisky!' riep hij haar na.

Astrid kwam terug met een glas water. 'Hier, drink op.'

'Kom bij me zitten.' Hans trok haar zo onhandig op zijn schoot dat de stoel onderuit ging en hij ten tweede male op de grond lag.

Er werd aarzelend om gelachen door de rest van het gezelschap, maar Astrid zag er de humor niet van in en werd boos.

'Je weet dat ik een hekel heb aan zuiplappen en ik schaam me dood voor je.'

Nijdig liep ze naar binnen om haar jasje te pakken.

'We gaan naar huis.' Ze trok hem aan zijn arm maar hij bleef zitten als en blok beton.

'We gaan!'zei ze wat harder.

'Toe Hans,' zei Lisa die erbij was komen staan 'Astrid wil gaan.'

Hij kwam overeind en Astrid grabbelde in zijn zak naar de autosleutels.

'Ik kan heus nog wel rijden. Ik wil zelf rijden,' zeurde hij.

Lisa en Wouter liepen mee naar de auto waar hij achter het stuur was gaan zitten.

'Schiet op, ik rijd!' zei Astrid.

Na veel gemor en gezeur stapte hij eindelijk aan de passagierszijde in.

'Sorry hoor, hij drinkt anders nooit zoveel.' Astrid kuste Lisa en Wouter gedag. 'Louise blijft hier hè?'

'Ja, ze blijft het weekend bij ons, ga maar gauw en maak je niet druk. Iedereen heeft wel eens een slokje teveel op. Geeft helemaal niets.'

Zwijgend reden Astrid en Hans naar Den Haag.

Zonder een woord te zeggen parkeerde ze de auto voor zijn huis aan de Pijnboomstraat.

176

Hij stapte uit in de verwachting dat Astrid hem zou volgen. Maar toen hij zijn deur open deed en naar haar omkeek zag hij haar wegrijden naar haar eigen huis.

Hij was te dronken om daar nog iets van te vinden en struikelde naar binnen waar hij in de kamer gekomen zich meteen nog een glas inschonk.

Astrid liep thuisgekomen meteen door naar de badkamer waar ze een douche nam en haar nachthemd aantrok. In de koelkast stond nog een restje witte wijn. Ze ging met haar glas wijn op de bank zitten om de gebeurtenissen nog eens te overdenken.

Ze had er gruwelijk de pest in. Het was net zo gezellig geweest al haar vriendinnen weer eens samen te zien en dan ging Hans roet in het eten gooien..

'Als hij gaat drinken heb ik het zo gehad met hem. Vind ik hem eigenlijk nog wel zo leuk?'

Als je zolang met elkaar bent dan verdwijnen die vlinders op den duur wel maar dan moet er als het goed is, een solide houden van voor in de plaats komen. Ze vroeg zich af of dit bij hun wel zo was. Ze had ondanks de afspraken die ze maakten nog steeds het gevoel dat hij haar controleerde. En toen hij vorige week tegen haar zei dat het tijd werd dat ze, zoals afgesproken, zouden gaan samenwonen nu Louise binnenkort de deur uit ging, was haar de schrik om het hart geslagen.

Ze wilde hier helemaal niet weg en samen iets kopen of huren. Ze vond het wel prima zoals het nu was. Nou ja, 'Komt tijd komt raad,' dacht ze, deed de lichten uit en ging naar bed.

Hoofdstuk 10

De maanden die volgden, kenmerkten zich door vele ruzies. Louise was half september vertrokken naar Amerika en zou eind december weer voor drie weken naar huis komen om de feestdagen samen te vieren

Hans drong steeds meer aan op samenwonen maar Astrid verzon de ene uitvlucht na de andere.

'Louise moet gewoon thuis kunnen komen.' 'Misschien moeten we wachten tot Louise zich echt heeft gesetteld.'

'We hebben het toch leuk zo?' zei Astrid bij de zoveelste discussie over dit onderwerp.

'Jij je eigen huis waar je prettig kunt schrijven, ik mijn eigen huis waar ik mijn vriendinnen kan ontvangen, we gaan regelmatig samen op vakantie, wat is er mis mee?'

'Ik wil met je trouwen, of op zijn minst echt samenwonen. Ik vind dit zo vrijblijvend.'

'Je bent toch meestal hier.'

'Ja behalve op woensdag, dan mag ik niet komen,' zei hij verongelijkt.

Astrid moest lachen. 'Je lijkt wel een klein kind, we hoeven toch niet altijd op elkaars lip te zitten. Ik ben heel erg gehecht aan mijn vrije woensdagavond.'

'En ik zie er iedere week weer tegenop. Ik maak me ongerust over je als je er niet bent.'

'Nou dat is heel overdreven en ik zou daarvoor als ik jou was nog maar een poosje in therapie gaan. Je bent echt niet normaal! En ik moet eerlijk zeggen dat jouw bezitterige gedrag misschien wel de voornaamste reden is dat ik bang ben om met je te gaan samenwonen. Dat, en ook dat je drinkt.'

'Nou dat drinken van mij valt reuze mee. Alleen als ik niet bij je ben. Des te meer reden om samen te gaan wonen.'

'Dat is chantage en ik heb je de laatste maanden meermalen half dronken gezien. Daar kan ik echt niet tegen, en weet je, ik ga naar huis. Ik heb hier geen zin in en als jij zo nodig naar de fles moet grijpen omdat ik weg ben, dan moet je dat maar fijn doen. Ik ga kerstinkopen doen. Morgen haal ik Louise van Schiphol en ook al is het morgen geen woensdag, ik wil de eerste avond toch liever met haar alleen zijn. De groeten.' Astrid trok haar jas aan en weg was ze, Hans boos in zijn woning achterlatend.

De volgende avond had Astrid toch Louise niet voor zich zelf alleen. Anna, haar vriendin en Evelyn en Willem waren allemaal naar Schiphol gekomen om Louise op te halen.

Ze gingen ook allemaal mee naar huis om al haar verhalen te horen en Willem haalde aan het eind van de middag bij een snackbar in de buurt wat te eten. Astrid had Hans gebeld of hij ook langs wilde komen maar hij had nors geweigerd en ze hoorde aan zijn stem dat hij gedronken had.

'Je moes toch zonodig alleen meje dochter zijn? Je ga je goddelijke gang maar,' lalde hij.

Louise keek haar vragend aan. 'Komt hij niet?'

'Nee, hij heeft wat anders,' antwoordde Astrid. 'De fles,' dacht ze er voor zich zelf achteraan. Maar ze liet Hans de vreugdevolle thuiskomst van haar dochter niet verpesten. Nee, voor haar was het feest.

Om een uur of tien gingen Evelyn en Willem weer op weg naar Vianen. Anna bleef slapen en ging met Louise, die moe was, mee naar haar kamer.

Astrid verzamelde de glazen, ruimde de rommel op en ging ook op tijd naar bed.

De drieëntwintigste december had Astrid zich een slag in de rondte gewerkt om alles in huis te krijgen voor de kerstdagen. Louise was bij haar vriendin Anna maar zou vanavond voor half elf terug zijn.

Ze had de dagen tussen kerst en oud en nieuw vrijgenomen en hoefde pas weer op 3 januari te beginnen. De eerste kersdag zou ze thuis vieren met Louise en Hans, als hij kwam ten miste want hij had nogal kuren de laatste dagen. Op tweede kerstdag zou ze in de loop van de dag samen met Louise naar Vianen gaan en er een paar dagen blijven. Louise stond erop om de jaarwisseling samen met Anna te vieren dus zouden ze voor de eenendertigste terug zijn.

Astrid liep die avond allerlei klusjes te doen. Ze pakte alvast haar tas in en wikkelde de laatste presentjes in cadeaupapier. Toen ze klaar was nam ze een douche en ging tevreden nog even televisie kijken tot Louise zou thuiskomen.

Ze hoorde iemand binnenkomen en dacht dat het Louise al was maar het bleek Hans te zijn.

'He, hallo, ik had niet meer op je gerekend, ' zei ze

'Nee wanneer reken jij nu wel op me, hè popje,' zei hij terwijl hij haar in haar arm kneep, naar zich toe trok en hard op de mond kuste.

'Als je dronken bent ga je maar weg. Ik verwacht Louise zo thuis.'

'Ik ga nie weg, ik blijf en ik wil jou.'

'Nou, ik jou niet. Zeker niet als je zo dronken bent als een tor.' Astrid stond op en liep bedrijvig naar de keuken. Hans liep achter haar aan.

'Kom nou As, we hebben al twee weken niet geneukt.' Hij deed zijn hand onder haar nachthemd en begon aan haar slipje te sjorren. Astrid hield hem tegen, sloeg zijn hand weg en liep met Hans achter zich aan weer terug naar de kamer waar hij haar opnieuw begon te betasten. Hij kneep in haar tepel en probeerde haar met de andere hand naar zich toe te trekken. Weer gaf ze hem een flinke duw. 'Hou daar mee op Hans!'

Hij stond twee passen bij haar vandaan en hield zich wankelend aan de rugleuning van de bank vast.

'Jij mag mij niet wegduwe, kreng, kom hier!' en hij viel naar haar uit.

Astrid werd bang en tastte achter zich naar de telefoon. 'Hou je handen thuis of ik bel de politie. Ben je nu helemaal besodemieterd!'

Hans liep op haar toe, rukte de telefoon uit het stopcontact en gooide hem over de tafel tegen een lamp, die aan gruzelementen ging. Vervolgens pakte hij haar beet, smeet haar op de bank en gaf haar een vuistslag in het gezicht en nog een toen ze zich met armen en voeten probeerde te verweren.

Het werd Astrid zwart voor de ogen en ze voelde dat er bloed over haar gezicht liep.

Uit een ooghoek zag ze dat hij aan zijn broek sjorde en zijn penis tevoorschijn haalde. Met een hand hield jij haar in bedwang en met de andere probeerde hij er met matig succes wat leven in te masseren.

Paniekerig dacht Astrid na. Haar tas met mobiele telefoon stond naast de bank ter hoogte van haar hoofd. Ze wachtte tot zijn greep verslapte en hij haar slip afstroopte. Ze deed alsof ze meewerkte en toen hij haar slip over haar voeten trok trapte ze hem met alle kracht die ze had tegen zijn borst, vloog in een vloeiende beweging overeind, pakte haar tas, rende achter de bank langs naar de hal en kon nog net op tijd de deur van de WC achter zich op slot doen.

Met trillende handen belde ze 112 en toen ze iemand aan de lijn had gaf ze haar adres en vertelde dat ze werd mishandeld. De centralist bleef met haar in contact terwijl er een auto werd gestuurd.

Hans stond te vloeken en te tieren. Hij rukte aan de deur en Astrid zag de onderkant wijken.

'Gaat het nog mevrouw? De collega's komen er aan. Nog even volhouden.'

Even later ging de bel. Hans die daarvoor nog aan de deur stond te trekken deed open.

'Hallo agenten, niets aan de hand hoor.'

'Daar willen we graag mevrouw even over spreken.'

Astrid deed de WC deur open en kwam tevoorschijn.

'Laten we eerst eens kijken of u medische hulp nodig heeft,' zei de agente tegen Astrid terwijl haar collega Hans mee nam naar buiten en hem in de auto zette.

'Ik geloof dat het meevalt, niets gebroken. U heeft kennelijk uw hoofd afgewend en de klap is net onder uw oogkas schuin tegen uw neus terecht gekomen, maar er is niets gebroken zo te zien. U zult de feestdagen met een flink blauw oog door moeten brengen.'

'Nemen jullie hem mee?'

'Ja, meneer gaat de nacht bij ons doorbrengen. Kan ik wat gegevens van u noteren of komt u liever morgen even naar het bureau?'

'Nee, vraagt u me maar wat u wilt weten. Ik ga met de kerst naar mijn ouders.'

181

'Wilt u eerst even wat warmers aantrekken?' vroeg de agente aan Astrid, die zat te beven.

Astrid keek om zich heen raapte haar slipje op en ging naar de badkamer waar ze een lange kamerjas aantrok.

Terwijl ze even later met de agente sprak over wat er gebeurd was kwam Louise thuis.

'Oh mam!'riep ze verschrikt uit. 'Wat is er met je gebeurd? Ik zag Hans in een politieauto voor de deur zitten, is er ingebroken?'

'Vertel ik je zo,' zei Astrid terwijl ze zich voor haar dochter met man en macht goed probeerde te houden.

De agente stond op. 'Sterkte mevrouw, meneer blijft een nacht bij ons maar ik moet u wel aanraden andere sloten op de deur te laten zetten en komt u als u er toe in staat bent een van de komende dagen even langs op het bureau om het proces verbaal te ondertekenen.'

De agente stond op en gaf Astrid en Louise een hand.

'Nee, blijf maar zitten, ik kom er wel uit.'

'Wil je thee, mam,' vroeg Louise toen ze weg waren.

'Ja graag schatje.'

'Dus begrijp ik goed dat die klootzak je in elkaar heeft geslagen,' zei ze toen ze met de thee terug kwam.

'Ja, hij was dronken.'

'Mooi is dat, heeft hij je wel eens eerder geslagen?'

'Nee, dit is de eerste keer.'

'Van de zomer bij het feest van tante Lisa was hij ook stomdronken.'

'Klopt, hij was de laatste tijd wel vaker dronken maar hij heeft me echt nog nooit geslagen.'

'Hij komt er nu toch niet meer in hè mam, na wat hij heeft gedaan?'

'Nee, hij komt er niet meer in.'

'Maar hij heeft de sleutel, je hoorde wat die agente zei, hij is morgen weer vrij.'

'Daar ligt een kaartje dat die agente heeft gegeven van een vierentwintig uur service van een slotenmaker,' knikte Astrid naar de tafel.

Louise liep erheen en pakte het op. Ze raapte de telefoon

op, deed deze in het stopcontact en luisterde of hij het nog deed.

'Doet het nog. Jemig, wat een ravage. Ik zal eerst even dat glas opruimen anders trap je er zo nog in. Die slotenmaker bellen we morgenochtend wel en mam, ik zou als ik jou was ook het slot van Thomas laten veranderen, want ik vertrouw Hans niet. Hij heeft die sleutel ook vast laten bijmaken want ik heb hem toen ik een keer onverwacht thuis kwam daar de deur uit zien komen en toen ik hem er naar vroeg zei hij dat hij daar iets voor jou moest pakken.'

'Is dat zo?' vroeg Astrid vermoeid.

'Ja, het is gewoon een stiekeme gluiperd,' zei Louise die ijverig met de glasscherven in de weer was.

'Ik pak nog even de stofzuiger voor de glassplinters en dan schenk ik wat sterkers voor je in.'

Astrid keek naar haar redderende dochter. 'Wat is het kind opeens volwassen geworden,' dacht ze.

Ze voelde haar neus en oogkas kloppen en ze betastte haar gezicht.

'Ik zie er niet uit natuurlijk.'

Louise keek op van haar werkzaamheden. Ze trapte op een knop van de stofzuiger waardoor het snoer zich automatisch oprolde.

'Er moet wat ijs op,' zei ze en liep naar de keuken. Ze kwam terug met een zak diepvriesdoperwten die ze in een theedoek wikkelde.

'Hier, hou dat er maar tegenaan. Dat zal de zwelling tegengaan.'

Toen Louise alles had opgeruimd kwam ze met een glaasje port terug bij haar moeder en kroop naast haar op de bank.

'Hier, drink maar lekker op dan slaap je straks wat beter. Zal ik bij je komen slapen vannacht?'

'Ja schat, bedankt, dat zou ik wel gezellig vinden.'

Een uur later lagen moeder en dochter samen in bed te slapen.

De volgende morgen belde Astrid de slotenmaker voor een nieuw slot op haar deur.

'Denk je echt dat het nodig is ook het slot van Thomas te vervangen?' vroeg Astrid.

'Ja mam, als hij een sleutel heeft staat hij zo via Thomas' balkon in je achtertuin. Doe het nou maar.'

Dus ook bij Thomas werd een nieuw slot geplaatst.

Aan het begin van de avond begonnen de telefoontjes van Hans die weer vrij was. Hij smeekte Astrid om contact, hij had vreselijke spijt en het zou nooit meer gebeuren.

Astrid legde hem een keer uit dat wat haar betreft de relatie over was, dat ze niet te vermurwen was om het nog een keer te proberen en dat ze niets meer van hem wilde horen.

Hij bleef haar met telefoontjes stalken en belde afwisselend op haar mobiel en haar vaste lijn. Uiteindelijk was Astrid het zat en trok de stekker eruit en deed die er alleen weer even in als ze zelf wilde bellen.

'Na de kerst moet je maar geheime nummers nemen, mam,' zei Louise.

'Ja, goed idee. Dat zal ik doen.'

Astrid belde met haar vriendinnen Lisa, Caro en Bea om te vertellen wat er was gebeurd.

Ze vonden het alle drie natuurlijk heel rot voor haar maar waren ook blij dat het uit was. Ze hadden nooit onder stoelen of banken gestoken dat ze Hans niet voor haar geschikt vonden. Bea die nog steeds met Erik omging, zei dat ze er altijd bang voor was geweest nadat ze de verhalen van Erik over de moeizame scheiding van Hans en zijn ex had gehoord.

'Kijk maar uit, je bent niet zomaar van hem af,' waarschuwde ze.

Dat klopte. Toen Louise en Astrid 's avonds televisie aan het kijken waren ging vanaf een uur of tien aanhoudend en langdurig de voordeurbel.

Ze deden niet open. Astrid riep vanachter de gesloten deur dat hij moest weggaan en Louise was in de meterkast op zoek naar de stekker van de bel. Ze vond hem en trok hem eruit.

'Wat een rust!' zei Astrid en ze keken elkaar aan en schoten in de lach.

Even bleef het stil toen begon Hans weer te roepen en op de deur te bonzen. Astrid en Louise stonden in de gang te luisteren.

'Als hij niet gauw weggaat, bel ik de politie weer.'

Ze hoorden stemmen buiten. Bernard, de buurman was op het lawaai afgekomen.

'Zo nou is het afgelopen. Als Astrid je niet wil binnenlaten zal ze daar haar reden voor hebben dus hou op met dat kabaal en ga naar huis vriend.'

Ze hoorden ze nog even argumenteren, maar uiteindelijk ging Hans weg.

Bernard klopte op de deur, 'Hij is weg hoor.'

Astrid deed de deur open.

'Mijn hemel, wat zie jij er uit! Heeft hij dat gedaan?'

Astrid knikte.

'Je kunt altijd bij ons terecht hoor en als hij je weer lastig valt moet je me meteen bellen, afgesproken?'

'Zal ik doen,' zei Astrid. 'Bedankt voor je hulp.'

De rest van de avond bleef het gelukkig rustig en met alle deuren stevig op de knip voelden ze zich veilig genoeg om te kunnen gaan slapen.

Eerste kerstdag vierden ze samen en ze kwamen de deur niet uit. Ze sliepen uit, ontbeten laat, keken naar de televisie en lazen wat. Ze kookte samen het kerstdiner en ze vonden het heerlijk zo.

Astrid probeerde Louise wat uit te horen over Thomas, maar ze zag hem ook niet zoveel. Bennie zijn zoon wel, maar dat kwam omdat ze bevriend was met zijn nanny. Ze spraken veel samen af en Bennie was goede vriendjes met het meisje waar Louise de au-pair voor was.

Als Thomas in het buitenland was, ging hij met de nanny bij zijn grootouders in huis en hij was de laatste tijd vaak weg. Of hij weer een relatie had wist Louise niet. Ze had hem in ieder geval nog niet met iemand ontmoet.

Na het eten deed Astrid de stekker van de telefoon er weer in maar Hans had het nog niet opgegeven en na een half uur trok ze de stekker er maar weer uit.

Vlak voor ze die avond naar bed gingen hoorden ze gerommel aan de voordeur.

Samen liepen ze de gang in en, ja hoor, er was iemand met

een sleutel in het slot aan het rommelen.

Ze hoorden een gedempt gefoeter.

'Hans rot op! Er zitten andere sloten op de deur en je komt er niet in!'

'We kunnen toch praten? Je kunt dit toch niet zomaar laten eindigen,' smeekte Hans.

'Jawel hoor en dat heb je aan je zelf te danken. Ga alsjeblieft weg en doe wat met je leven.'

Louise had ondertussen Bernard gebeld en ze hoorde hem, net als de dag ervoor, Hans wegsturen.

'Hij is weer weg hoor,' riep Bernard voor de gesloten deur. 'En ik ga meteen weer terug naar mijn visite. Morgen gaan jullie weg hè? Ik zal hier de boel wel in de gaten houden voor je. Prettige dagen!'

Hans liep op de automatische piloot richting strand. Het was eb en het brede strand was hard en geribbeld. Het was pikkedonker, de zee werd slechts verlicht door de maan en de vele sterren en aan de andere kant was er wat licht vanuit de vele hotels waar mensen kerst vierden.

Hij voelde zich wanhopig en schreeuwde het uit. De tranen liepen over zijn wangen. 'Waarom waarom!' riep hij naar de zwarte zee. Hij liet zich op het harde zand zakken en huilde tot hij niet meer kon. Een man die zijn hond op het strand uitliet liep op hem toe.

'Alles in orde kerel?' vroeg hij met een bekakt accent.

'Ziet er niet naar uit hè, maar laat me met rust. Ik kom er wel uit,' zei Hans met gebroken stem.

De man liet zich niet afschrikken en hurkte naast hem. De zwarte labrador sprong tegen Hans aan en gaf hem een lik over zijn zoute wang.

'Je gaat toch geen rare dingen doen hè?' vroeg hij.

'Nee, ik ben niet van plan me in de golven te storten als je dat bedoelt.' Hans aaide de labrador die er bij was gaan liggen over de kop.

'Het is goed om naar de zee te komen en je problemen uit te schreeuwen. Het lucht op en bedenk wel dat er altijd voor ieder probleem een oplossing is.'

'Ja bedankt, en zwart is pas zwart als je er wit naast legt. Zo ken ik er nog wel een paar,' zei Hans schamper. Hij krabbelde overeind. Hij was door dit plotselinge gezelschap toch iets rustiger geworden. De man ging ook weer staan 'Ik ga mijn bed maar eens opzoeken; het is al een uur geweest. Het beste en sterkte. Kom Bram we gaan.'

Hans keek ze na en begon in tegenovergestelde richting te lopen.

Om half drie was hij thuis en hij nam zich voor Astrid te gaan overtuigen dat ze samen hoorden.

Toen hij wakker werd, was de tweede kerstdag al gevorderd en een blik op de wekker leerde hem dat het drie uur was. Hij kleedde zich aan en bedacht wat hij vandaag ging doen. Hij wist dat Astrid en Louise in Vianen waren. Willem was een redelijke man en hij zou Astrid vast wel kunnen overreden met hem te praten. Als hij maar bij haar was dan kon hij haar vast wel overtuigen van zijn liefde. Zijn gedachten haperden toen hij dacht aan Astrids kapot geslagen gezicht. Nou ja, dat mocht natuurlijk nooit meer gebeuren, maar in al de jaren dat ze samen waren had hij haar toch nooit met een vinger aangeraakt. Ze zou hem toch wel kunnen vergeven? Bij de twijfel die deze gedachten bij hem opriep had hij een borrel nodig. Hij schonk er een in en na een paar glazen zag hij zijn zaak met meer vertrouwen tegemoet.

Om een uur of vijf belde hij op om Astrid op de hoogte te stellen van zijn plannen.

Hij kreeg echter alleen Willem aan de lijn die hem liet weten dat het geen goed idee was om daarheen te komen.

'Ach,' dacht hij, 'Als ik er eenmaal voor de deur sta zullen ze me heus niet wegsturen.'

Hij dronk zijn glas leeg en ging op pad.

Hoofdstuk 11

In de auto op weg naar Vianen bespraken Astrid en Louise wat ze tegen Evelyn en Willem zouden zeggen. Astrid wilde het liefst zeggen dat ze tegen een kastdeur was aangelopen maar Louise was voor de waarheid.

Na veel heen en weer gepraat liet Astrid zich overtuigen.

'Je hebt eigenlijk wel gelijk. Ik moet natuurlijk ook vertellen dat het over is tussen Hans en mij en als ik dit verzwijg val ik van de ene in de andere smoes. Het is meer dat ik niet zo'n zin heb om het er over te hebben. Als ik niet met een blauw oog zou lopen zou ik het niet hebben verteld.'

Evelyn schrok erg toen ze het gehavende gezicht van haar dochter zag.

'Wat is er met jou gebeurd?' vroeg ze terwijl ze Astrids gezicht in beide handen nam en het nauwkeurig bekeek. 'Dat is een indrukwekkend blauw oog.'

'Vertel ik zo, mag ik eerst even binnenkomen?'

'Ja sorry, schat, kom erin. Gaan jullie maar lekker zitten dan kom ik zo met de koffie.'

Astrid en Louise brachten hun tas naar de logeerkamer, hingen hun jassen op de kapstok en gingen naar binnen, waar ook Willem ontzet was over haar verschijning.

Astrid en Louise vertelden elkaar aanvullend wat er was gepasseerd.

Evelyn was woedend op Hans om wat hij had gedaan maar ook erg blij dat de relatie nu eindelijk uit was.

'Je weet, wij waren ook niet erg op Hans gesteld. Ik hoopte altijd alleen dat hij jou wel gelukkig maakte. Maar als hij hier was vond ik hem altijd op het randje van onbeschoft en hij gaf me altijd een onbehaaglijk gevoel.'

'Ik vind het vervelend en zorgelijk dat hij zich er niet bij neerlegt dat het uit is en dat hij je zo lastig valt. Ik ken dit soort types, daar ben je niet een twee drie van af,' zei Willem.

'Ach we hebben andere sloten en als ik weer thuis ben

vraag ik andere telefoonnummers aan en ik denk echt niet dat hij me op straat te na zal komen.'

'Kijk in ieder geval goed uit. Staan er nog spullen van hem bij jou of omgekeerd?' vroeg Evelyn.

'Ja, er staat nog wel een en ander, maar ik was van plan dat in een tas te stoppen en dan laat ik dat wel door Bernard afgeven bij zijn huis. Van mij staan er alleen wat toiletartikelen daar en daar ga ik geen moeite voor doen, die mag hij wat mij betreft weggooien of houden. Maar goed mensen, jullie bedoelen het allemaal goed, maar het is kerstmis en nu alsjeblieft even een ander onderwerp, ok?'

Na de koffie en een lichte lunch zaten ze te scrabbelen toen de telefoon ging.

Willem nam op, luisterde even en fronste zijn wenkbrauwen. 'Nee Hans, Astrid wil jou niet spreken en ze wil zeker niet door jou worden opgehaald.' Hij luisterde weer met de hoorn iets van zijn oor af. Aan tafel konden ze de harde stem van Hans, die smekend sprak, ook horen. Astrid zat er geschrokken bij te kijken. 'Heb ik dan nergens rust?' fluisterde ze tegen Evelyn.

'Dat moet ik je ernstig afraden,' sprak Willem ferm en hij legde de hoorn weer op de haak.

'Hij zegt dat hij hierheen komt, maar hij klonk alsof hij al een flinke slok ophad, dus ik denk niet dat hij dat zal doen.'

Niet meer echt in de stemming maakten ze het partijtje scrabbel af. Daarna ging Astrid met Evelyn de keuken in om het eten voor te bereiden terwijl Louise en Willem samen naar een film keken op de televisie.

De telefoon ging nog twee keer die middag en iedere keer schrok Astrid op en keek Willem die hem steeds opnam afwachtend aan maar het was loos alarm. De ene keer was het Anna die iets van Louise wilde weten en de tweede keer was het een kennis van Willem.

'Als hij niet meer belt is hij misschien toch onderweg hierheen,' zei Astrid bezorgd.

'Ach meisje, als dat zo is ben je hier toch helemaal veilig, maak je niet druk.'

'Ik weet 't niet mam, maar ik ben zo onrustig.'

'Ach schatje.' Evelyn sloeg haar armen om haar dochter heen. 'Het is ook niet niks wat je is overkomen. Iedereen zou daarvan van slag zijn. Kom, als jij de tafel dekt, dan leg ik de laatste hand aan de maaltijd.'

Na het diner zaten ze aan de koffie met een likeurtje. Astrid was helemaal rozig van de drank die ze niet gewend was en ze voelde zich eindelijk helemaal ontspannen toen de telefoon weer ging.

Willem nam op, luisterde even, keek bezorgd naar Astrid en zei, 'Astrid, ik heb hier de politie voor je aan de lijn. Er is iets met Hans.'

Astrid nam de telefoon over en ging zitten op de stoel die naast het telefoontafeltje stond.

Ze luisterde, stelde wat korte vragen en gaf antwoord op wat haar werd gevraagd.

'Waar is het gebeurd?'

'Is zijn familie ingelicht?'

'Nee, daar heb ik geen informatie over.'

'De afwikkeling laat ik over aan de familie.'

Ze legde de hoorn op de haak.

'Hans is dood. Hij heeft zich te pletter gereden. Was kennelijk toch op weg hierheen. Jullie adres en telefoonnummer zaten in zijn zak. Ze hebben zijn gegevens gecheckt met Den Haag en zagen toen natuurlijk dat hij pas op het bureau had gezeten als dader van huiselijk geweld. De agente die erbij was had toevallig ook dienst vanavond. Vandaar dat ze me er hier over belt.'

'Wat vroeg ze?'

'Ze wilde me op de eerste plaats vertellen waar ze hem heengebracht hebben en of ik de begrafenis of crematie ging regelen. Ik heb gezegd dat ik dat aan de familie overlaat.'

Met bevende handen schonk Astrid een glas water in uit een kan die nog op tafel stond. Haar tanden klapperden tegen het glas, ze nam een slok die ze niet weg kreeg omdat haar keel opeens heel dik leek. Het deed pijn het water door te slikken. Niemand zei iets. Ze zaten elkaar verbijsterd aan te kijken.

Louise verbrak de stilte. 'Waren er nog andere slachtoffers?'

190

'Nee, hij heeft kennelijk in een bocht de macht over het stuur verloren en in volle vaart tegen een pijler van een viaduct geknald. Er was snel hulp bij, maar het was al te laat.'

'Wil je naar het ziekenhuis?' vroeg Willem.

'Nee, ik hoef hem niet meer te zien en ik ga me ook niet met de uitvaart bemoeien.'

'Weet je dat wel zeker kind, je hebt toch een relatie van zeven jaar met hem gehad.'

'Die uit was omdat hij me heeft mishandeld. Dan ga ik nu niet opeens schijnheilig de treurende weduwe spelen. Ik weet niet eens of ik wel naar de uitvaart zal gaan.'

'Kind,' zuchtte Evelyn. 'Wat denk je toch weer zwart wit. Slaap er eerst nog maar een nachtje over, morgen denk je misschien weer anders. Je moet geen beslissingen nemen als je in shock bent.

Ze praatten er met z'n vieren nog lang over na, maar Astrid bleef bij haar standpunt.

Om half twaalf gingen ze naar bed. Astrid nam een slaappil in van Evelyn. Die hielp want ze sliep binnen tien minuten.

Toen Astrid 28 december weer thuiskwam kreeg ze het ene telefoontje na het andere.

De vriendinnen waren via Erik op de hoogte gesteld van het tragische ongeluk van Hans en ze belden haar allemaal op om haar te troosten bij het verdriet dat ze niet voelde.

Ze had net het gevoel of ze de hoofdrol speelde in haar eigen toneelstuk.

De vriendinnen Lisa, Bea en Caro waren op de hoogte van wat er was gepasseerd maar meenden haar toch te moeten bijstaan alsof haar liefste lief was overleden.

Ze had het er met Caro over. 'Ik voel helemaal geen verdriet en ik heb er nog geen traan om gelaten. Hoe kan dat nou? Ik ben verdorie bijna zeven jaar met die man geweest en ik voel niets, nul komma nul!'

'Ik denk dat je door alles wat er is gebeurd verdoofd bent, geloof me, de klap komt later.'

'Ik hoop niet dat ik me daarop moet verheugen,' zei Astrid wrang.

'Verdriet en pijn doorleven hoort bij het verwerkingsproces en is dus goed. Het helpt je dingen af te sluiten en dat heb je nodig om door te kunnen gaan met het leven.'

Erik was tussenpersoon tussen Astrid en de familie van Hans waarvan ze nooit een persoon had ontmoet. Hij overlegde met haar namens de familie of ze op de rouwkaart wilde worden genoemd. Astrid wilde dat pertinent niet. Of ze tijdens de crematie op de eerste rij bij de familie wilde zitten.

Ook dat wilde ze niet, ze wist zelfs nog niet of ze er wel heen zou gaan.

Hans was van een ziekenhuis in Utrecht overgebracht naar een rouwcentrum en de crematie zou op 30 december om elf uur in Utrecht plaats vinden, las Astrid op de rouwkaart die ze ontving. Op 29 december was er in de avond nog gelegenheid tot afscheid nemen in het rouwcentrum. Haar vriendinnen stelden voor om mee te gaan als ze er heen wilde om hem nog een keer te zien. Ze wilde er niet heen.

'Laat me nou maar, ik wil het echt niet. En nee, ik ga daar geen spijt van krijgen, geloof me nou,'

had ze bij het zoveelste gesprek erover gezegd.

Louise liep ook heel zorgzaam achter haar moeder aan, maar ook dat vond Astrid niet nodig.

'Meid, je hebt vakantie en je zou naar Anna gaan tot Nieuwjaar. Ga in vredesnaam, met mij gaat het heus wel goed.'

'Ja maar mam, als je naar de crematie gaat dan ga ik natuurlijk met je mee.'

'Heel lief schat, maar dat hoeft niet. Ga jij je nu maar gewoon amuseren, trouwens, ik weet nog niet of ik ga, en daarbij komt nog dat ik me met dit gezicht nauwelijks kan vertonen.' Dat klopte wel een beetje, rond haar rechter oog schakeerden de kleuren van geel naar groen en de blauwe plek zakte steeds verder naar haar kin, waar een zwartblauwe verdikking zat.

Uiteindelijk ging Louise naar Anna in Schiedam en Bea sprak af bij Astrid te blijven tot oudejaar. Oudejaarsavond had Bea wat vrienden uitgenodigd om de millenniumwisseling te vieren, geen feest, gewoon een etentje en een gezellig samenzijn. Astrid was daarbij vanzelfsprekend ook van harte uitgenodigd.

Om een uur of negen kwamen Lisa en Caro op 30 december bij Astrid aan.

Bea deed open.

'Hoe is het met haar?'

'Goed, maar wel een beetje opgefokt. Het lijkt wel alsof ze met zichzelf heeft afgesproken dat het haar niet zal raken. Maar kom binnen dan drinken we nog gauw een kop koffie voor we gaan.'

Astrid kwam uit de badkamer. 'Stemmig genoeg?' vroeg ze zich ronddraaiend.

Ze droeg een groene rok met een bijpassend colbert en een dun truitje eronder in een wat lichtere tint groen met bruine laarzen. 'Bea heeft haar hele make-up assortiment op mijn gezicht losgelaten, je ziet er nu bijna niets meer van. Nog even mijn spullen in een bruine tas stoppen en dan ben ik klaar.'

'Ja hoor, we zien er alle vier uit alsof we naar een begrafenis gaan en dat klopt, nou ja cremaatie dan,' zei Lisa.

Bea schonk koffie in en Astrid liep bedrijvig heen en weer.

'Ik vind het lief dat jullie alle drie meegaan, maar we gaan achterin zitten en daarna gaan we meteen weer weg.'

'Je zegt het maar,' zei Bea die de kopjes op het blad zette en naar de keuken bracht.

'Je moet de familie wel condoleren na afloop, of was je dat ook niet van plan?' vroeg Caro.

'We condoleren, en daarna gaan we snel weg. Ik heb geen zin om gesprekken te voeren met die ouders of zijn broer.'

'Maar misschien zij wel met jou. Zij hebben hun zoon en broer verloren en jij was zijn laatste contact.'

'Ja Caro, we zien wel,' wuifde Astrid ongeduldig weg. Ze had helemaal geen zin zich te verdiepen in het leed van de familie.

Ze kwamen een half uur te vroeg aan bij het crematorium. Lisa en Bea moesten weer dringend roken dus ze wandelden even in de rondte terwijl de dames hun nicotinegehalte op peil brachten.

Tien minuten voor aanvang voegden ze zich bij de overige genodigden in een soort wachtkamer waar iedereen zwijgend voor zich uitkeek.

Precies op tijd ging de deur naar de zaal van het crematorium open waar het zou plaatsvinden. Er klonk klassieke muziek terwijl iedereen een plaats zocht in de zaal.

Astrid en haar vriendinnen waren bij de laatsten die naar binnen gingen.

De uitvaartbegeleider nam als eerste het woord en condoleerde de familie, vrienden en genodigden met het verlies van Hans en hij refereerde aan het tragische ongeval dat hem op zevenenveertigjarige leeftijd hier had weggerukt. Daarna stapte hij opzij.

'Love hurts' van Emmylou Harris klonk door de zaal.

Astrid probeerde vooral niet naar de tekst te luisteren en beet op haar wang om zich te beheersen. Naast zich zag ze Lisa haar ogen betten met een papieren zakdoekje. Toen de muziek stil viel werd het woord gegeven aan Ron, de broer van Hans.

Uiterlijk leek hij niet op Hans, hij had wel het zelfde postuur en haalde op de zelfde manier als Hans in een gewoontegebaar een hand door zijn haar, waardoor het naar voren viel.

Hij schraapte zijn keel.

'Dat liefde pijn doet, dat wist Hans als geen ander. Hans kon niet goed met de liefde omgaan. De liefde deed hem pijn. We hadden het allemaal in de gaten, maar konden ook niet zo veel doen om hem daarbij te helpen. Als Hans liefhad dan had hij dat voor de volle honderd procent en was er weinig ruimte voor iets anders. Dat zo'n liefde beklemmend is voor een partner kon Hans maar niet begrijpen. Ook in zijn laatste liefhebben ging het mis. En voordat hij in de gelegenheid was ook deze pijn weer te verwerken kreeg hij dit ongeluk. Ja, love hurts.

Ondanks het feit dat hij en ik niet samen zijn opgegroeid hield ik veel van Hans.

Ik herinner me een vakantie toen we hadden besloten dat we elkaar eens wat beter moesten leren kennen. Hij was eenentwintig en ik negentien en net van de middelbare school. We hebben in die vakantie veel met elkaar gesproken en vreselijk gelachen om alles en niets. Ik koester deze vakantie en de vele die volgden in mijn herinnering. Man wat was ik trots op je toen je naam begon te maken als schrijver, ik heb ze allemaal gelezen. Jammer dat we door omstandigheden weer uit elkaar zijn gegroeid, maar ik was er altijd van overtuigd dat het te zijner tijd wel weer in orde zou komen, helaas heeft het lot anders beschikt'

Hij haalde zijn hand door het haar, keek de zaal in en vervolgens naar de kist.

'Hans jongen, love hurts, het ga je goed.'

Lisa die zelf haar tranen liet lopen gaf Astrid een kneepje in haar hand. Astrid bleef strak voor zich uitkijken en proefde bloed in haar mond van haar stukgebeten wang. Ze zuchtte diep.

Na een stilte klonk het nummer 'River of tears' van Eric Clapton.

Astrid wist dat Hans een fan van Eric Clapton was en ze vroeg zich af wie de muziek had uitgezocht. Zal Erik wel geweest zijn, dacht ze, alhoewel die de laatste jaren ook niet meer zo dik met elkaar waren.

In de stilte na de muziek kondigde de uitvaartbegeleider een collega van de school waar Hans les gaf aan. Deze collega memoreerde Hans als een uitermate sympathieke leraar die alom gewaardeerd werd door collega's en leerlingen. Vervolgens kreeg nog iemand van de uitgeverij het woord die Hans ook in wat gemeenplaatsen herdacht.

De uitvaarbegeleider vroeg daarna het publiek beginnend op de laatste rij voor de kist langs te lopen voor een laatste groet. De familie bleef als laatste en zou zich binnen enkele minuten bij de rest voegen in de zaal ernaast waar dan kon worden gecondoleerd.

Onder de tonen van klassieke muziek liep een ieder langs de kist waarvoor men met een hoofdknik, een hand op de kist of gewoon door even stil te staan een laatste groet gaf.

Astrid zag in het voorbij gaan op de eerste rij een vrouw met een dochter in de tierleeftijd zitten. Ze vermoedde dat het zijn ex Margriet met haar dochter Doortje was.

In de koffiekamer aangekomen liepen Bea en Lisa meteen met hun koffie door naar het gedeelte waar mocht worden gerookt. Geheel tegen haar gewoonte in onthield Astrid zich deze keer van commentaar.

Erik kwam erbij staan en gaf Astrid een kus.

'Gaat het?'

'Jawel, het was een waardig afscheid. Had jij de muziek uitgezocht?'

'Nee, dat heeft Ron gedaan, die heeft het allemaal geregeld.'

Erik werd aangesproken door een andere gast en Astrid zette haar lege koffiekopje op een tafel en vroeg zich af of ze niet gewoon weg konden gaan voordat de familie binnen kwam.

'Zullen we gaan?' mimede ze naar Caro.

'Wil je ze niet condoleren?'

'Ik wil eigenlijk het liefst zo gauw mogelijk weg.'

Ze liep naar Bea die net een nieuwe sigaret aanstak.

'Zullen we?'

'Waar is Lisa?'

'Naar de WC,' zei Bea.

'We gaan. Ik ga mijn jas halen en ik wacht buiten wel op jullie,' zei Astrid.

Astrid liep de gang in op zoek naar de garderobe. Ze was er bijna toen ze iemand achter zich hoorde en ze draaide zich om in de veronderstelling dat het een van haar vriendinnen was.

Ze stond oog in oog met Margriet, de ex van Hans.

Margriet stak haar hand uit. 'Margriet van Dongen, gecondoleerd. Jij bent Astrid?'

'Ja gecondoleerd, ik wilde net weg gaan.'

'Geen zin in moeilijke ontmoetingen met verwanten?'

'Klopt' zei Astrid.

'Begrijp ik wel, ik heb van Erik het een en ander gehoord. Mocht je mij als medeslachtoffer uit het verleden soms toch nog ergens over willen spreken dan kun je me altijd bellen.' Margriet overhandigde haar een visitekaartje.

'Ok, zal ik doen als ik daar behoefte aan heb.'

Margriet keek haar bezorgd aan. 'Echt doen hoor, ik heb

het allemaal ook met hem meegemaakt dus ik weet waarover ik praat.' Ze raakte impulsief Astrids dikke wang aan, omhelsde haar kort en liep terug naar de koffiekamer.

Astrid stopte het kaartje in haar tas, pakte haar jas en liep naar buiten waar ze op haar vriendinnen wachtte.

Hoofdstuk 12

Bea en Astrid waren vroeg op de laatste dag van 1999. Ze besloten samen boodschappen te doen. Bea voor haar etentje die avond en Astrid omdat haar koelkast praktisch leeg was. Omdat het vrijdag was sloegen ze meteen voor het hele weekend in.

Ze liepen ieder met een boodschappenkar door Albert Heijn. Bea pakte haar boodschappen in dozen die ze achter in de auto zette om mee te nemen naar huis.

Nadat ze bij Astrid haar boodschappen hadden uitgepakt dronken ze een kop thee.

'Dus je bent om een uur of acht bij me?' vroeg Bea.

'Ja, en ik blijf slapen.'

'Nou tot straks dan maar weer,' zei Bea bij het afscheid.

Toen Astrid de deur achter Bea dicht deed realiseerde ze zich dat ze nu eindelijk voor het eerst na Hans zijn dood alleen was.

Ze rommelde wat in huis, verschoonde het bed en zette de wasmachine aan. Ze belde met haar moeder. Vervolgens met Louise om haar een prettige jaarwisseling te wensen en te horen hoe het met haar was. Alles was goed met het kind en ze waren van plan er een dolle avond van te maken.

'Niet te dol toch.'

'Nee mam, en jij? Je gaat toch naar Bea hè?

'Ja ja, maak je om mij maar geen zorgen. Ik ben bij Bea en blijf daar slapen en ik kom morgen in de loop van de dag thuis.'

'Ik ben er ook om een uur of vier, dan zijn we morgen gezellig samen ok?'

Astrid liep wat doelloos door het huis. Ze maakte een broodje dat ze vervolgens op het aanrecht liet staan en vergat op te eten, staarde wat voor zich uit, zette de televisie aan en even later weer uit zonder dat ze wist waarnaar ze had gekeken. Ze ruimde wat kranten op en bedacht toen haar oog op de rekening van de slotenmaker viel dat ze die kosten voor niets had gemaakt.

Om een uur of zes besloot ze zich klaar te gaan maken voor het oudejaarsetentje bij Bea.

Ze sjokte naar haar slaapkamer en ze realiseerde zich dat ze helemaal geen zin had om weg te gaan.

Ze deed de deuren van haar kledingkast open, ging op de rand van het bed zitten en keek naar het assortiment. Aan een haak aan de zijkant van de kast hingen de badjassen van Hans en haar.

Ze haalde die van Hans van de haak en ze begroef haar gezicht erin, zijn geur opsnuivend. Ze nam de badjas mee naar de badkamer waar haar oog viel op zijn eau de toilette van Chanel. Ze pakte het flesje op en spoot wat op haar pols. Die lucht… Hans, nooit meer Hans, hij is weg.

Ze keek in de spiegel en zag dat haar ogen zich met tranen vulden. Ze kreunde en ze liet zich langs de muur op de grond zakken. Met de badjas tegen haar gezicht begon ze met enorme uithalen te brullen. Het verdriet van het verlies leek haar pas nu als een mokerslag te treffen. Ze kon niet ophouden met huilen. Ze huilde met schokkende schouders en gierende uithalen zo hard dat ze ervan moest overgeven. Na verloop van tijd kwam ze moeizaam overeind. Haar haren plakten aan haar gezicht. Ze zag er opgezwollen uit, haar ogen waren bloeddoorlopen en hadden een glazige blik. Ze snotterde, blies een bel uit haar rode neus en pakte een stuk toiletpapier om haar neus te snuiten. Ze kreeg bijna geen adem, zo vol zat ze. Ze moest even kalm genoeg worden om Bea te bellen en te zeggen dat ze niet zou komen. Met sidderende zuchten probeerde ze haar beheersing te herkrijgen.

Ze trok haar kleren uit en ging onder de douche staan. Ze liet het water over haar hoofd stromen en het water mengde zich met haar tranen die nog steeds onbeheersbaar over haar wangen liepen. Toen ze de tranenvloed ingedamd dacht te hebben kwam ze onder de douche vandaan. Ze wond een handdoek als een tulband rond haar hoofd, trok over haar blote lijf Hans' badjas aan en begon met een washand ijskoud water op haar gezicht te betten.

Ze liep naar de keuken, pakte twee aspirines en werkte deze naar binnen met een groot glas water. Daarna ging ze in de kamer op de bank zitten met de koude washand nog steeds tegen haar ogen.

Ze zuchtte nog een keer diep en pakte de telefoon.

'Hallo Bea, ik kom toch niet vanavond. Ik blijf liever thuis.'

'Wat is er, wat klink je verkouden. Ben je ziek?'

'Ja,' zei Astrid blij met dit excuus. 'Kwam plotseling opzetten, ik ga naar bed.'

'Weet je het zeker? Het is wel de eeuwwisseling, dan moet je toch niet alleen zijn.'

Astrid beet op haar lip om niet weer in tranen uit te barsten.

'Eeuwwisseling of niet, het zal me eerlijk gezegd worst zijn, ik voel me ziek en ga lekker naar bed.' Het kwam er onverwacht flink en zelfverzekerd uit.

'Nou meid, jammer. Ik moet weer naar mijn potten en pannen want ik sta te koken. Slaap lekker en ik bel je morgen, ok?'

'Ja, doe iedereen de groeten en een fijne jaarwisseling allemaal.'

Astrid legde de hoorn op de haak, blij dat ze deze klus had geklaard. Nu kon ze zich tenminste onbekommerd laten gaan. Ze deed de gordijnen dicht en huilde. Ze pakte de fotoalbums en bekeek de foto's van de leuke vakanties die ze met Hans had gehad in de afgelopen zeven jaar en huilde. Vier keer wintersport in Oostenrijk, stedentrips naar Wenen, Praag, Rome en Barcelona.

De relatie met Hans had ook vol met leuke momenten gezeten, anders had ze het nooit zo lang volgehouden dacht ze huilend.

Ze huilde nog toen de klok op de televisie die zonder geluid aanstond een paar minuten voor twaalf in beeld kwam en ze huilde nog steeds toen de ergste knallen van het vuurwerk voorbij waren. Om vier uur ging ze naar bed en ze huilde zich in slaap.

2000

Hoofdstuk 1

Thomas haalde Louise op 7 januari van het vliegveld. Het was een ritje van ongeveer veertig minuten naar zijn appartement in Boston.

Louise's au pair adres was in de zelfde buurt, maar ze had afgesproken twee dagen bij Thomas te logeren. Ze hoefde pas 10 januari weer te beginnen en zo had ze een paar dagen om te acclimatiseren. Bovendien vond ze het altijd fijn bij Thomas en ze was dol op Bennie, die inmiddels zeven jaar was.

'Zo meisje, een goeie reis gehad?' Thomas begroette haar met een kus en hield haar bij haar schouders. 'Je ziet er goed uit, heb je een fijne tijd gehad?'

'Nogal enerverend eerlijk gezegd, maar ik heb ook een erg leuk oud en nieuw gehad met Anna.'

'Alles goed met je moeder?'

'Nou dat was het enerverende, maar dat vertel ik je zo als we thuis zijn.'

'Ze is toch niet ziek of zo?' hield Thomas aan.

'Nee, dat is het niet. Ze is zelf prima in orde.'

'Je maakt me erg nieuwsgierig, maar goed, ik kan wachten. Bennie kijkt naar je uit, hij had eigenlijk meegewild om je op te halen, maar hij had een verjaardagsfeestje.' Thomas keek op zijn horloge. 'Hij zal nu ondertussen al wel weer thuis zijn.'

Thomas parkeerde zijn auto in de parkeergarage onder het appartement en ze gingen met de lift naar boven.

Thomas' appartement was op de veertiende etage en nadat ze Bennie en Nina de nanny, uitbundig had begroet zat ze met Thomas aan de koffie.

'Vertel nu maar eens wat er is gebeurd, want er is iets, ik zie het aan je gezicht.'

Louise nam bedachtzaam een slokje van haar koffie, voordat ze wegging had ze met haar moeder woorden gehad over wat ze wel en niet aan Thomas zou vertellen.

'Ik heb geen zin om smoesjes en halve waarheden te vertellen. Ik ken mezelf, dan verspreek ik me en moet ik onthouden wat wel en niet gezegd mag worden. Mam, de waarheid is zoveel eenvoudiger,' had ze tegen haar gezegd.

'Nou ja, ok, maar maak de mishandeling niet erger dan die was,' was het antwoord van haar moeder geweest.

Terwijl Louise de hele geschiedenis uit de doeken deed, trok Thomas wit weg. Hij onderbrak haar geen enkele keer en de tranen schoten hem in de ogen bij het verhaal.

'Oh wat erg voor Astrid,' zei hij na de stilte die was gevallen toen Louise was uitgesproken.

'Arme meid, en hoe is het nu met haar?'

'Je kent mama, tussen kerst en oud en nieuw deed ze net alsof het haar niets deed. Ze wilde niks met de afwikkelingen te maken hebben. Uiteindelijk is ze toch met Bea, Caro en Lisa naar de crematie geweest. Ze zou oud en nieuw bij Bea vieren en ik was bij Anna. Ze had me 's middags nog gebeld en toen was alles nog goed met haar. Maar achteraf is ze toch niet naar Bea gegaan. Toen ze alleen thuis was stortte ze in en toen ik op nieuwjaarsdag om een uur of vier thuis kwam vond ik haar snikkend met het dekbed over haar hoofd getrokken in bed. Ze was totaal ontredderd en kon maar niet ophouden met huilen. Ik wist ook niet wat ik doen moest. Ik maakte een handdoek nat voor op haar gezicht. Marieke en Bernard kwamen langs om gelukkig nieuw jaar te wensen en toen Marieke zag hoe mama er aan toe was heeft ze haar een van haar slaappillen gegeven en toen is ze gelukkig in slaap gevallen tot de volgende dag.'

'Prima mensen, Bernard en Marieke,' zei Thomas, 'en was ze de volgende dag weer wat opgeknapt?'

'Ja, dat wel maar ze was niet makkelijk om mee om te gaan. Alles wat haar aan Hans herinnerde moest worden verwijderd en het hele huis moest opeens worden schoongemaakt. Ze zei 'Zolang ik maar bezig ben gaat het wel met me, maar als ik ga zitten dan overvalt alles me en ga ik weer zitten janken, dus laat me maar.' Dus dat heb ik gedaan. De laatste twee dagen ging het een stuk beter en werd ze weer normaal. We hebben nog een dag samen gewinkeld, toen was ze weer heel gezellig en maandag gaat ze weer gewoon aan het werk.'

Louise ging moe van de reis vroeg naar bed en Thomas zat nog tot diep in de nacht na te denken over Astrid. Hij stuurde haar een lange mail om haar een hart onder de riem te steken en zijn medeleven te betuigen. Hij eindigde de mail met: 'Lieve schat, ik vind het heel erg dat ik nu niet bij je kan zijn, maar weet dat je altijd in mijn gedachten bent. Liefs en dikke kus, Thomas.'

Toen hij hem had verstuurd ging hij ook naar bed maar het duurde erg lang voordat hij de slaap kon vatten. Zijn gedachten bleven maar rond Astrid draaien.

In Den Haag was Astrid nog steeds bezig toe te geven aan haar poetsdrang.

Nadat ze Louise naar Schiphol had gebracht ging ze gelijk weer aan het ruimen. Ze haalde het bed van Louise af en gooide in de was wat ze allemaal had laten slingeren. In de hoek achter haar kledingkast vond Astrid haar bruine handtas die Louise van haar had geleend. Ze schudde de inhoud eruit op het bed en vond tussen de haarspelden en een pakje tampons het kaartje van Hans zijn ex.

'Als je met mij ergens over wil praten moet je me maar bellen. Ik heb het ook ooit allemaal doorgemaakt,' hoorde Astrid Margriets stem in haar hoofd.

Ze draaide het kaartje om, Margriet van Dongen, schoon-heidsspecialiste, met een adres in Leusden. Ze stopte het kaartje in haar zak en ging verder met opruimen.

Toen ze klaar was ging ze in de kamer zitten met de stapel fotoalbums van de afgelopen zeven jaar.

Ze bladerde ze door en nu ze weer rustig was herleefde ze de ook erg leuke tijden die ze met Hans had gehad.

Opeens kreeg ze een idee. Ze bedacht dat het voor Doortje, de dochter van Hans erg moest zijn om haar vader niet gekend te hebben. Daar kon ze natuurlijk geen verandering in brengen maar ze kon wel het kind een fotoalbum geven, met foto's van haar vader van de afgelopen zeven jaar.

Ze raakte helemaal opgewonden van het idee, trok haar jas aan en pakte haar autosleutels. Ze ging meteen een fotoalbum kopen en bedacht dat ze ook nog wat boodschappen nodig had.

Het was nog een behoorlijk klusje. Aan foto's van Hans en haar samen had het kind natuurlijk geen boodschap. Ze selecteerde zorgvuldig de foto's waar Hans alleen opstond, en een enkele van Hans in een gezelschap.

Ze legde ze op stapeltjes per jaar en toen ze alle albums had uitgespit begon ze met de samenstelling van het nieuwe album voor zijn dochter.

Waar ze zich het herinnerde schreef ze anekdotes of een eenvoudige toelichting bij de foto's. Ze had plezier in het werkje, het maakte haar rustig en ze kreeg het gevoel dat de dood van Hans zo, in ieder geval voor dit moment, een plaats kreeg.

Het was twee uur in de nacht voor ze met een zucht van voldoening de laatste foto inplakte.

Ze viel voor het eerst sinds de gebeurtenissen meteen in een droomloze slaap.

De volgende morgen hield het voldane gevoel stand.

Ze las het mailtje van Louise dat ze goed was aangekomen en de lange mail van Thomas, zo liefdevol en vol compassie dat ze er tranen van ontroering van in haar ogen kreeg.

Thomas was op Louise na toch wel het beste wat er in haar leven was. Zo'n lieve trouwe vriend. Ze was stilletjes wel verliefd op hem maar durfde dat nooit te bekennen uit angst de vriendschap te beschadigen. Bovendien voelde ze zich altijd een beetje dom bij Thomas. Ze had, bekende ze zichzelf, een minderwaardigheidscomplex, ook ten opzichte van haar vriendinnen.

Iedereen timmerde flink aan de weg, Lisa had haar eigen trainingsbureau, Bea was hoofdredacteur bij een glossy, Caro had een praktijk als psychotherapeute en zij, zij werkte al twintig jaar bij de zelfde bank.

De tijd van bewondering en waardering voor iemand die zijn hele leven bij een baas werkt is voorbij. Tegenwoordig ben je een loser als je niet om de twee jaar een move maakt die je een tree hoger op de carrièreladder brengt. Ze had weliswaar meerdere cursussen en diverse afdelingen doorlopen maar van een echte carrière was bij haar geen sprake.

Ten opzichte van haar omgeving voelde ze zich daardoor soms wat minder dan een ander, waar ze zich overigens in de praktijk makkelijk overheen blufte. Maar toch, toen Thomas met een advocate trouwde had ze zich rot gevoeld en vooral jaloers op haar maatschappelijke positie omdat het haar een minderwaardig gevoel gaf.

Thomas had inmiddels ook naam gemaakt als architect zowel in Amerika als in Nederland.

Vroeger, mijmerde ze, was het anders. Ze dacht aan die ene keer dat ze samen hadden gevrijd toen ze net van Louise in verwachting was. Toen waren ze jong en aan elkaar gewaagd. Ze had zich meer dan eens afgevraagd hoe haar leven zou zijn verlopen als ze toen ja tegen Thomas had gezegd.

Ze was er van overtuigd dat ze er goed aan had gedaan hem af te wijzen. Ze waren toen allebei net gescheiden en ze wist als iedereen dat het nooit goed is van de ene in de andere relatie te duiken. Bovendien was ze zwanger.

Ze mailde kort terug aan Thomas om hem te bedanken voor zijn medeleven en om hem een gelukkig Nieuwjaar toe te wensen. Daarna zette ze de computer uit en zat ze aarzelend met het visitekaartje van Margriet in haar hand.

'Eerst een kopje thee zetten,' dacht ze om het weer even uit te stellen.

'Kom op Astrid, het is maar een telefoontje, niets om je druk over te maken,' sprak ze zichzelf toe.

Toen ze uiteindelijk de stoute schoenen aantrok en belde kreeg ze een antwoordapparaat:

'Met Margriet van Dongen. Ik ben even niet in de gelegenheid de telefoon aan te nemen. Spreekt u duidelijk uw naam en telefoonnummer in, dan bel ik u zo spoedig mogelijk terug.'

Astrid sprak haar naam en telefoonnummer in met het bericht dat ze haar ergens over wilde spreken.

Tevreden over haar daadkracht schonk ze zichzelf nog een kop thee in en bedacht dat Margriet als ze bezig was met klanten natuurlijk de telefoon niet kon aannemen. Nu hoefde zij alleen maar af te wachten of ze kon het vanavond nog eens proberen.

Twee uur later had Astrid boodschappen gedaan en toen ze

deze in de keuken aan het opruimen was ging de telefoon. Het was Margriet.

'Met Margriet van Dongen, u had me gebeld?'

'Ja met Astrid, we zagen elkaar kort bij de crematie van Hans.'

'Oh ja, ik had niet in de gaten dat jij het was. Ik dacht dat je een klant was die een afspraak wilde maken, maar wat leuk dat je belt.'

Astrid vertelde over het album dat ze had gemaakt voor Doortje van foto's van Hans van de afgelopen zeven jaar.

'Jijzelf zit waarschijnlijk niet te wachten op foto's van je ex die je bovendien slecht heeft behandeld maar je dochter wil misschien wel een herinnering aan haar vader en daarom dacht ik...'

'Ik vind het helemaal geweldig,' onderbrak Margriet haar. 'Wanneer zullen we afspreken? Wil je hierheen komen of heb je liever dat we naar jou toe komen, zeg het maar.'

Ze spraken af dat Astrid zondag naar Leusden zou komen en dat ze er zo rond het middaguur zou zijn.

Zondag reed Astrid om elf uur weg uit Den Haag. Het album lag mooi ingepakt op de passagiersstoel naast het boeket bloemen dat ze voor Margriet had gekocht.

Precies om twaalf uur reed ze een wijk met grijze drive-in woningen in die er allemaal hetzelfde uitzagen. Ze moest even zoeken naar de juiste straat. Na drie rondjes door de wijk had ze het gevonden en ze parkeerde haar auto voor de deur.

Margriet deed open en verwelkomde haar met een kus op de wang. Doortje stond achter haar en gaf haar beleefd een hand.

'Kom verder, geef je jas maar, de woonkamer is boven. Hier beneden is de garage en mijn praktijk.'

Margriet hing haar jas op de kapstok en ging haar voor naar boven op een wenteltrap die in de woonkamer uitkwam.

Het zag er gezellig uit, een lichte houten vloer, aan een kant een grijze muur aan de andere kant een witte muur met een grote antraciet grijzen bank met bijpassende stoelen, veel kleurige kussens en mooie groene planten.

'Bedankt voor de bloemen,' zei Margriet. 'We hebben vanmorgen de kerstboom weggedaan en dan is het altijd gelijk zo kaal.'

Ze zette de bloemen in een glazen vaas op de ronde eetkamertafel.

'Koffie?'

'Ja, lekker.'

Margriet kwam met de koffie uit de keuken en ging op een van de stoelen zitten.

'Wat lief van je dat je zoveel moeite hebt gedaan voor Doortje.'

Astrid gaf het pakje aan Doortje, die het cadeaupapier eraf trok en er meteen in begon te bladeren.

'Kom even naast me zitten dan zal ik je vertellen waar het allemaal was.'

'Wacht,' zei Margriet, 'Schuif een eindje op dan kan ik ook meekijken.'

Zo zaten ze gedrieën op de bank met Doortje in het midden. Zij sloeg de bladen om en Astrid voorzag ze van commentaar.

Toen ze het hele album hadden doorgenomen bleef Doortje even stil zitten met het gesloten album op haar schoot. Ze leunde naar Astrid en sloeg haar armen om haar heen en gaf haar een dikke kus.

'Ik vind dit zo bizar gaaf!' riep ze uit zoals alleen een dertienjarige dat kan.

'Ik heb bijna niets van mijn vader, dus ik ben zo vet blij!' en met de buit onder haar arm verdween ze naar boven om op haar eigen kamer het nog eens door te nemen.

'Ik zei je toch, dat het helemaal geweldig was,' zei Margriet. 'Ze is er zo blij mee.'

'Nou dan ben ik ook blij dat ik op het idee kwam. Toen ik er mee bezig was vroeg ik me alleen steeds af of jij het wel zou willen. Jullie waren als ik het goed heb begrepen ook niet bepaald als vrienden uit elkaar gegaan.'

'Nee, maar ik denk dat voor mijn tijd met Hans het zelfde geldt als voor jouw tijd met hem. Ik hoor je ook ondanks alles met veel liefde en humor vertellen bij de foto's. Toen wij samen waren was het vaak ook goed, leuk, liefdevol en gezellig, maar hij was aan de andere kant heel bezitterig en jaloers. Ik kon er niet mee omgaan. Hij controleerde echt iedere minuut van mijn leven. Ik had niets te verbergen, maar als ik eens door omstandigheden een wijziging in mijn programma had sloeg hij helemaal op tilt. Toen ik niet langer zo kon leven met hem en ik wilde dat we in therapie zouden gaan, ging dat even goed, maar hij wilde er al weer snel mee stoppen.

Hij wist dat hij moest ophouden met mij controleren maar hij deed het niet. Ik pikte het niet meer en gaf hem bewust geen informatie meer over mijn doen en laten. Dat kon Hans niet aan en hij ging drinken, veel drinken. Uiteindelijk heb ik de scheiding aangevraagd toen hij me op een avond in elkaar sloeg. Ik was net zwanger, Hans wist dat nog niet, maar dat maakt het niet minder erg want ik kreeg een miskraam. Hij had me in mijn buik getrapt.'

Er viel een stilte. Astrid had tranen in haar ogen en alles kwam weer terug.

Ze snoot haar neus.

'Ik heb er niet zoveel over te vertellen behalve dan dat de geschiedenis zich heeft herhaald. Ik kreeg pas laat in de gaten dat hij was gaan drinken, want we woonden niet samen. Vandaar dat het misschien nog zo lang heeft geduurd.'

'Hij was psychisch niet in orde en hij kon echt niet met de liefde omgaan, zoals zijn broer al zei bij de crematie.'

'Nou ja,' zei Astrid, 'Hij is niet meer, dus ik denk dat ik er goed aan doe om me maar vooral de leuke dingen te herinneren.'

'Ja,' zei Margriet, 'Dat heb ik mezelf ook voorgehouden toen ik alleen met Doortje verder ging en niet alleen voor mezelf maar vooral ook voor haar. Ik heb haar nooit kwalijke dingen over haar vader verteld. Ik heb haar gezegd dat haar papa zoveel van haar hield dat hij haar stiekem had meegenomen en dat ik toen heel verdrietig was en dat de rechter toen ze weer terug was had beslist dat papa haar niet mocht opzoeken.'

'Dat geloofde ze ook toen ze ouder werd?'

'Ja joh, ze was nog erg jong toen het gebeurde en kinderen zijn zo op zich zelf geconcentreerd. Die denken daar niet zoveel over. Ze begon net de laatste tijd wat meer vragen te stellen en toen verongelukte hij. Maar kom we gaan lunchen, je hebt toch wel trek?'

'Ja, best wel maar daarna ga ik naar huis.'

Margriet haalde uit de koelkast een schaal sandwiches tevoorschijn.

'Ik had al een en ander voorbereid. Ik heb sandwiches met gerookte zalm, roomkaas en mierikswortel, met gerookte kip en rucola en met boerenbrie en komkommer.'

'Hmm lekker zeg.'

Doortje kwam even naar beneden om zich zelf te bedienen en liep met een bord met van alles wat weer terug naar boven.

Na het eten en nog een espresso nam Astrid afscheid van Margriet en haar dochter en reed tevreden over het verloop van deze dag naar huis.

Hoofdstuk 2

Het was een warme dag in augustus 2001. Astrid was op weg naar Vianen, haar moeder vierde haar zeventigste verjaardag.

'Zeventig jaar,' mijmerde Astrid, 'Wat klinkt dat oud.' Gelukkig waren Evelyn en Willem, die al zevenenzeventig was, beiden gezond. Ze genoten nog volop van het leven. Willem had toen Evelyn ook met pensioen ging een camper gekocht en ze trokken er de afgelopen jaren minstens drie maanden per jaar op uit. Ze hadden steeds een ander doel. De eerste jaren waren Frankrijk en Italië favoriet, daarna trokken ze door Groot Brittannië, Schotland en Ierland en verleden jaar was Scandinavië aan de beurt geweest. Ze waren nu weer net terug uit Oostenrijk.

Astrid zette haar auto in een parkeerhaven. De buurt was autovrij dus ze kon niet tot voor de deur rijden. Ze liep met haar armen vol met tas, cadeau en bloemen achterom waar ze haar moeder al in de tuin hoorde praten.

'Hallo schat,' riep ze toen ze Astrid door het tuinhekje zag komen.'Hekje op de haak, anders loopt de hond weg.'

'Hebben jullie een hond dan?' vroeg Astrid en ze gaf haar moeder een kus.

'Nee, die is van de buren, Pieter en Nel, je kent ze wel.'

Astrid gaf haar moeder de bloemen en het cadeau, een boek dat ze erg graag wilde en feliciteerde haar, Willem, Pieter en Nel.

Ze liep met Evelyn mee naar binnen om te beslissen van welke vlaai ze een punt wilde. Ze koos voor de rijstevlaai met een flinke dot slagroom en nam het mee naar buiten. Evelyn liep achter haar aan met een dienblad met de koffie. Er kwam nieuwe visite achterom en er werd aan de voordeur gebeld. Astrid dronk snel haar koffie op en liep naar de keuken om haar moeder en Willem te helpen met het uitserveren van koffie, thee, taart en later andere drankjes met hartige hapjes.

De hele middag liep de visite af en aan.

'Wat hebben jullie hier veel kennissen opgedaan,' zei Astrid.

'We zitten hier nu ook al twintig jaar. We hebben altijd getennist, daar kennen we veel mensen van en van mijn werk waren er ook wel een paar en Willem is altijd met de tuin bezig en helpt vaak mensen uit de buurt. Nee, we hoeven ons hier nooit eenzaam te voelen, altijd aanloop.'

Nadat ze de boel hadden opgeruimd toen iedereen weg was zaten ze te genieten van het laatste middagzonnetje in de tuin en keken naar de vlinderstruik waar tientallen vlinders ijverig heen en weer dartelden van de ene bloem naar de andere.

'Wil je ook een glas rosé,' vroeg Evelyn die vanuit de deuropening een fles ophield.

'Ja, lekker, ik blijf slapen als dat tenminste goed is, dus ik hoef niet meer te rijden.'

'Ja natuurlijk, vind ik juist fijn. Ik vind dat we elkaar veel te weinig zien de laatste tijd.'

'Ja,' zei Astrid, 'en wiens schuld is dat, wereldreizigers?'

'Je hebt gelijk, de onze, we zijn inderdaad vanaf maart tot nu toe doorlopend weggeweest, erg hè?'

'Ik ben blij dat jullie er zo van genieten en ik hoop dat jullie dat nog heel lang zullen doen. Proost,' Astrid hief het glas. 'Daar drinken we op!'

Evelyn haalde voor Willem nog een biertje en kwam er bij zitten.

'Astrid, ik moet je wat vertellen. Ik kreeg een poosje terug een brief van de notaris. Jouw vader is drie maanden geleden overleden en ik moest een afspraak maken. We gingen toen net naar Oostenrijk dus die afspraak was pas van de week. Je weet dat ik ieder jaar zo omstreeks jouw verjaardag duizend gulden gestort kreeg die ik de laatste twintig jaar dan meteen naar jouw rekening liet overboeken. Nu is in het testament vastgelegd dat het geld, dat tot je tachtigste zou worden betaald, als hij zou sterven in een keer zou worden betaald. Dat houdt in dat je nu zo'n negenendertigduizend gulden op je rekening krijgt.'

'Wist je dat? Dat hij dat ieder jaar tot dat ik tachtig was zou laten doen?'

'Nee, ik had geen idee. Ooit zei hij dat hij zou zorgen dat je die duizend gulden per jaar je hele leven zou krijgen.'

'Hij dacht dus dat ik niet ouder dan tachtig zou worden, mooi is dat. Dadelijk word ik honderd dan zit ik die laatste twintig jaar op een houtje te bijten, wat voor 'n zorgzame vader is dat?'

'Ja maak er maar grapjes over, maar wat vind je ervan?'

'Onwerkelijk, ik heb hem nooit gekend en hij mij niet en nu is hij dood en krijg ik dat geld. Tja, ik weet ook niet goed wat ik daarop moet zeggen. Hij heeft zijn naam geheim gehouden en mijn bestaan afgekocht. Raar hoor, maar met het geld ben ik hartstikke blij. Mijn huis kan wel een opknapbeurt gebruiken na twintig jaar. Ik wil een nieuwe keuken, een nieuwe vloer en nieuwe meubelen. Ik ga morgen als ik weer thuis ben meteen Thomas mailen of het goed is dat ik dat doe.'

'Je kunt ook zelf wat kopen,' zei Evelyn.

'Nee mam, ik woon nergens zo goedkoop als onder Thomas en ik vind het er fijn. Ik heb een zalig huis met een prachtige tuin. Wat zou ik nog meer willen. Het enige wat ik voor Thomas terug doe is zijn administratie en zorgen voor zijn huis. Als ik veel visite heb mag ik bovendien zijn huis gebruiken. Niet dat het de laatste tijd nog veel voorkomt, maar toen Louise klein was heeft Jeroen er heel vaak gebruik van gemaakt. Ik heb het eigenlijk buitengewoon getroffen.'

'Je bent een optimistische schat,' zei haar moeder. 'Hoe is het met de liefde tegenwoordig?'

'Slecht mam, alle mannen van mijn leeftijd zijn getrouwd of er is iets mis mee. Misschien loop ik net als jij, als ik bijna vijftig ben, pas de man van mijn leven tegen het lijf.'

'Als dat toch eens een keer zou gebeuren dan hang ik de vlag uit. Ik gun jou op dat gebied ook wel eens een beetje geluk in het leven.'

'Mam, vind je het niet stom dat ik al zolang bij dezelfde baas werk en dat ik zo weinig heb gepresteerd?'

'Wat krijgen we nou!' riep Evelyn bezorgd, 'Wie zegt dat? Ik ben juist hartstikke trots op je! Je hebt een prachtige dochter helemaal in je eentje opgevoed, je hebt er altijd bij gewerkt. Nee schat, nu moet je geen domme dingen gaan zeggen.'

'Nou ja, ik voel me vaak als het sufferdje van de klas, al mijn vriendinnen hebben het een stuk verder geschopt en de ene keer dat ik eens ambitieus solliciteer naar een hogere functie word ik afgewezen.'

'Wat wilde je dan?'

'Ik werk het laatste jaar in het debiteurenteam en ik wilde teamleider worden op die afdeling. Ik moest er een psychologische test voor doen en daar kwam uit dat ik niet geschikt ben voor een leidinggevende functie. Ik zou me te veel laten leiden door mijn eigen emoties.'

'Tja, daar zit wat in. Ik vertel je al je hele leven dat je vaak wat primair reageert en dat er ook nog andere kleuren zijn dan wit of zwart. Herkende je zelf niets in de motivatie waarop je bent afgewezen?'

'Jawel, maar toch voelde ik me persoonlijk afgewezen en had ik er enkele dagen ernstig de pest over in.'

'Ach meisje, dat is toch niet nodig. Je hebt zeker andere kwaliteiten.'

'Ja, zal best wel, maar welke? Ik voel me de laatste tijd vaker wat mislukt in het leven. Zal de midlife crisis wel zijn. Louise in Boston en ik jaar in jaar uit bij de bank, de enige uit mijn begintijd die er ook nog steeds werkt is Toos van Til. Wij behoren samen zo'n beetje tot het meubilair.'

'Lisa werkt er toch ook nog steeds?'

'Nee mam, Lisa is al tien jaar geleden voor zichzelf begonnen en de bank is een klant van haar trainingsbureau.'

'Oh ja, dat is waar, was ik even vergeten. Maar je heb het toch nog steeds naar je zin daar?'

'Ja, absoluut, maar ik denk dat anderen mij zien als een ambitieloos dom kantoorslaafje.'

'Hoe anderen je zien moet je een zorg zijn. Dat je nog steeds met plezier naar je werk gaat is belangrijk en ik wil niet dat je jezelf zo naar beneden haalt, dat is nergens voor nodig. Ik ben je moeder en ik ben trots op je en terecht.'

Astrid stond op en gaf haar moeder een zoen. 'En ik ben je dochter en ook trots op jou mam, ik hou van je.'

'Gaan we sentimenteel doen? Kom help me eens even uit deze veel te lage stoel dan gaan we naar binnen want het wordt een beetje fris,' zei Evelyn terwijl ze haar hand naar Astrid uitstrekte.

Astrid had er geen gras over laten groeien. Ze had begin september twee weken vakantie opgenomen en was voortvarend begonnen met de renovatie. Ze had in de uitverkoop voor de helft van de oorspronkelijke prijs precies de keuken gevonden die ze zocht. Het was een keuken met diepe laden in plaats van kastdeuren en de bovenkastjes die haar al lang een doorn in het oog waren, werden vervangen door drie planken waar verlichting onder zat. Daar wilde ze grote glazen potten zetten met diverse kleuren spaghetti en andere dingen die leuk waren om naar te kijken.

Tijdens haar eerste vrije dagen was Willem met een buurman aan de slag gegaan om de oude keuken eruit te slopen. Wat een ravage en stofzooi gaf dat.

Daarna was er een paar dagen een schilder in huis bezig geweest die de muren, de plafonds en het houtwerk schilderde.

Toen ook de nieuwe withouten vloerdelen waren gelegd was Astrid de koning te rijk geweest over het effect. Prachtig vond ze het. De sponningen van de ramen, een lange muur en de deuren waren grijs geschilderd. Voor de ramen had ze witte rolgordijnen en overgordijnen van een dunne stof in de zelfde kleur.

De dag ervoor was de keuken geïnstalleerd en nu verwachtte ze ieder moment de aflevering van haar nieuwe inrichting.

Ze had alles schoongemaakt en ging in de tuin zitten met een kop thee. Het was een wat grijze dag, niet koud, maar bewolkt. Om een uur of twee stopte een vrachtwagen voor de deur en werden de spullen afgeleverd. De bank en de stoelen werden keurig neergezet op de plek die Astrid hen aanwees en ze waren bovendien zo aardig alles te ontdoen van het verpakkingsmateriaal. Astrid probeerde het in vuilniszakken te proppen.

'Hoeft niet mevrouw, dat nemen wij wel weer mee,' zei een van de mannen die met een doos, waarin haar nieuwe televisie zat, bezig was.

Toen de hele vracht karton en papier het huis uit was zat een van de mannen op de grond bij het televisiemeubel met de afstandbediening de televisie te programmeren.

Astrid had koffie ingeschonken en tekende bij de collega de afleverdocumenten.

Ze werden opgeschrikt door de uitroep van de man die met de televisie bezig was.

'Krijg nou wat,' klonk er op zijn Haags.

'Kijk, die vliegtuigen vliegen die torens naar de galle-miezen, kijk, kijk, kijk nou!'

Verbijsterd keek Astrid met de mannen naar wat zich daar afspeelde en ze luisterden naar het commentaar dat erbij werd gegeven. Twee vliegtuigen hadden zich in de Twin Towers van het World Tradecenter in Manhattan, New York geboord. Een ander in het Pentagon in Washington en een vierde toestel was neergestort in Pennsylvania.

Dat het een terroristische actie was en geen ongeluk was al heel snel duidelijk volgens de nieuwslezer. Astrid kon haar ogen niet geloven.

'Louise,' was haar eerste gedachte. Ze pakte de telefoon en begon met trillende vingers het nummer van Louise te bellen. Overbelast, de hele wereld was natuurlijk met Amerika aan het bellen. Ze bleef het achter elkaar proberen, maar het bleef onmogelijk er door te komen. Ze stopte met proberen toen de bezorgers weggingen. Aangedaan namen ze afscheid, want ze moesten nog naar een andere klus.

Toen Astrid de deur achter ze sloot ging de telefoon. Ze rende naar binnen en nam hem op.

'Mam, heb je het gehoord?'

'Goddank, ik probeerde je al de hele tijd te bellen.'

'Wat vreselijk hè?' huilde Louise.

'Niet te geloven, zo afschuwelijk, al die arme mensen, zoveel leed. Ik kan het gewoon nog niet geloven. Is iedereen die jij kent daar veilig?'

'Zover ik weet wel, ik heb niet zoveel kennissen in New York. Thomas is in Washington, maar die heeft al gebeld, daar is het goed mee.'

'Kom je naar huis? Dadelijk is het daar oorlog en god weet wat er nog meer staat te gebeuren.'

'Nou mam, je weet dat het goed met me is en zodra ik het gevoel krijg dat het hier niet meer veilig is, kom ik terug. Maar ik denk niet dat er hier wat gebeurt.'

'Ik heb je toch liever hier.'

'Begrijp ik mam, maar geen paniek over mij. Als je me niet kunt bereiken kun je altijd mailen. Er wordt hier gebeld dus ik ga open doen. Niet ongerust zijn, ik bel of mail je vanavond nog wel even.'

Opgelucht dat ze haar dochter had gesproken legde Astrid de telefoon neer. Ze keek om zich heen.

Alle vreugde die ze had gevoeld over haar nieuwe spullen was weg. Ze bleef maar kijken naar die afschuwelijke beelden die keer op keer werden herhaald.

Ze zag mensen springen, alleen en enkelen samen, elkaar vasthoudend in een laatste omhelzing de dood tegemoet.

Ze huilde en toen de telefoon weer ging was ze blij haar moeder te spreken.

'Oh mam, wat verschrikkelijk, ik kan er niet van loskomen en blijf maar kijken.'

'Ja schat, wij ook, maar fijn dat met Louise alles goed is. Misschien moet je nu de televisie maar eens een paar uur uitzetten en even naar buiten gaan.'

'Ja, je hebt gelijk. Het is herhaling op herhaling, maar toch ben ik bang dat ik iets mis, dat er op andere plaatsen misschien nog meer gaat gebeuren.'

'Lieve schat, zet uit die tv, ga even uitwaaien op het strand of zo. Neem je mobiel mee en ik beloof je dat wanneer er ander nieuws is, ik je meteen zal bellen, afgesproken? Het is niet goed om in je eentje deze gebeurtenissen te moeten verwerken. Willem en ik kunnen er tenminste over praten.'

'Ja mam,' zei Astrid kleintjes. 'Je hebt gelijk. Ik zet de televisie uit en ik ga even weg, maar echt bellen hoor.'

Hoofdstuk 3

Na september leek de wereld veranderd. De Amerikaanse president verklaarde de oorlog aan het terrorisme en sprak krasse taal over het vernietigen van de Taliban. Er was geen journaal in die periode zonder aandacht voor deze zaak. Ook de mentaliteit van de Nederlanders verhardde.

Het was begin maart, Astrid had net haar tweeënveertigste verjaardag gevierd en ze zat in de tram op weg naar huis. Ze had bij een reisbureau reisgidsen gehaald, want ze was toe aan een vakantie. Ze keek om zich heen in de tram en constateerde dat ze de enige autochtoon was. De tram zat vol met vrouwen met hoofddoeken, en verder met Surinamers en Antillianen en Kaapverdianen die allemaal in hun eigen taal luid met elkaar spraken. Een kakofonie van geluiden en als je de ogen dichtdeed waande je je op een markt in het buitenland. Het leek wel alsof na 11 september iedere zichzelf respecterende Moslima opeens een hoofddoek droeg, al dan niet ingegeven door hun omgeving. Astrid vond het echt opvallend. Ook bij haar op kantoor waren twee Marokkaanse meisjes, na jaren zonder, opeens met een hoofddoek verschenen. Er was nogal wat discussie geweest of ze zo aan de balie mochten helpen omdat het geen onderdeel was van het uniform dat werd gedragen. Ze waren in afwachting van de beslissing op een andere afdeling geplaatst. Astrid vond dat nadrukkelijke gekoketteer met die hoofddoeken irritant. Ze kon zich niet voorstellen dat iemand tijdens een hittegolf vrijwillig zo'n hoofddoek omdeed en ze vond dat iedere man die zijn vrouw onder die omstandigheden liet zweten in bedekkende kleding, compleet met hoofddoek moest worden aangeklaagd voor mishandeling. Het hele idee dat een vrouw zich zou moeten bedekken om een man maar vooral niet in verleiding te brengen stond haar niet aan. Laat ze zelf dan maar met oogkleppen op lopen als ze denken dat ze zich niet kunnen beheersen.

Astrid nam bij de gesprekken over dit onderwerp geen blad

voor de mond. Het gevolg was een tweedeling op de afdeling waarbij de allochtonen tegenwoordig apart gingen zitten in de kantine.

Het werd zo vol in de tram dat Astrid besloot een paar haltes te vroeg uit te stappen en het laatste stuk te lopen. Thuisgekomen zette ze een pot thee en ging aan tafel zitten om een reis uit te zoeken.

Ze zou alleen gaan. Lisa en Caro hadden eigen plannen met hun gezin, Bea had in april geen tijd en Louise had een paar tentamens en kon ook niet weg bij het gezin waar ze au pair was.

'Dan maar alleen,' dacht ze. 'Dan hoef ik ook met niemand rekening te houden en contact maak ik zo.'

Nadat ze de gids had doorgebladerd had ze drie bestemmingen aangekruist. Twee op Cyprus en een in Turkije. Ze was van plan de volgende dag uit haar werk meteen te gaan bespreken. Ze had er echt zin in en ze was bovendien erg toe aan wat verandering in haar leven. Ze was na Hans, nu al zowat anderhalf jaar geleden, nog niemand tegen gekomen waarvan haar hart sneller ging kloppen. Ze ging wel uit en ze amuseerde zich wel, er was in Den Haag genoeg te doen, daar lag het niet aan, maar als ze een leuke vent tegen kwam was hij getrouwd of er was wat mee. Thomas was de enige man in haar kennissenkring die én leuk én vrij was, maar die zag ze de laatste jaren zo sporadisch dat ze steeds niet verder kwamen dan de uitwisseling van wat oppervlakkige informatie. De laatste keer dat Thomas naar Den Haag kwam, was Astrid net een week naar Vianen om haar moeder bij te staan. Willem had een hartaanval gehad en moest gedotterd worden. Gelukkig was hij weer helemaal opgeknapt.

Toen ze na die week weer thuis was moest Thomas de volgende morgen weer terug en hadden ze alleen samen wat gedronken en bijgepraat.

Ze was er toen helemaal niet aan toe gekomen om te informeren naar zijn liefdesleven. 'Misschien had hij ondertussen wel weer een vriendin,' dacht Astrid en ze voelde daarbij een steekje van jaloezie.

Astrid liep met haar beker thee in de hand de tuin in. De

lente hing al in de lucht. Het was een grauwe dag geweest maar opeens was de zon doorgebroken. Astrid zette de stoel achterin de tuin tegen de schuur waar ze helemaal uit de wind in de zon kon zitten.

Ze genoot van de eerste lentezon op haar gezicht en deed haar ogen dicht.

Het was Cyprus geworden. Ze zou van 19 april tot 3 mei gaan. Een hotel direct aan zee met half pension. Ze verheugde zich er enorm op. Toen ze geboekt had, belde ze meteen met haar moeder.

'Wat leuk schat, zie het wel zitten in je uppie?'

'Ik had het leuker gevonden als een van mijn vriendinnen meeging, maar ik amuseer me ook wel alleen. En je weet hoe ik ben, ik heb zo contact.'

'Ja dat is waar. Als je maar uitkijkt met wie je aanpapt.'

'Ja mam, ik ben geen tiener meer die voor het eerst de wijde wereld intrekt.'

'Weet ik ook wel, maar voor een moeder blijf je altijd een kind. Het maakt niet uit hoe oud je bent, dat verandert nooit.'

'Ik zal uitkijken met wie ik aanpap en ik zal me goed gedragen. Ik ga genieten mam, ik heb er zo'n zin in.'

Nadat ze uitgekletst waren ging Astrid achter de computer. Ze mailde naar Louise over haar vakantieplannen en ze stuurde daarna ook een mail naar Thomas om hem van haar afwezigheid op de hoogte te stellen.

Op 19 april moest Astrid al om zes uur 's morgens op Schiphol zijn om in te checken.

Met buurvrouw Marieke had Astrid afgesproken dat ze haar auto in haar afwezigheid mocht gebruiken als ze haar als tegenprestatie naar Schiphol bracht op dat onmenselijk vroege uur. Marieke deed dat graag en om kwart voor vijf vertrokken ze naar Schiphol. Marieke zette haar bij de vertrekhal af.

'Gedraag je en geniet ervan meid.' Ze omhelsde Astrid, deed de kofferbak open en Astrid laadde haar koffer op een karretje.

'Doe voorzichtig en tot over veertien dagen.' Astrid stak haar hand op en keek de auto na voordat ze haar kar naar binnen reed.

Om acht uur vlogen ze stipt op tijd weg en drie uur later landden ze op het vliegveld Paphos op Cyprus. Het duurde even voordat de koffers op de band tevoorschijn kwamen en het was al kwart voor twee locale tijd toen de bus bij de luchthaven wegreed om de vakantiegangers bij hun bestemming te brengen. Astrid en nog twee stellen die in de zelfde accommodatie zouden logeren waren de laatsten die werden afgezet.

Ze rolde haar koffer naar de balie om in te checken, nam haar sleutel in ontvangst en ging met de lift naar de derde etage waar ze haar kamer met zeezicht zou vinden.

De balkondeur stond open en de gordijnen wapperden in de wind. Ze stapte het balkon op om het uitzicht te bewonderen. Het hotel van vier verdiepingen was in een hoefijzer gebouwd met het open stuk naar de zee toe. Binnen het hoefijzer waren drie grote zwembaden in een prachtige parkachtige tuin met palmen. Het strand was te bereiken via een brede trap met maar enkele treden.

Astrid liep de kamer in en liet zich languit op haar rug op bed vallen. Ze was er!

Nadat ze even had gerust, pakte ze haar koffer uit, trok een zwempak aan, bond een omslagdoek als rok om haar heupen en liep met een tas met handdoek en zonnebrandcrème naar beneden. Ze was van plan haar directe omgeving te gaan verkennen.

Ze keek, beneden gekomen, waar het diner zou worden geserveerd. Dat was deels binnen en deels buiten op een heel groot terras van zes tot negen uur.

De obers waren al bezig de tafels te dekken. Ze liep over het terras verder naar het zwembad, waar ze haar handdoek op een lege stoel drapeerde. Het was nog steeds erg warm en het water zag er aanlokkelijk uit. Het was rustig in het water, enkele volwassenen trokken op hun gemak baantjes. De drukte speelde zich meer af in het tweede zwembad, waar meerdere glijbanen en springplanken de jeugd hadden gelokt. Het derde zwembad helemaal aan het eind was bestemd voor

221

de hele kleintjes en liep van heel ondiep naar een diepte van negentig centimeter. Er dreven ballen en allerlei speelgoed rondom een sprookjesfiguur in het midden die uit zijn mond een watervalletje produceerde.

Astrid liet zich via het trapje in het water zakken en zwom traag met een schoolslag heen en weer.

'Heerlijk,' dacht ze 'Wat voel ik me zalig. Het leven is verrukkelijk!'

Ze liet zich toen ze uitgezwommen was opdrogen door de zon, smeerde zich in en liep daarna langs de verschillende zwembaden richting zee.

Vier treden scheidden het park van het hotel van het strand. Ze liep naar de zee en keek naar links en naar rechts om te bepalen welke kant ze zou oplopen. Het maakte niet veel uit, haar hotel bevond zich in het midden van een baai met aan beide kanten aan het eind een rotspartij waar de golven met kracht op braken.

Astrid liep over een laag kiezels de zee in. Na een meter of vijftien werd het plotseling diep en ze begon een stukje uit de kust te zwemmen. Toen ze er genoeg van had liet ze zich op de golven weer terugdrijven naar het strand. Ze genoot.

Weer terug bij het zwembad zwom ze wederom enkele baantjes om het zout van haar lichaam en badpak te krijgen. Daarna liep ze naar een buffet bij het zwembad om een drankje te bestellen.

'Wel makkelijk hier nu met de euro. Als ik naar Turkije was gegaan had ik me in dat vreemde geld moeten verdiepen,' dacht ze, al had ze er in Nederland tot dan toe erg op gemopperd.

Ze vond dat alles veel duurder was geworden en kon maar slecht wennen aan de nieuwe munten. Ze trok een plastic tafeltje naast haar stoel waar ze haar bestelling op plaatste, zette haar ligstoel in de zitstand en keek tevreden over alles om zich heen.

'Het leven is zo slecht nog niet,' dacht ze, 'Wat ga ik genieten!'

Na een uur ging ze terug naar haar kamer om zich te kleden voor het diner. Om half zeven liep ze naar beneden en omdat ze zag dat alle plaatsen op het terras buiten bezet waren ging ze aan de voorkant het hotel uit.

Ze had nog niet zo'n trek en dacht dat, wanneer ze over een uur terug kwam, ze waarschijnlijk wel buiten kon eten.

Ze liep het straatje recht tegenover het hotel in. Eethuisjes, waar jongemannen haar naar binnen probeerden te lokken met een speciaal aanbod, en leer- en sieradenwinkeltjes wisselden elkaar af. Het was een gezellige drukte en nadat ze de hele straat, die met een bocht weer bij de zee uitkwam, aan beide kanten had bekeken slenterde ze terug naar haar hotel.

Nu waren er wel enkele tafels beschikbaar. Ze koos er een uit en bijna meteen stond er een ober naast haar tafel die haar kamernummer noteerde en vroeg of ze een glas of een fles wijn wilde.

De fles zou haar kamernummer krijgen en daar kon ze dan de volgende dag weer om vragen.

Ze nam een fles.

Ze bleef niet lang alleen. Ze herkende het paar uit de bus die hen naar dit hotel had vervoerd. Ze vroegen of ze erbij mochten komen zitten. Ze deelden hun eerste indrukken en Bart en Wilma waren net zo positief over alles als Astrid.

Ze bespraken wat ze deze vakantie beslist wilden zien. Astrid had zich en nog niet erg in verdiept. Ze was nog niet toegekomen aan de documentatie die ze in de bus van de reisleidster hadden ontvangen. Bart en Wilma wel en zij gingen in ieder geval over twee dagen mee met een excursie naar Nicosia.

'Nadat we morgen een dag zon, zee en strand hebben gehad zal onze huid wel aan een zonpauze toe zijn. Doen we altijd zo op de tweede of derde dag.'

'Goed idee, misschien doe ik dat ook wel. Ik was in ieder geval van plan om morgenochtend even naar die bijeenkomst te gaan en als het me wat lijkt dan schrijf ik me meteen in.'

'Ga je mee?' vroeg Wilma, 'We gaan nog even een kopje koffie drinken op de boulevard.'

'Gezellig,' zei Astrid, 'Ik loop nog even naar mijn kamer om mijn fototoestel te pakken. Dan zie ik jullie zo over vijf minuten.'

Met z'n drieën liepen ze schuin voor het hotel langs naar de boulevard. Eerst liepen ze langs allerlei kramen waar sieraden, zonnebrillen en allerlei strandartikelen te koop waren en daarna kwamen ze op een stuk waar alleen restaurants en barretjes waren gevestigd. Allemaal met uitzicht op de zee. Het enige nadeel, vonden ze unaniem, waren de grote beeldschermen waarop een voetbalwedstrijd was te zien.

Ze vonden een plekje bij een van de gelegenheden waar zachte muziek in plaats van de televisie de sfeer bepaalde en deden hun bestelling.

Tegen een uur of tien liepen ze terug. Bij een winkeltje kocht Astrid wat frisdrank en water voor op haar kamer en bij het hotel nam ze afscheid van haar gezelschap.

Ze was al vanaf half vijf die ochtend in de benen en ze verlangde naar haar bed.

Hoofdstuk 4

Het vakantieleven beviel Astrid goed.

Ze was mooi goudbruin geworden en ze voelde zich na enkele dagen ook helemaal uitgerust en los van alle zorgen. Bart en Wilma schoven meestal bij het diner bij haar aan en Astrid had zich ook ingeschreven voor het dagje naar Nicosia. Het was een leuke dag geweest. De grootste toeristische attractie was volgens de reisleider de 'Green Line' die de oude stad verdeelt in het Griekse en Turkse Cyprus. De mogelijkheid om met een stap over de groene lijn van het ene naar het andere gedeelte te stappen vond Astrid niet bijster bijzonder. Ze bezochten een museum en het aartsbisschoppelijke paleis. Ze luncht en op een groot plein waar allemaal kleine straatjes op uit kwamen. Na de lunch liepen ze die straatjes door waar heel veel lederwarenwinkels en winkels waar je binnen enkele uren kleding op maat kon laten maken waren. Omstreeks vijf uur waren ze weer terug bij het hotel. Na een duik in het zwembad kleedde Astrid zich voor het diner.

Na het eten slenterde ze over de boulevard, dronk cappuccino op een terras en ze besloot eens de andere kant langs de baai te lopen. Overal kwamen de tuinen van de hotels of appartementencomplexen uit op het strand. Uit een van de tuinen klonk muziek van een live band die jaren zeventig muziek speelden afgewisseld met Griekse volksmuziek. Astrid ging op het trapje zitten luisteren. Het swingde wel en Astrid kon haast niet stilzitten. Ze moest opstaan toen een gezelschap vanaf het strand de tuin in wilde.

'I like the music,' zei Astrid.

'You are free to enter the garden to enjoy and dance,' zei een van de mannen.

Hij bleek er te werken en Astrid liep achter hem aan de tuin in.

Het was een mooie palmentuin met veel jasmijnstruiken met in het midden een podium waar werd opgetreden.

225

Astrid ging vlak bij het podium aan een tafel zitten. Even later kwam de man met wie ze was meegelopen met een dienblad bij haar tafel en vroeg wat ze wilde drinken.

Ze bestelde retsina en terwijl ze op haar drankje wachtte bekeek ze de bandleden.

De zanger was een stuk, lang en stevig met brede schouders. Hij droeg een gebleekte spijkerbroek en een spierwit overhemd met opgestroopte mouwen. Hij had steil achterovergekamd donkerbruin haar en hij droeg een bandana om het uit zijn gezicht te houden.

Haar drankje werd gebracht en ze nam een slokje zonder haar blik van de zanger af te wenden.

Hij voelde kennelijk dat ze naar hem keek, ving haar blik en bleef haar intens aankijken terwijl hij een nummer van Bruce Springsteen zong.

Astrid voelde zijn blik tot in haar buik.

Er werd op de dansvloer voor het podium al door enkele mensen gedanst. Astrid nam nog een slokje van haar wijn en ze zag vanuit haar ooghoek dat er iemand op haar af kwam.

'Do you want to dance?' Er stond een man, ze schatte hem een jaar of dertig, bij haar tafeltje en hij keek haar uitnodigend aan. Hij had een donker uiterlijk, Italiaans of Grieks vermoedde ze.

Ze stond op om met hem te gaan dansen.

'Where are you from?' informeerde hij.

'From Holland, and you,' antwoordde ze.

'I am from France,' zei hij. 'But my English is not very good.'

Maar dansen kon hij als de beste. Hij was even groot als Astrid en hij bewoog goddelijk. Astrid genoot er echt van. Het was lang geleden dat ze zo lekker had gedanst. Hans was er niet zo dol op geweest al stond ook hij zijn mannetje op de dansvloer.

Ze dansten het ene na het andere nummer. Diverse stijlen passeerden de revue. Af en toe ving Astrid de waarderende blikken van de zanger die aan leek te voelen op welke nummers Astrid wilde dansen.

Na een half uur kondigde de band een pauze aan.

De Fransman bracht Astrid weer naar haar tafeltje en bedankte haar in nauwelijks verstaanbaar Engels.

Astrid keek om zich heen of ze de ober zag want ze lustte nog wel een wijntje.

'Hello, how are you?' klonk het naast haar en daar stond de zanger met in de ene hand een glas wijn en in de andere een biertje.

'Do you mind?' vroeg hij terwijl hij ging zitten en haar het glas wijn toeschoof.

'No, not at all, thank you,' antwoordde Astrid.

'I saw you dancing, you like it?'

'Yes very much and I liked your voice as well.'

'Thank you,' zei hij met een lichte buiging. 'Where are you from, and what is your name?'

'I am from Holland and my name is Astrid.'

'I am from Cyprus and my name is Ari.'

'Hello Ari,' zei Astrid en ze stak haar hand naar hem uit.

Hij pakte hem aan en bracht hem met twee handen naar zijn mond en gaf er terwijl hij haar bleef aankijken een kus op.

'You are a flirt,' lachtte Astrid wat ongemakkelijk.

'Yes, I am and I think you like it, don't you?'

Astrid gaf hier geen antwoord op. Ze dacht 'Wat gebeurt hier?' en nam nog een slokje van haar retsina.

'Don't you,' drong hij aan. 'I like you anyway.'

Hij vroeg haar verder uit over haar verblijf hier op Cyprus. Hij raadde haar aan om ook een excursie te doen naar het Kykkosklooster. Hij vertelde dat hij in de zomer altijd op Cyprus speelde met de band en in de winter in West-Europa.

De manager sloot contracten af met eetgelegenheden die live muziek wilden in Engeland, Duitsland en ook in Nederland.

Toen de pauze voorbij was ging Ari weer terug naar het podium. Astrid bestelde nog een wijntje en werd weer door de Fransman de vloer op gevraagd. Iedere keer als Astrid de kant van Ari opkeek ving ze zijn blik. Ze danste de sterren van de hemel en voelde zich weer achttien.

Bij de volgende pauze, het was inmiddels tegen middernacht, kwam Ari weer bij haar zitten met nog een glas wijn.

Ondanks het feit dat ze een matige drinker was, had ze geen last van al die wijntjes. Ze had goed gegeten en door al dat dansen kreeg de alcohol kennelijk geen vat op haar.

Ari flirtte met haar en Astrid flirtte schaamteloos terug.

Toen Astrid het tijd vond om naar haar hotel terug te gaan liep hij, met zijn arm om haar heen, mee.

Bij het hotel aangekomen kuste hij haar teder op de lippen.

'Are you coming to dance tomorrow night,' vroeg hij.

'Yes I certainly will,' zei Astrid.

'I like you,' zei hij en gaf haar nog een kusje op haar wang.

'See you tomorrow!'

Astrid liep op vleugels naar haar kamer. Ze nam een douche en ging met een groot glas water nog even op het balkon zitten mijmeren.

Ari Nikopoulos liep terug naar zijn appartement dat hij deelde met twee andere leden van de band.

Ook hij voelde zich verliefd en liet de praatjes en het geplaag van zijn collega's onverschillig over zich heen komen. Hij pakte een biertje uit de koelkast, zette een koptelefoon en strekte zich languit op zijn rug op bed uit.

Hij luisterde naar muziek en dacht aan Astrid. Hij hoopte dat ze morgen weer zou komen dansen.

Dat deed Astrid. Ook de Fransman was weer van de partij en als vanzelfsprekend dansten ze weer de hele avond samen nauwelijks een woord wisselend.

Verder dan 'I like to dance with you, ok?' kwam hij niet.

In de pauzes bracht hij Astrid beleefd terug naar haar tafel waarna hij zich weer snel uit de voeten maakte om zich bij zijn eigen vrienden te voegen.

'Waarschijnlijk de taalbarrière,' dacht Astrid die het helemaal niet erg vond, want Ari kwam toch steeds bij haar zitten.

De tweede en de derde avond verliepen het zelfde als de eerste.

Op de vierde dag nodigde Ari haar uit met hem een jeepsafari te maken op het schiereiland Akamas dat bekend stond om zijn prachtige natuur.

Hij haalde haar om half tien op. Hij had een koelbox bij zich met drankjes en Astrid had een lunchpakket meegekregen van het hotel.

Ari liet haar mooiste plekjes zien. Ze zwommen in een afgelegen baai en als vanzelfsprekend verkenden ze elkaars lichaam, afgeschermd door de rotsen.

Het voelde voor Astrid heel natuurlijk om met Ari te vrijen. Ze bedacht dat hij de eerste was waarmee ze na Hans weer intiem was. Ze genoot. Ari was een tedere minnaar die geduldig haar wensen aanvoelde. Er was niets dat niet klopte er was geen gêne zoals vaak wel bij een eerste keer seks, het was volmaakt.

Daarna doken ze nadat Ari de omgeving had afgespeurd op ongewenste toeschouwers naakt de zee in. Ze lieten zich opdrogen in de zon, aten en dronken wat en vrijden opnieuw. Daarna vielen ze in elkaars armen in slaap.

Na een half uur werden ze weer wakker helemaal plakkerig van het zweet van het tegen elkaar aan liggen. Ari kwam overeind en keek of ze nog alleen waren en daarna liepen ze had en hand de zee in. Weer opgedroogd trokken ze verder het schiereiland over.

Om een uur of vijf parkeerde Ari de Jeep bij een klein vissersplaatsje waar ze op een terras met blauwwitte stoelen en tafeltjes een glas wijn dronken.

Tegen zeven uur zette Ari Astrid weer af bij haar hotel.

'Leuke dag gehad?' informeerden Bart en Wilma toen ze een uur later aanschoof voor het diner.

'Ja geweldig,' zei Astrid en ze vertelde over de jeepsafari en de mooie plekjes op Akamas.

'Willen wij ook nog doen,' zei Bart, 'Wij hebben vandaag de hele dag aan het strand gelegen, morgen maken we een boottocht, ga ook mee!'

'Misschien doe ik dat wel,' zei Astrid. 'Hoe laat gaan jullie weg?'

'Pas om tien uur en volgens de folder zijn we om zeven uur 's avonds weer terug. Er zit een lunch aan boord bij. Kost vijfendertig euro.'

'Moet ik nu al beslissen of kan dat morgen ook nog?'

'Weet ik ook niet, vol is vol denk ik.'

'Nou dan kijk ik morgen wel. Als ik mee wil en hij zit vol doe ik gewoon wat anders.'

Nadat Astrid zich na het eten had opgefrist ging ze weer dansen bij de band van Ari.

Die avond gingen Wilma en Bart ook mee en ook zij amuseerden zich kostelijk.

De volgende morgen liep Astrid mee met Wilma en Bart naar het vertrekpunt van de boot in de haven. Er was nog plaats en het was een heerlijke dag waarop ze afwisselend snorkelden, zwommen, aten en op het dek in de zon lagen.

De rest van de vakantie waren Astrid en Ari waar mogelijk onafscheidelijk. Overdag trok Astrid haar eigen plan, want Ari had maar een keer in de week een vrije dag. De band verzorgde ook tijdens de lunch de achtergrondmuziek.

Maar iedere avond kwam Astrid er om te dansen en om laat op de avond door Ari te worden verleid en thuisgebracht.

Het vrijen speelde zich af in de buitenlucht, op het strand of op een ander beschut plekje. In Astrids hotel was er streng toezicht op wie je mee naar binnen nam en Ari deelde zijn appartement met de andere bandleden. Op een avond had hij aan zijn collega's gevraagd hem een paar uurtjes alleen te gunnen. Dat was geen succes want halverwege hun samenzijn hoorden ze iemand de televisie aanzetten in de woonkamer.

Astrids had zich nogal gegeneerd gevoeld bij de boze discussie in het Grieks die toen volgde.

Op de laatste avond gaf Ari haar nadat ze op het strand hadden gevrijd een cd van de band. Ze wisselden telefoonnummers uit en spraken af dat het zeker niet het einde van de relatie was. Op het eind van de zomer speelden ze in Londen en voor de winter was er een contract in Nederland.

Een beetje verdrietig om het afscheid pakte Astrid haar koffer. De volgende morgen zou de bus de mensen voor de terugvlucht naar Nederland om half negen ophalen.

Ari Nikopoulos liep ook een beetje aangeslagen terug naar zijn appartement. Hij zou Astrid missen. Aan de andere kant was het maar goed dat ze morgen weg ging want over een paar dagen zouden zijn vrouw Helena en zijn zoontje Niko een week naar Cyprus komen.

Astrid zou hij weer zien als hij in september naar Londen ging en als het contract in Nederland doorging volgend voorjaar kon hij misschien wel bij haar logeren. Dat bespaarde hem dan weer wat.

Hij voelde zich niet schuldig over zijn vreemd gaan naar zijn vrouw toe, noch over het feit dat hij Astrid niets over zijn huwelijkse staat had verteld. Hij deed niemand kwaad. Hij hield gewoon veel van vrouwen en vrouwen van hem.

Hoofdstuk 5

Op 6 mei stond Astrid op haar eerste werkdag na de vakantie te koken in de keuken. Ze had in de woonkamer de televisie aan staan. Ze liep naar de kast in de woonkamer toen opeens de opgewonden toon van een nieuwslezer haar aandacht trok. Er was iets met Pim Fortuyn gebeurd in Hilversum. Op de televisie zag ze hoe hij met zijn benen onder zich op zijn rug lag op een parkeerterrein. Er kwamen mensen bij die hem probeerden te reanimeren.

Geschokt bleef Astrid het nieuws volgen. Het werd al snel duidelijk dat hij de aanslag niet had overleefd.

'Nu zullen we nooit weten hoe hij het eraf gebracht zou hebben in de politiek,' dacht Astrid want hoewel ze zeker niet van plan was geweest om op hem te stemmen vond ze de frisse wind die hij deed waaien door politiek Den Haag positief en ze had nog nooit eerder met zoveel interesse als de laatste tijd de politieke ontwikkelingen gevolgd.

Wat later werd bekend dat de dader van de aanslag was gearresteerd.

Ze bleef die avond het nieuws volgen tot ze een telefoontje kreeg van Ari.

Een flits van verlangen ging door haar heen toen ze zijn nummer in het beeldscherm zag.

'Hello darling, I miss you so much,' zei Ari.

'Me too,' zei Astrid.

Astrid was zo vol van het nieuws dat ze dat met Ari probeerde te delen, maar die wist niet waar ze het over had. Pim Fortuyn kende hij niet dus Astrid gaf het op. Ze sneed toen maar een ander onderwerp aan.

Op de achtergrond hoorde ze een vrouwenstem 'Ari..' roepen.

Ari maakte een snel eind aan het gesprek omdat hij weer moest spelen.

Met een glimlach op haar gezicht bleef Astrid met de telefoon in haar hand zitten mijmeren. De herhalingen van wat ze al wist liet ze zonder het te horen over zich heen komen.

Ze keek uit naar een volgende ontmoeting in Londen begin september.

Een maand later meldde Thomas zich weer in Den Haag.

Toen Astrid thuis kwam uit haar werk zag ze dat de ramen bij Thomas openstonden en voordat ze bij zich zelf naar binnen ging belde ze bij Thomas aan.

'He hallo,' Ze kuste hem. 'Heb je een goede reis gehad?'

'Ja, wat fijn dat ik je weer zie.'

Thomas keek Astrid aan. Ze zag er geweldig uit, was nog steeds mooi bruin van Cyprus en het mooie weer van de laatste tijd en ze straalde.

Thomas omhelsde haar en bedacht hoeveel hij van haar hield. Hij dacht erg veel aan haar. De eerste tijd nadat Hans was overleden had hij haar bewust met rust gelaten, maar nu wilde hij proberen haar te veroveren. Bovendien was hij van plan vanaf volgende zomer weer definitief in Den Haag te gaan wonen. Bennie zou dan in Nederland zijn middelbare opleiding kunnen beginnen.

De reden dat hij zo lang in Boston was gebleven waren buiten zijn werk, voornamelijk de grootouders van Bennie geweest. Deze waren echter het afgelopen jaar kort na elkaar gestorven.

Hij kon haast niet wachten zijn plannen met Astrid te bespreken.

'Kom je bij mij eten? We kunnen wel in de tuin zitten.'

'Ja goed, wat ga je maken?'

'Ik heb asperges gehaald toen ik wist dat jij kwam, ik weet dat je er van houdt.'

'Daar heb ik echt zin in.'

'Ga je meteen mee naar beneden? Of moet je eerst nog wat doen?'

'Nee ik ga meteen mee. Ik heb een fles witte wijn koud staan die zal ik ook meenemen.'

Astrid haalde de kussens van de tuinstoelen uit de schuur en schonk voor ieder een glas wijn in.

'Oh heerlijk dat koesterende avondzonnetje,' riep Astrid

genietend terwijl ze nipte van haar wijn.

'Wil je er wat olijven bij?' Astrid stond op om een schaaltje olijven met geitenkaas te halen.

'Sinds ik op Cyprus geweest ben haal ik steeds geitenkaas. Ik vind het heerlijk vooral in combinatie met olijven.'

'Hoe was Cyprus?'

Astrid zuchtte verrukt. 'In een woord geweldig, ik heb een heerlijke vakantie gehad. Ik zal je er straks alles over vertellen, maar nu ga ik even naar de keuken, want ik heb trek.'

Astrid deed de asperges in de aspergepan, kookte de krieltjes, sneed de ham klein op een bord en prakte de hardgekookte eieren op een ander bord.

Ze maakte een botersaus en toen de aardappeltjes en de asperges klaar waren maakte ze twee borden warm waar ze voor ieder de maaltijd op serveerde.

Ze strooide er nog wat verse peterselie over en bracht de borden naar buiten.

'Dat ziet er verrukkelijk uit,' zei Thomas.

Ze aten zwijgend genietend.

Toen ze hun bord leeg hadden schonk Thomas de wijnglazen nog een keer vol.

'Dat was heerlijk, maar vertel, hoe was Cyprus?'

Astrid vertelde enthousiast over het eiland, de tochtjes die ze had gemaakt en over Ari.

In het vuur van haar betoog had ze niet in de gaten dat de geanimeerde uitdrukking op Thomas gezicht verstarde. Astrid keek hem aan.

'Is er iets?'

'Nee, je bent een volwassen vrouw, dus je zult wel weten wat je doet.'

'Proef ik hier toch afkeuring?'

'Ach, afkeuring is te veel gezegd en je weet dat ik buiten mezelf, niemand goed genoeg voor je vindt, maar ja, al lig ik aan je voeten, oprapen doe je me niet,' probeerde Thomas de stemming te redden door er quasi luchtig over te doen.

Dat werkte, want Astrid vertelde verder over de plannen die ze had hem begin september in Londen op te zoeken en over de plannen van Ari het winterseizoen in Nederland te spelen.

Die plannen waren volgens Ari zo goed als rond.

Ze ruimden samen af en dronken koffie in de tuin en kletsten bij over Bennie, Astrids ouders en haar vriendinnen.

Hij vertelde Astrid dat hij in de zomer van het volgende jaar met Bennie in Nederland wilde komen wonen.

'Wil je dan ook over mijn huis kunnen beschikken?' vroeg Astrid.

'Nee, ben je gek, mijn huis is groot genoeg voor ons tweeën.'

'Je moet het echt zeggen hoor, anders heb ik het gevoel dat ik van je profiteer.'

'Dat beloof ik.'

Thomas had er danig de pest in. In zijn eigen huis liep hij met gefronste wenkbrauwen heen en weer. Hij pakte de koffer uit en hing zijn kleding in de kasten.

'Hoe krijgt ze het voor elkaar,' mompelde hij in zich zelf.

Je kon op je vingers natellen dat ze ook van deze relatie niet gelukkig zou worden, maar luisteren naar adviezen deed ze toch niet. Ze zou wel weer met schade en schande wijs worden en hij hoopte dan maar dat hij in de buurt zou zijn zodat ze op zijn schouder zou kunnen uithuilen.

Toen hij klaar was met uitpakken maakte hij een fles wijn open en schonk zichzelf een glas in, keek op zijn horloge en berekende hoe laat het in Boston was. Hij bedacht dat hij Bennie nu wel thuis zou treffen.

Nadat hij uitgebreid met zijn zoon had gesproken ging hij naar bed en hij lag ondanks de jetlag nog lang na te denken over Astrid. Hij was met zo'n positief gevoel vertrokken uit Amerika. Hij had echt gedacht dat hij en Astrid nu eindelijk na meer dan twintig jaar een relatie zouden kunnen ontwikkelen. Hij kon zich toch niet vergissen in de elektrische spanning die steeds tussen hen hing. Hij had zich de hele dag verheugd op het weerzien.

Dat ze nu weer net in de ban was van een nieuwe lover, gaf wel een enorme domper op het verblijf in Nederland.

De zomer was al een flink eind gevorderd toen Astrid Lisa trof voor een tafel voor twee in Den Haag.

Lisa haalde haar beladen met tassen af van kantoor.

'Hallo, heb je de stad leeggekocht?' vroeg Astrid terwijl ze haar omhelsde.

'Ja, uitverkoop en ik was afgevallen dus moest ik wat nieuws.'

Lisa liet haar auto in de parkeergarage staan en reed met Astrid mee naar de Hooikade waar ze in de buurt iets hadden gereserveerd.

Zodra ze zaten, stak Lisa een sigaret op en vroeg hoe het met Ari was gesteld.

'Nog drie weken, dan ga ik een weekend naar Londen en dan zie ik hem weer, ik verheug me er zo ontzettend op. We bellen wel iedere dag en ik draai zijn cd grijs. Ik heb hem in de auto, als we weg gaan zal ik hem laten horen. En aan het eind van het jaar komt de band voor drie maanden naar Nederland. Ze hebben een contract hier bij een groot restaurant waar ze altijd live muziek hebben.'

'Je gaat hem toch niet meteen bij je in huis nemen?' vroeg Lisa.

'Nee joh, de manager regelt ook het onderdak. Maar dan slaapt hij meestal wel met twee andere bandleden op een kamer, dus hij zal wel veel bij mij zijn.'

'Kijk een beetje uit en doe rustig aan.'

De drankjes kwamen en Lisa proostte op haar nieuwe leven als vrijgezel.

Astrid keek haar niet begrijpend aan.

'Jij vrijgezel?'

'Ja, ik ga scheiden van Wouter.'

Lisa vertelde haar hoe het allemaal was gelopen en ook dat Anna het er zo moeilijk mee had.

'Stuur haar maar een weekendje naar mij toe, dan praat ik wel met haar,' zei Astrid die een heel goede band met Anna had door de vriendschap tussen Anna en Louise.

'Bedankt, ja, zal ik doen,' zei Lisa terwijl ze een nieuwe sigaret op stak.

'Je zult het wel nodig hebben voor de stress en zo maar het is zo slecht voor je,' reageerde Astrid.

'Je hebt gelijk, maar nu kan ik echt niet stoppen. Ik heb zoveel aan mijn hoofd. Ik bof wel hè, dat ik in het huis van mijn broer kan.'

Ze sprongen van de hak op de tak en voordat ze het wisten was het al een uur of elf. Astrid zette Lisa af bij de parkeergarage waar ze snel afscheid namen.

Het weekend Londen, waar Astrid zich zo op had verheugd, viel tegen.

Het regende het hele weekend. Vrijdagavond kwam Astrid om een uur of tien in haar hotel aan. Ze had een tweepersoonskamer geboekt in de buurt van het optreden van de band van Ari.

Nadat ze haar spullen had uitgepakt en zich een beetje had opgefrist liet Astrid zich aan de balie uitleggen hoe ze er moest komen.

Het bleek vlak bij te zijn en met een plattegrond in haar tas ging ze op weg.

Ze voelde zich opgewonden bij het vooruitzicht hem weer te zien en ze verheugde zich nu al op de seks die ze vanavond zeker met hem zou genieten.

Ze gaf haar jas af bij de garderobe en liep de zaal in waar ze band al hoorde spelen. Ze liep achter een ober aan naar een leeg tafeltje aan de zijkant van het podium. Ari stond bevlogen te zingen en haar knieën werden zwak van verlangen. Hij zag haar niet binnenkomen en Astrid zag dat hij zijn ogen tijdens het lied gericht hield op een knappe blondine die veelbetekenend terugflirtte.

Na nog drie nummers was het pauze en toen Astrid zag dat hij naar de blondine koerste stond ze op en onderschepte hem voordat hij bij haar was.

Ari verplaatste meteen zijn aandacht naar Astrid en met een grote glimlach omhelsde hij haar, liep met haar mee naar haar tafeltje en vertelde hoe vreselijk hij haar had gemist en hoe blij hij was haar weer te zien.

'I didn't interrupt something beautiful between you and that lady over there?' vroeg Astrid want het zat haar toch niet lekker.

'No darling, of course not. Just a groupie and I have to satisfy my public.'

Astrid was al heel snel weer volledig in de ban van Ari. Ze kon haast niet wachten tot zijn werk erop zat en ze naar haar hotel konden gaan. Ze moesten nog tot middernacht vertelde Ari.

Astrid bestelde nog maar een glas wijn. Het viel haar op dat Ari dat niet voor haar deed.

Na het optreden ging Ari met haar mee en ze vrijden de sterren van de hemel.

Astrid had gedacht dat hij wel bij haar zou blijven slapen maar om duistere redenen zei Ari weer terug naar zijn hotel te moeten omdat ze de volgende ochtend vroeg een bespreking zouden hebben over het opnemen van een cd in Londen.

De volgende dag had Ari mede daarom geen tijd voor haar dus spraken ze af elkaar 's avonds te zien bij het optreden te zien.

Een gevoel van teleurstelling verdrong de ontspannen rozigheid van de genoten seks. Eigenlijk baalde ze een beetje en voelde ze zich, hoewel lekker, gebruikt.

De volgende dag ging ze in haar eentje op pad. Ze deed een rondrit in een dubbeldekker langs alle belangrijke toeristische trekpleisters van Londen.

Ze at in haar eentje bij en van de vele Indiase restaurants en om een uur of tien zat ze wederom in haar eentje aan een tafeltje naast het podium. Ze vond het saai. Er werd nauwelijks gedanst en ze zat daar maar te wachten tot Ari weer tijd had om wat aandacht aan haar te besteden.

Bij de pauze om elf uur was ze het beu.

'Why don't you come to me in my hotel when you are finished here? I don't like to stay here any longer ok?'

Ari zei dat hij na afloop zou komen en kuste haar teder op de mond.

In het hotel keek Astrid, gewassen en geparfumeerd voor haar minnaar tot twee uur televisie en ging toen uiteindelijk maar gefrustreerd slapen.

Om drie uur belde hij op haar mobiel dat hij eraan kwam.

Ondanks zichzelf was ze daar toch weer blij om en ze liet

hem even later verliefd binnen alsof ze niet de laatste uren boos en verdrietig gekwetst en verbolgen had doorgebracht.

Hij nam eerst een douche en daarna gaf hij haar alle aandacht waar ze zich zo op had verheugd. Hij trok haar nachthemd uit en spreidde haar benen. Hij liefkoosde met zijn mond ieder plekje van haar lichaam terwijl zijn handen zich weer op andere plekjes bewogen op een manier die Astrid al snel deed kreunen.

Astrid gaf zich volledig over aan zijn aanrakingen en kwam al heel snel klaar. Toen hij dat merkte kwam hij in haar en bracht haar nogmaals samen met hem tot een hoogtepunt.

Die nacht bleef hij wel slapen en ze namen de volgende morgen na het ontbijt afscheid. Ari had weer van alles te doen en Astrid moest om vijf uur in de middag weer terug naar het vliegveld.

Astrid deed die zondag niet veel meer, er was te weinig tijd om naar een matinee te gaan dus ze wandelde wat, nam de underground naar de Tower Bridge, lunchte daar in de buurt en daarna haalde ze haar koffer uit het hotel en nam een taxi naar het vliegveld.

In het vliegtuig bedacht ze dat Ari nog geen glaasje wijn voor haar had gekocht. Zelfs het ontbijt in het hotel voor hem stond op haar rekening.

'Dat vind ik niet netjes,' dacht Astrid. 'Wel twee keer heerlijk gevrijd.'

Maar het voelde niet helemaal jofel, bekende ze zich zelf.

Hoofdstuk 6

Astrid liep zenuwachtig heen en weer. Het was begin januari en ze kwam net bij de kapper vandaan. Ze had zich een nieuw kapsel laten aanmeten waar ze erg tevreden over was. Keer op keer keek ze in de spiegel.

'Het zit leuk,' constateerde ze. Er was een flink stuk af maar ze kon het nog steeds opsteken. Een uur geleden was Ari met zijn band geland op Schiphol. Ze had hem af willen halen, maar dat vond Ari geen goed idee. Zodra ze zich zouden hebben geïnstalleerd zou hij haar bellen.

Ze zuchtte. Haar verliefdheid op Ari had niet ernstig geleden onder het tegenvallende weekend in Londen.

Ze belden elkaar dagelijks en Astrid verheugde zich heel erg op zijn komst. De week ervoor was Louise na een bezoek van bijna drie weken na de feestdagen teruggegaan naar Boston. Het huis leek toen weer erg leeg na al die drukte. Anna had tot na oud en nieuw bij Louise gelogeerd en met de kerstdagen was Astrid bij haar moeder en Willem in Vianen geweest. Het ging gelukkig weer goed met Willem en ook met haar moeder, al begonnen de jaren nu wel te tellen.

Eindelijk ging haar telefoon.

'Hello darling, it's me, can you pick me up?' zei Ari.

Astrids hart maakte een sprongetje bij het horen van zijn stem. Even was er wat verwarring over het adres waar hij zich bevond. De band was geïnstalleerd bij een Stayokay hotel aan de Scheepmakersstraat en dat adres was te moeilijk voor een Grieks Cyprioot die Engels probeerde te spreken en er moest aan de andere kant van de lijn Nederlandse hulp komen voordat het Astrid duidelijk was.

Astrid stapte in haar auto om hem te gaan halen.

Ari stond al op de stoep op haar te wachten met een enorme tas en zijn gitaar.

'Do we have to take your luggage as well?' vroeg Astrid nadat ze elkaar uitgebreid hadden begroet, want ze had gedacht dat hij daar zou logeren.

'I rather stay with you. It is a very small room and I don't like to be with two other men in one room.'

'I understand, when you behave yourself you are very welcome,' grapte Astrid blij.

De eerste dagen genoot Astrid van Ari's aanwezigheid. Overdag liet zij hem alle leuke plekjes van Nederland zien en 's avonds ging ze de eerste twee avonden ook mee om te kijken naar het optreden.

Maar op 6 januari zaten haar vrije dagen er weer op en moest ze aan het werk.

Toen ze om half negen 's morgens de deur uit ging lag Ari nog te slapen en toen ze om half zes weer thuis kwam lag hij op de bank naar de televisie te kijken omringd door glazen, kopjes en borden van zijn consumpties van die dag.

'Hello darling did you have a nice day, come here let me kiss you,' zei Ari enthousiast.

Ze kuste hem terug, 'You made yourselve comfortable.'

Astrid begon met haar jas nog aan het vuile servies op te stapelen om het naar de keuken te brengen. Ook in de keuken trof ze een slagveld aan van open verpakkingen en niet weggeruimde vleeswaren. Ari liep achter haar aan de keuken in.

'There is no beer anymore,' zei hij op een toon waaruit ze opmaakte dat ze daar maar eens als de donder voor moest zorgen.

'When there is no beer than I show you where the shop is where you can buy as much beer as you need,' zei Astrid bits, want het gedrag van Ari ging haar te ver.

'Ok, ok I'll do that tomorrow,' zei Ari die zijn eigen glazen niet wilde ingooien.

Astrid hing haar jas op en begon zwijgend de afwasmachine in te ruimen. Daarna nam ze een kopje thee en liep weer naar de kamer met Ari als een hondje achter zich aan.

'You are angry?' vroeg hij.

'Listen, if you want to stay here than you have to tidy up your own mess. I am not your servant and if you don't like that, than you can better go to the Scheepmakersstraat and stay there.'

241

'You are very angry! I am so sorry and I will tidy up my own mess, come here.' Hij trok Astrid in zijn armen en kuste haar.

Astrids boosheid brak en ze kuste hem vol overgave terug. Ari duwde haar al kussend richting slaapkamer waar hij haar zachtjes op het onopgemaakte bed duwde. 'It is always good to have sex after a quarrel,' mompelde Ari.

Daarna lag Ari op zijn rug toe te kijken hoe Astrid zich afdroogde toen ze uit de douche kwam.

'You are very beautiful darling,' zei hij. 'What's for dinner?'

Die vraag leverde hem een klap met de natte handdoek op.

Zoals de eerste keer trof Astrid haar huis niet meer aan. Ari ruimde steeds netjes alles in de vaatwasser wat hij gebruikte. Koken vond hij als een echte Griek een vrouwentaak waar hij zich niet in wilde verdiepen. Meebetalen aan de huishouding deed hij niet. Astrid vond het een beetje gênant om er om te vragen maar in haar hart vond ze hem wel een profiteur.

Hij had een keer het eten betaald toen ze bij Simonis in Scheveningen vis gingen eten.

Haar vriendinnen vonden het dom van haar dat ze hem bij zich had laten intrekken.

Ze wilden hem alle drie graag ontmoeten en dat ging ook heel snel gebeuren. Op 27 februari zouden ze allemaal op haar verjaardag komen.

Ook haar moeder, Willem en nog wat andere kennissen zouden er zijn. Zelfs Louise zou een week overkomen. Ze verheugde zich er nu al op.

Ze was al een paar dagen tevoren druk bezig met de inkopen voor haar drieënveertigste verjaardag.

Op woensdag voor haar verjaardag haalde ze samen met Anna, die voorjaarsvakantie had, Louise op van Schiphol.

Astrid had een week vrij genomen zodat ze ook weer even van haar dochter kon genieten.

Op de avond van haar verjaardag had Ari beloofd dat hij na het diner weg zou mogen, hij had een vervanger geregeld voor de rest van de avond.

Astrid was druk in de weer met salades en hapjes toen Ari om een uur of vier de deur uit ging.

Een beetje vroeg, normaal ging hij pas om een uur of half zes weg.

'Misschien moet hij nog een cadeautje voor me kopen,' dacht Astrid die het al vreemd vond dat ze nog helemaal niets van hem had gekregen.

Vanaf half acht liep het bezoek binnen. Louise en Anna hielpen met de koffie en het gebak en zouden samen later op de avond nog uitgaan in Den Haag.

Iedereen vroeg naar Ari, maar het werd steeds later zonder dat hij verscheen.

Om half twaalf gingen haar moeder en Willem weg. 'Als het aan blijft dan zien we hem wel een andere keer. Komen jullie anders samen een keer een weekend naar Vianen, altijd welkom.'

Astrid werd naar mate het later werd steeds zenuwachtiger.

'Kun je hem niet bellen?' vroeg Bea.

'Hij heeft mijn mobiel bij zich maar die staat af.'

'Weet je waar hij speelt, dan bellen we daarheen.'

'Moet ik even het kaartje pakken. Dat zit in een andere tas.'

Astrid verdween naar de slaapkamer en kwam even later met een doodsbleek gezicht weer terug.

'Hij is weg, al zijn spullen zijn weg.'

De vriendinnen namen de touwtjes in handen. 'Kijk eens even of hij misschien dingen van jou heeft meegenomen,' zei Caro.

Astrid ging op onderzoek uit en kwam er al snel achter dat hij behalve zijn eigen spullen ook haar portemonnee met haar creditcard en alle pasjes mee had genomen.

Bea belde meteen naar het nummer om de creditcard en haar bankpas te laten blokkeren.

Astrids verdriet sloeg om in woede.

'Wat denkt hij wel, dat hij hier zomaar kan klaplopen en me dan zoiets kan flikken!'

Navraag bij het Stayokay hotel aan de Scheepmakersstraat leerde dat Ari na een ruzie om geld met de manager was vertrokken.

Ze belde het nummer van de politie en kreeg te horen dat ze morgen aangifte kon komen doen en dat ze een foto van hem moest meenemen.

Als een leeggeprikte ballon zakte Astrid weer op een stoel.

Na veel gepraat gingen Caro en Bea naar huis. Lisa bleef bij Astrid om de volgende dag samen met haar naar de politie te gaan.

De situatie was Ari Nikopoulos een beetje boven het hoofd gegroeid. Zijn vrouw Helena die in de buurt van haar ouders in een dorpje aan de Griekse kust woonde belde hem iedere dag. Ze werkte hard in de bakkerij van haar ouders en Niko, hun zoontje, groeide voorspoedig op maar Helena was zwanger van nummer twee en 1 maart uitgerekend. Ze eiste zijn thuiskomst en dreigde dat, wanneer hij niet zou komen, haar twee boers naar Nederland zouden komen om hem te halen. Bovendien kon ze nauwelijks leven van het geld dat hij haar op onregelmatige momenten stuurde.

Ari kreeg ruzie met de manager over zijn salaris.

Helena belde dat de weeën waren begonnen.

Ari raakte in paniek, pakte zijn tas in en net toen hij de pinpas uit Astrids portemonnee wilde pakken riep ze hem. Van schrik gooide hij de hele portemonnee toen maar in de tas, zette die stiekem bij de deur en liep naar de keuken om afscheid te nemen van Astrid. Met de belofte dat hij om een uur of acht weer thuis zou zijn nam hij de benen.

Hij pinde negenhonderd euro en betaalde zijn reis naar Griekenland ook met de pinpas van Astrid. Daarna gooide hij de portemonnee in een papieren zak weg in een afvalbak op Schiphol.

'Oh mam, wat ben je toch een sukkeltje,' zei Louise toen ze de volgende morgen het verhaal over Ari hoorde.

'We moeten nu zeker weer andere sloten op de deur laten zetten want hij had de sleutel.'

'Oh daar had ik nog niet aan gedacht, je hebt gelijk.'

'Soms voel ik me net die serieuze dochter uit die Engelse serie Absolutely Fabulous bij jou mam. Er is altijd wat met die relaties van jou, zoek nou eens een gewone vent uit.'

Louise zei het plagend maar het had wel een serieuze ondertoon.

'Nou dat valt best mee,' weersprak Astrid.

'Nou twee relaties waar de politie aan te pas moet komen? Is toch een aardige score of niet soms?'

'Ja ja, hou maar op. Je hebt gelijk,' zei Astrid kleintjes. Ze voelde zich verschrikkelijk belazerd en ze kon nog steeds niet geloven dat Ari haar zo beetgenomen had.

Ze zuchtte. 'Ik moet me richten op dingen die wel leuk zijn bezwoer ze zichzelf, ik ben nu drieënveertig, ik heb fijne vriendinnen, een fantastische dochter en binnenkort hebben we weer een waddenweekend, wat wil ik nog meer? Tja een man in mijn leven maar daar is tegenwoordig een keur aan dating sites voor. Misschien moet ik dat maar eens gaan doen.'

Lisa ging met haar mee naar het politiebureau. Nadat Astrid aangifte had gedaan van diefstal en oplichting ging Lisa die nog werk te doen had, er weer vandoor.

Anna bleef een paar dagen bij Louise logeren en Astrid besloot naar Vianen te gaan om bij haar moeder haar wonden te likken.

Eind april liep het waddenweekend anders dan gepland. Bea ging niet mee omdat ze een argument had met Lisa en haar plaats werd ingenomen door Lisa's zus Elly. Die had op haar beurt weer ruzie met haar echtgenoot over een door haar genomen baan dus het weekend stond, hoewel het ook best gezellig was, in het thema van de ontstane ruzies.

Elly was nogal overheersend aanwezig en dat zinde Lisa niet zo. Ze waren alle drie blij toen Henk, die zijn vrouw was nagereisd, het goed kwam maken met Elly. Zij tortelden samen voort en de vriendinnen waren weer onder elkaar al werd Bea erg gemist.

Bea en Lisa waren er op een of andere manier in geslaagd om ruzie te krijgen om een man. Bea was voor het eerst in jaren verliefd geworden op Oscar, een jeugdvriend van Lisa.

Lisa was na haar scheiding van Wouter in een appartement gaan wonen bij het huis van Oscar. Op een of andere manier was er ook iets ontstaan tussen Lisa en hem. Het stelde niets voor, maar Bea kwam er achter en was des duivels. Ze wilde sindsdien niet meer met Lisa praten.

Lisa legde tijdens het eten uit hoe een en ander had kunnen gebeuren.

'Ze wil me nu al drie maanden niet meer zien, wat ik ook probeer,' zei Lisa triest.

'Ik zal binnenkort wel een afspraak met haar maken voor een tafel voor twee, misschien lukt het mij wel haar jouw kant van het verhaal te laten zien,' zei Astrid.

'Ik hoop dat je haar kunt overtuigen As, het zit me heel erg dwars en ik heb echt alles geprobeerd.'

'Dat het allemaal maar weer goed moge komen,' wensten ze terwijl ze met elkaar klonken.

'De volgende keer weer gewoon met z'n vieren,' zei Caro.

'Hoe is het met Anna, Lies, gaat ze slagen voor haar examen?'

'Ze gaat zeker slagen en ze verheugt zich er erg op om net als Louise naar Amerika te gaan.'

'Ja, die twee hebben het goed voor elkaar Anna gaat net als Louise kunstgeschiedenis studeren. Louise heeft alle formulieren al naar haar opgestuurd. Ze heeft een au pair adres voor haar gevonden. Nee, Anna komt in een gespreid bedje.'

'Ja is fijn. Toen Louise ging, heeft Thomas al die zaken voor haar geregeld en ze kan altijd bij hem terecht als er iets is.'

'Die meiden boffen maar,' zuchtte Astrid. 'Ik wou dat ik weer achttien was en naar Amerika kon gaan.'

'Echt?' vroeg Caro. 'Ik zou toch geen achttien meer willen zijn. Ik ben best tevreden nu met Aad en mijn twee jongens. Ik moet er niet aan denken alles met Gian Carlo nog eens mee te moeten maken. Nee, ik ben heel gelukkig met deze leeftijd.'

'Misschien heb je wel gelijk. Achttien zijn is met de wijsheid van nu misschien ook niet ideaal,' gaf Astrid toe.

'Toch heb ik het gevoel dat het leven me door de vingers glipt zonder dat ik ergens vastigheid vind, dat beangstigt me een beetje. Het is nooit mijn bedoeling geweest in mijn eentje oud te worden. Jij hebt Aad al vrij snel na je scheiding gevonden. Lisa is zowat vijfentwintig jaar getrouwd geweest maar ik, ik was al heel snel gescheiden en heb daarna alleen maar pech in de liefde. Nu probeer ik het weer via het internet maar dat kost tot nu toe alleen geld en heeft me nog geen leuke vent opgeleverd.'

'En Bea dan?' weersprak Lisa. 'Die is echt altijd alleen gebleven nadat Dick zich doodreed toen ze nog maar een paar jaar getrouwd waren.'

'Ja, dubbel lullig dat nu ze eindelijk eens echt verliefd is, haar beste vriendin met hem het bed induikt,' plaagde Astrid Lisa.

'Wrijf het er nog maar eens in! Alsof ik het niet erg genoeg vind.'

'Stil maar, ik beloof je dat ik snel een afspraak met haar maak en dat alles dan weer goed komt.'

Caro maakte nog een fles wijn open en schonk iedereen in.

'Ik denk dat je het vinden van een man niet zo moet najagen Astrid. Wacht maar af, vandaag of morgen kom je iemand tegen.'

'Ze komen heus niet aanbellen hoor, als je iemand wil ontmoeten dat zul je er echt zelf wat voor moeten doen.'

'Nou, ik ben Aad gewoon tegen gekomen op een congres zonder dat ik er echt naar op zoek was.'

'Ja meid, jij hebt gewoon gemazzeld, maar ik kom ze niet gewoon in het wild tegen, dus leve het internet!'

Astrid rekte zich uit en nam de laatste slok uit haar glas. 'Ik ga naar bed meisjes, want we moeten bijtijds op morgen.'

Hoofdstuk 7

Uiteraard kwam het weer goed tussen Lisa en Bea. Astrid was een paar dagen naar Antwerpen geweest, waar Bea werkte. Ze hadden samen een fijn weekend waarin Astrid nogmaals een goed woordje deed voor Lisa.

'Ze heeft het me allemaal verteld en meid, ik vind, dat kan gebeuren. Lisa was ook na zoveel jaar met Wouter, weer alleen en stond open voor een nieuwe relatie en ze vond Oscar leuk en voelde zich gevlijd door de aandacht die hij haar schonk. Maar ik denk dat ze echt verliefd is op die Ton, daar raakt ze maar niet over uitgesproken.'

'Misschien heb je wel gelijk. Nu de scherpe kantjes er een beetje af zijn wil ik ook dat het weer goed komt tussen ons. We zijn al vriendinnen vanaf de lagere school. Het zou wel heel erg zijn als dit incident het einde zou betekenen. Zeg maar dat ze me mag bellen voor een afspraak, ok?'

Astris gaf haar een kus. 'Wat zal Lisa hier blij mee zijn!'

'Nou nou, niet zo voortvarend. Ze mag me bellen voor een afspraak, ik heb niet gezegd dat alles weer vergeven en vergeten is. Zo makkelijk komt ze er niet van af.'

'Oh, ze moet nog door het stof?'

'Wat dacht je? Ik heb er veel verdriet van gehad dus dat zal ze weten ook.'

'Nou ja, Lies is sowieso blij dat je in ieder geval met haar weer wilt praten. Ze zat er ontzettend mee.'

'Gaat helemaal in orde komen. Maar nu wij samen, wat gaan we doen? Zullen we vanavond naar een voorstelling gaan?'

Ze gingen eerst de stad in en 's avonds naar een toneelvoorstelling. De volgende dag reed Astrid weer terug naar Den Haag waar ze thuisgekomen meteen Lisa belde om Bea's boodschap door te geven.

Een paar maanden later bij het feest in augustus ter ere van Lisa's verjaardag bleek ook Oscar zich weer met Bea verzoend te hebben. Astrid bekeek het verliefde stralende stel dat alleen oog voor elkaar leek te hebben.

'Waarom overkomt het mij nu nooit,' dacht ze terwijl ze toekeek hoe haar date van deze avond zich misdroeg. Hij kon met zijn tengels niet van Louise afblijven. Astrid liep op hem af en gaf hem in niet te misvatten woorden aan dat ze liever had hij vertrok. Hij droop af en Astrid keek toe hoe Lisa te veel dronk en een beetje te lollig werd. Ze zag dat Bea bij haar ging zitten en dat Oscar haar een glas Spa bracht.

Ton, de man waar Lisa volgens Bea verliefd op was, danste met een slanke, knappe blondine.

'Zou dat de reden zijn van haar drankgedrag?' vroeg Astrid zich af.

Toen de danspartner van Ton weer ging zitten nam Astrid haar kans waar een dansje met Ton te doen.

'Leuk feest hè, en wat boffen we met het weer.'

'Waar ken je Lisa van?' vroeg Ton.

'Ik ben al tweeëntwintig jaar met haar bevriend. We werkten toen bij het zelfde bedrijf. En jij?'

'Ik was de huisarts van haar grootmoeder, in het verpleegtehuis hebben we elkaar ontmoet en haar ouders en het gezin van haar zus komen ook naar mijn praktijk, vandaar.'

Astrid vond het een leuke man en had hem verder nog een beetje willen uithoren maar dat ging niet door want toen de muziek stopte kwam Louise naar haar toe met de mededeling dat ze naar huis wilde en omdat ze zelf haar date had weggestuurd moest ze wel mee. Ze namen samen afscheid van iedereen en gingen naar huis.

Twee dagen later zouden Louise en Anna naar Boston vliegen. Louise al voor het tweede jaar en Anna voor het eerst.

In de herfst kreeg de vader van Lisa onverwacht een hartaanval. Astrid was het weekend dat het gebeurde bij Lisa. Ze gingen samen naar een reünie in Schiedam en midden in de nacht werd er aangebeld en stond Ton voor de deur.

Hij bracht Lisa naar het ziekenhuis en bracht haar om een uur of half vijf weer thuis. De toestand van haar vader was toen stabiel.

Astrid bleef de rest van het weekend bij Lisa om haar te steunen.

Enkele weken later bleek na een aantal onderzoeken dat een operatie noodzakelijk was.

Bij de operatie traden complicaties op en die werden hem fataal.

Anna wilde natuurlijk de uitvaart van haar grootvader bijwonen en kreeg van haar werkgever een paar weken vrij. Ze zou samen met Louise die voor de feestdagen naar Den Haag kwam pas op 4 januari weer terug te vliegen.

Lisa maakte een moeilijke tijd door. De laatste twee jaar waren voor haar een aaneenschakeling van nare gebeurtenissen. Een scheiding, met alles wat daarbij kwam kijken, het overlijden van haar oma en vervolgens haar vader hadden haar genekt.

Ze zat overspannen thuis en Anna probeerde haar er, nu ze thuis was, uit te trekken wat haar de ene dag beter lukte dan de andere.

Lisa had eerste kerstdag bij haar moeder doorgebracht met haar zus Elly haar zwager Henk en hun kinderen. Tweede kerstdag reden Lisa en Anna naar Astrid voor het volgende eetfestijn.

Louise en Anna trokken zich meteen terug in Louises kamer om daar geheime informatie uit te wisselen.

'Koffie?' vroeg Astrid.

Astrid liep naar de keuken en kwam met twee koppen koffie terug.

'Louise, jij zorgt wel voor jezelf en Anna!' riep Astrid.

'Ik zat net op een datingsite te chatten,' zei Astrid terwijl ze de koffie neerzette.

'Je zat wat?' vroeg Lisa die niet goed thuis was in dat jargon.

'Op een site, waar je met iemand kunt praten en daarna eventueel een afspraak kunt maken.'

'Meen je dat echt?'

Lisa keek toe hoe de conversatie in computertaal tot stand kwam. Ze had zo nu en dan uitleg nodig om al die afkortingen te begrijpen.

De man heette Willem, was zesenveertig jaar en zag er volgens de foto goed uit. Hij wilde wel een afspraak maken met Astrid.

'Als je niet alleen durft kunnen we ook samen met je vriendin afspreken,' tikte Willem.

'Ik kan komen met mijn tweelingbroer, eeneiig, dus uiterlijk bekend.'

'FF overleg, kom er vanavond op terug. Tot straks,' was Astrids antwoord.

Astrid keek Lisa vragend aan.

'Ik ben misschien in jouw ogen een trut, maar dit is echt niks voor mij,' zei Lisa.

'Ach meid, het is toch lachen, een heleboel mensen vinden tegenwoordig zo een partner. Daar is echt niks mis mee.'

Louise en Anna kwamen binnen.

'Gaan we nog een strandwandeling maken? Dan moeten we wel nu gaan anders wordt het te laat.'

Ze trokken hun laarzen en jassen aan en ze liepen door de duinen naar het strand.

Al wandelend vertelde Lisa hoe het met haar ging en dat ze had opgevangen dat Ton weer naar Nigeria zou vertrekken om daar werk voor Artsen zonder Grenzen te gaan doen.

'Ik heb hem nota-bene nog een brief gestuurd waarin ik hem vertelde dat ik van hem houd en ik heb daar niets meer op gehoord.'

'Reden temeer om die internet afspraak te maken.'

'Zo wanhopig ben ik anders niet. Ik ben heel tevreden met mezelf en mijn mooie nieuwe huis.'

'Doe het dan gewoon voor de gein meid. Wat maakt het uit?' zei Astrid.

'Waar wonen die gasten?'

'Haarlem'

'Wel een veilig eindje weg. Hoef ik niet bang te zijn ze in Schiedam tegen het lijf te lopen.'

'Dus je doet het?'

'Vooruit dan maar, maar wel samen. Ik maak absoluut niet in mijn eentje een afspraak met hoe heet hij ook al weer.'

'Hugo, Hugo en Willem. Goed we gaan dus samen. Na het eten gaan we met ze afspreken.'

Na het eten maakte Astrid de afspraak voor de double date. Ze besloten de heren op 4 januari in Amsterdam te ontmoeten nadat ze hun dochters naar Schiphol hadden gebracht.

Hoofdstuk 8

Op Schiphol was het zoals altijd druk.

Terwijl Anna en Louise gingen inchecken, dronken Lisa en Astrid een kop koffie.

Na een half uur waren de meiden klaar en kregen opeens haast. Ze wilden door de paspoortcontrole om daarna nog even taxfree te kunnen winkelen.

Lisa werd wat emotioneel bij het afscheid van Anna. Begrijpelijk na alles wat er was gebeurd. Astrid, hoewel wat meer gewend aan afscheid nemen, kreeg toch als altijd een brok in haar keel en raffelde geforceerd nog wat laatste instructies af.

Na nog een laatste omhelzing verdwenen de meisjes in de mensenmenigte.

'Kom,' zei Astrid, 'We gaan naar boven. Dan drinken we daar wat tot we hun vliegtuig kunnen zien vertrekken.'

Na een uur en twee koppen koffie zagen ze hoe het vliegtuig met hun dochters aan boord het luchtruim koos en begaven ze zich op weg naar de uitgang.

'Wacht, ik moet eerst even naar het toilet na al die koffie,' zei Astrid.

Astrid liep weg en terwijl Lisa stond te wachten, zag ze opeens Ton staan achter een overvolle bagagewagen.

'Dat Ton nu net vandaag naar Nigeria moet vertrekken,' dacht Lisa terwijl ze zich achter iemand probeerde te verschuilen. Dat was te laat en ze zag hem lachend op haar toekomen.

Hij omhelsde haar.

Lisa voelde het bloed naar haar wangen stijgen en stotterde wat over de brief die ze hem had gestuurd.

Astrid kwam weer terug van het toilet en keek Lisa vragend aan.

Ton was op Schiphol om zijn vrienden die gedurende de feestdagen bij hem hadden gelogeerd weg te brengen. Niet Ton, maar zij vertrokken weer naar hun post van Artsen zonder Grenzen in Nigeria.

Astrid zag dat Lisa nog lang niet was uitgepraat met Ton.

Ton nam afscheid van zijn vertrekkende vrienden en Lisa stond hem verliefd aan te staren.

'Ik ga daar wel even zitten,' zei Astrid wijzend naar een koffiecorner. 'Als je weet wat je doet dan hoor ik het wel.'

Astrid zag hoe Ton Lisa in zijn armen trok en haar hartstochtelijk kuste.

'De afspraak met de tweeling kunnen we wel vergeten,' concludeerde ze.

Even later kwamen Lisa en Ton op haar af.

'Als ik het goed heb, ga je niet met me mee naar Amsterdam, gemene spelbreekster. Wat moet ik nu vanavond met die twee kerels?'

'Kun je fijn kiezen, vind je het heel erg?'vroeg Lisa.

'Zeker,' zei Astrid onomwonden. 'Maar ik vergeef het je voor een tafel voor twee op jouw rekening.'

Astrid zuchtte. Ze had zelf totaal geen zin meer om naar Amsterdam te gaan. Ze stapte in haar auto en zocht het telefoonnummer van Willem en belde hem om de afspraak af te zeggen.

De dag was zo vrolijk begonnen. Het was zo'n goed idee geweest om de leegte die de kinderen achterlieten te compenseren met een afspraak.

Ze voelde zich opeens heel eenzaam, alleen en verlaten. Vol zelfmedelijden voelde ze de tranen over haar wangen lopen. 'Bea heeft Oscar, Caro haar Aad en nu ziet het er naar uit dat Lisa in Ton een nieuwe liefde heeft, waarom heb ik nu nooit geluk in de liefde,' vroeg ze zich af.

Ze had nog een paar dagen vrij voor ze weer aan het werk moest.

'Wat zal ik doen? Naar Vianen? Nee,' dacht ze, 'Ik ga gewoon naar huis een beetje zwelgen in zelfmedelijden en eenzaamheid.'

Ze pakte een cd en stopte deze zonder te kijken in de speler. De zwoele stem van Ari vulde de auto met een melancholisch lied. Astrid liet haar tranen de vrije loop, tastte af en toe naar een papieren zakdoekje en toen ze haar straat inreed lag de passagiersstoel bezaaid met vochtige tissues.

Ze parkeerde haar auto, propte de zakdoekjes in haar tas en zocht haar sleutels.

Ze stak de sleutel in het slot en schrok op van Thomas' stem.

'En hoe is het met mijn favoriete buurvrouw?'

'Hallo,' zei Astrid met dikke stem van het huilen, 'Ik wist niet dat je zou komen.'

'Nee kwam heel onverwachts.' Hij omvatte haar gezicht met twee handen, gaf haar een kus op haar mond. 'Verdrietig?'

'Ja.' Dikke tranen vulden haar ogen en biggelden over haar wangen.

'Kom maar gauw,' en als vanzelfsprekend liep Thomas met haar mee naar binnen.

'Ik zet een lekker kopje koffie voor je.'

'Oh alsjeblieft geen koffie meer, ik heb er misschien al wel tien op vanmorgen!'

'Ik kwam net terug van de bakker met verse broodjes, wat eten misschien met een kop thee?'

'Ja, ik heb buiten een kom yoghurt vanmorgen nog niet gegeten.'

Thomas maakte in de keuken voor ieder twee broodjes klaar en kwam weer terug met een blad met de theepot en theeglazen.

Astrid snoot nogmaals haar neus.

'Als ik geweten had dat je kwam had ik voor alles gezorgd.'

'Ik had een vergadering in Londen vanmorgen en toen die was afgelopen dacht ik, weet je wat, ik ga een paar dagen naar huis voordat ik weer naar Boston ga. Ik ben trouwens voor het nieuwe schooljaar van plan om me weer helemaal hier te vestigen.'

'Oh ja? Heb je heimwee?'

'Een beetje en ik ben er zolang gebleven om Marcia's ouders. Ik wilde dat Bennie die opa en oma zou kennen en zij hem ook natuurlijk. Ze waren allebei gek op Bennie, maar sinds ze zijn overleden speel ik al langer met de gedachte weer in Nederland te gaan wonen. Maar vertel eens Astrid, vanwaar die tranen?'

'Oh, alles bij elkaar een beetje. Ik heb vanmorgen met Lisa samen Louise en Anna naar Schiphol gebracht en daarna zouden we samen in Amsterdam een afspraak hebben. Maar op Schiphol kwam Lisa Ton tegen. Ze is verliefd op die man maar er waren allerlei misverstanden waardoor het telkens weer misliep. Vanmorgen hebben ze die een beetje kunnen ophelderen en ze gingen er samen vandoor. Ik heb toen die afspraak maar afgezegd en ben toen wat depressief over alles naar huis gereden. Dus buiten het feit dat ik mezelf vandaag erg zielig vind is er niets aan de hand.'

'Dan ga ik je de komende dagen een beetje opbeuren, wat zeg je daarvan? Wanneer moet je weer aan het werk?'

'Donderdag pas.'

'Komt goed uit want ik vlieg donderdag ook weer terug. Hebben we mooi vier dagen om je stemming weer een beetje op te vijzelen. Ik ga zo mijn koffer uitpakken en jij legt even een koude natte washand op je ogen en dan gaan we vanavond een heerlijke rijsttafel eten bij Poentjak op de Kneuterdijk, daar heb ik zo'n zin in.'

'Oh heerlijk! Indische rijsttafel, daar ben ik ook zo dol op.'

Toen Thomas weg was nam Astrid een douche en ging even liggen met een natte doek op haar ogen. Haar stemming was al zienderogen vooruit gegaan.

'Fijn,' dacht ze. 'Thomas weer thuis. Fijn en vertrouwd,' en ze dommelde weg.

Na een uur werd ze verkwikt weer wakker en met een blij gevoel in haar buik dacht ze dat een afspraak met Thomas toch wel heel wat beter was dan een afspraak met die onbekende Willem.

Totdat Thomas kwam ruimde ze de vaat in de afwasmachine en haalde ze het bed van Louise af.

Toen Thomas weer naar beneden kwam dronken ze eerst een glaasje wijn en ze besloten met de tram naar het centrum te gaan.

Het eten bij Poentjak was heerlijk. Ze dronken er thee bij en raakten niet uitgepraat. Het ene na het andere onderwerp passeerde de revue.

Astrid merkte dat Thomas haar aankeek op een manier die

haar ziel raakte, ze voelde het tot in haar buik en beantwoordde zijn blik op dezelfde, niet mis te verstane, manier.

Hand in hand liepen ze naar de tram. Ze zagen hem in de verte aankomen en sprintten het laatste stukje op hem te halen.

Hijgend stempelden ze de strippenkaart en Astrid viel in de bocht die de tram maakte tegen Thomas aan die haar stevig vasthield en zachtjes op haar mond kuste.

Astrid beantwoordde deze kus ademloos.

Thuisgekomen kusten ze elkaar zonder woorden vol hartstocht zodra ze de deur achter zich hadden dichtgedaan.

Ongeduldig rukten ze, zonder hun kus te onderbreken aan hun kleding.

Een spoor van kledingstukken gaf hun weg aan naar de slaapkamer van Astrid.

Bij het bed stapte Astrid uit haar rok en liet deze gewoon op de grond liggen. Met alleen nog haar slipje en bh aan ging ze op de rand van het bed zitten en maakte de broek van Thomas open.

Geheel naakt trok Thomas Astrid overeind en tastte naar de sluiting van haar bh.

Hij streelde met een hand haar bevrijde borsten en zag genietend hoe haar tepels reageerden op zijn zachte aanraking. Zijn andere hand liet hij in haar slipje glijden waar hij zacht masserend voelde hoe vochtig van verlangen ze was.

Ze lieten zich op bed vallen. Thomas trok haar slipje naar beneden en Astrid schopte het verder uit waarna ze Thomas naar zich toe trok en hem, zonder verder voorspel, bij zich naar binnen leidde.

Ze wilde hem en ze wilde hem nu! Te snel kwam ze klaar maar liet zich door Thomas nogmaals langzaam bewegend naar een climax leiden die ze samen deelden.

Daarna vertelden ze elkaar zachtjes hoe heerlijk het allemaal was. Thomas streelde haar borsten en voordat hij het dekbed over hun heen trok bestudeerde hij haar lichaam.

'Wat ben je toch mooi Astrid. Je hebt de prachtigste borsten die ik ooit heb gezien. Ik ben een echte borstenman,' zei hij terwijl hij ze een voor een kuste.

'Jij mag er ook zijn,' beantwoordde Astrid zijn compliment. 'Geen greintje vet en lekkere billen, wat wil een vrouw nou nog meer.'

'Een glaasje witte wijn misschien, daar heb ik in ieder geval wel zin in.'

Astrid trok haar kamerjas aan en haalde de fles wijn uit de koelkast en kwam met twee glazen in haar hand en de fles terug naar bed.

Half liggend tegen de kussens dronken ze elkaar toe, maakten plannen voor de volgende dag en vielen uiteindelijk in elkaars armen in slaap.

Hoofdstuk 9

De volgende drie dagen brachten ze onafgebroken in elkaars gezelschap door. Ze gingen een dag naar Amsterdam waar ze een tentoonstelling bezochten, ze maakten een lange strandwandeling en ze bespraken hun toekomstplannen.

Astrid straalde, ze voelde zich gelukkig als nooit tevoren. Ze kreeg de glimlach niet van haar gezicht en ze vertelde Thomas wel honderd keer hoe blij ze met hem was.

'We kennen elkaar bijna vijfentwintig jaar, hoe is het mogelijk dat we hier niet eerder aan begonnen zijn?' vroeg Astrid aan Thomas.

'Dat weet ik wel. Ik heb je wel tientallen keren willen veroveren maar er was altijd wel wat. De eerste keer waren we allebei net gescheiden en jij was in verwachting van Louise. Toen wilde je niet meteen een nieuwe relatie. Daarna had je steeds het ene vriendje na de andere.'

'Dat viel best mee,' interrumpeerde Astrid. 'Maar doordat je dat vond gaf je me altijd het gevoel een dom gansje te zijn. Je nam me in de maling en je vond al die vriendjes maar niks. Je gedroeg je alsof je mijn vader was.'

'Zo, vond je dat?' Thomas gaf haar lachend een kus.

'Je stelde bovendien voor om stoelendans met al mijn vrienden te spelen met Louise als baas over de muziek want zij zou je wel laten winnen, dacht je.'

'Hoe het ook zij, ik kwam er niet tussen. Daarna trouwde ik met Marcia en toen ze overleed en ik weer hier was zat jij midden in een relatie met Hans.'

'Dat heb ik allemaal veel te lang laten duren. Het had niet zo hoeven aflopen als ik er maar eerder een eind aan had gemaakt.'

'Ik heb altijd geweten dat we voor elkaar bestemd waren. Ik was al verliefd op je toen je met Jeroen trouwde. Laten we blij zijn dat we nu eindelijk elkaar hebben gevonden. Van de zomer als ik definitief terug ben gaan we onze huizen samenvoegen zoals oorspronkelijk de bedoeling was.'

'Gaat dat veel troep geven?'

'Valt wel mee. Onze voordeuren zitten naast elkaar en dat wordt één voordeur. De muur gaat er tussen uit dan hebben we een grotere hal met de trap naar boven. Jij hebt een paar jaar geleden een nieuwe keuken laten zetten en dat laten we zo. Jouw slaapkamer en een badkamer beneden wil ik ook zo houden. Louises kamer kan bij de woonkamer getrokken worden en dan maken we op mijn verdieping drie flinke slaapkamers en van de keuken maken we een extra badkamer. Ik zal het wel allemaal voor je uittekenen, maar ik beloof je, dat, als we het doen zoals ik in gedachten heb, we gewoon in jouw huis kunnen wonen, zonder rommel.'

'Spannend allemaal, ik kijk er naar uit. Ik vind het vreselijk dat ik je morgen weer moet missen.'

'We bellen en mailen en misschien kun jij tussendoor nog een keer naar Boston komen.'

Het was een heldere koude dag met veel zon die nu, zo laat in de middag opeens verdween en de lucht aan de horizon kleurde rood, oranje, geel in alle denkbare nuances.

Ze keken stilletjes met de armen om elkaar heen naar die prachtige lucht.

Even later stak er een koude wind op en de kleuren in de lucht verdronken in grijze wolken.

'Kom,' zei Astrid, 'We gaan naar huis. Ik heb trek in een Glühwein en in jou.'

'Ik heb op de eerste plaats trek in jou, die Glühwein kan wel wachten, maar ik niet.'

'Praatjesmaker,' zei Astrid.

Ze zetten er stevig de pas in.

8 Januari werd Astrid met een beklemd gevoel wakker. Naast haar lag Thomas nog te slapen.

Ze bekeek hem liefdevol en bedacht hoe erg ze hem zou missen.

Vandaag moest ze weer aan het werk en als ze vanavond thuis kwam zou Thomas weg zijn. Het nare gevoel hierover lag als een steen op haar maag.

Hij moest om half twaalf op Schiphol zijn en zou omstreeks twee uur vliegen.

Ze keek op de wekker, zeven uur, ze had nog wel even en ze vlijde zich tegen Thomas aan.

Hij deed een oog open en voegde zich naar haar lichaam. Zachtjes maar gedreven vrijden ze met elkaar. Astrid snikte het uit nadat ze was klaargekomen en ze klampte zich als een drenkeling aan Thomas vast.

Thomas streelde haar rug en sprak zoete woordjes in haar oor. Astrid kalmeerde en slaakte een sidderende zucht. 'Ik zal je zo missen, ik zal je zo verschrikkelijk missen.'

'Ik jou ook meisje, geloof me.'

Astrid keek op de wekker en zag dat ze als ze op tijd op haar werk wilde zijn nu echt haast moest gaan maken.

Na nog een lange kus verdween ze in de badkamer.

Toen ze aangekleed en opgemaakt weer te voorschijn kwam stond Thomas klaar met een beker thee en een broodje.

'Lief schat, maar ik krijg echt geen hap door mijn keel.' Ze nam een slok van de thee, pakte haar spullen, deed het broodje in een zakje in haar tas om mee te nemen.

'Het heeft geen zin om nog te dralen. Ik moet nu echt gaan.' En na een laatste omhelzing pakte ze haar autosleutels.

'Dag schat, doe voorzichtig.'

'Jij ook,' zei Astrid gesmoord en ze rende naar haar auto.

Op haar werk was het ondanks alles best gezellig. De eerste die ze tegenkwam bij de deur van het leslokaal van het bedrijf, was Lisa die haar onbehoorlijk blij tegemoet straalde.

Ze hadden elkaar na het afscheid vier dagen geleden niet meer gesproken.

'Zo, jij ziet er gelukkig uit, Ton?'

'Ja, Ton. Alles is uitgepraat en het is dik aan,' zei Lisa alsof ze zestien was in plaats van vierenveertig.

'En jij, hoe was de date?'

'Ik ben niet gegaan maar er is wel wat gebeurd...' Op dat moment kwamen de nieuwe medewerkers die Lisa moest opleiden, binnen.

'Ik heb pauze van een tot twee, zien we elkaar dan? Praten we dan verder,' zei Lisa en ze begon haar leerlingen te begroeten.

De rest van de ochtend deed Astrid haar werk op de automatische piloot en ze was blij toen het een uur was.

'Over een uur vliegt Thomas weg,' dacht ze.

In de kantine trof ze Lisa en ze liet haar eerst alles vertellen over haar en Ton, voordat ze met haar eigen nieuws op de proppen kwam.

'Wat geweldig!' riep Lisa uit. 'Ik heb hem altijd een leuke vent gevonden al ken ik hem niet zo goed. Ik dacht altijd al dat hij een oogje op je had, niet uit eigen waarneming maar om wat Louise soms over hem zei. Ik vind het zo fijn voor je.' Ze stond op en gaf haar vriendin een dikke kus.

'Ik ga hem zo missen. Ik wou dat het al augustus was.'

'Misschien kun je een keer tussendoor naar hem toe gaan, misschien kunnen we samen gaan ook voor de meiden.'

'He ja, bij al die overrompelende verliefdheden zouden we bijna vergeten dat we ook nog kinderen hebben.'

'Ik heb Anna al meteen via de mail op de hoogte gebracht en ze was dolenthousiast over Ton.'

'Ik weet zeker dat Louise haar goedkeuring aan Thomas geeft. Ze is heel dol op hem en beschouwt hem als een tweede vader. Weet je nog, hij bracht me naar het ziekenhuis toen ik moest bevallen en hij bleef bij me tot Louise was geboren.'

'Ja, en ik weet nog dat ik toen al dacht dat hij zo'n leuke man voor je zou zijn. Nou jullie hebben wel je tijd genomen om daar achter te komen.'

'Beter laat dan nooit, toch.'

'Ga je nog even mee naar buiten, ik wil even een sigaretje roken voordat ik weer moet beginnen en in die rookkamer wil ik niet want daar stinkt het, niet te geloven.'

'Jemig, Lies nu je een dokter aan de haak hebt geslagen zou ik daar maar eens mee ophouden. Ik neem tenminste niet aan dat dokter Ton rookt.'

'Nee, dat is inderdaad wel een punt van discussie.'

'Hou er toch gewoon mee op trut, je krijgt er kanker van,' zei Astrid terwijl ze toch met haar vriendin naar buiten liep.

De zaterdag die volgde was een koude grauwe dag waarbij het om vier uur in de middag al begon te schemeren.

Astrid had boodschappen gedaan en kwam huiverend binnen. Ze zette voordat ze haar boodschappen uitpakte de thermostaat wat hoger, deed de gordijnen dicht en stak de kaarsen aan.

Ze zette thee en dronk die terwijl ze haar e-mail checkte. Een enthousiaste mail van Louise die zoals ze al had verwacht helemaal achter haar relatie met Thomas stond en een lieve mail van Thomas die haar net zo miste als zij hem. Bennie, mailde hij, vond het helemaal fantastisch. Hij noemt Louise niet anders meer dan zusje Louise.

Astrid glimlachte en beantwoordde de berichten.

Ze nam de laatste slok van haar thee. Ze was rillerig en werd maar niet goed warm. Ze besloot een uitgebreide douche met masker en schoonheidsbehandeling te nemen, om zich daarna in haar warme huispak met sloffen op de bank te gaan installeren en te kijken wat de televisie haar deze avond te bieden had.

Ze zocht alles wat ze nodig had voor haar badritueel bij elkaar en verdween in de badkamer.

Ze maakte haar gezicht schoon en bracht het masker op. Terwijl dat inwerkte manicuurde en pedicuurde ze haar nagels en verwijderde ze de haargroei waar deze ongewenst was.

Het masker kon worden afgespoeld en Astrid stapte in de douchecabine waar ze een massagedouche nam. Daarna zette ze de douche op een normale stevige straal en ze waste haar haren. Terwijl de crèmespoeling introk zeepte ze zich genietend in met een groot stuk chanelzeep.

Ze neuriede zachtjes een liedje maar stokte toen ze aan de zijkant haar linker borst iets voelde. Van schrik gleed het stuk zeep uit haar handen, maar voordat ze bukte om het op te rapen omvatte ze met beide handen haar borsten om deze op verschillen te vergelijken.

Nee de rechter had geen bobbel en de linker wel.

Ze duwde en betastte het bobbeltje totdat hij zeer deed ze probeerde hem tussen vinger en duim te pakken maar hij schoot steeds weg.

'Oh hemel, dacht Astrid zoiets gebeurt altijd in het weekend zodat je zit te tobben totdat je naar de dokter kunt.'

Uit het lood geslagen spoelde ze haar haren uit en draaide de kraan dicht.

'Nou ja, achttien jaar geleden was het ook niks,' probeerde ze zichzelf moed in te spreken.

'Ga je nu niet al van te voren zorgen lopen maken,' sprak ze zich zelf toe.

'Ja, ja,' dacht ze, 'en een mens lijdt het meest om het lijden dat hij vreest. En zo ken ik er nog wel een paar, maar dat zet toch echt mijn gedachten niet stil. Het zal toch verdomme niet waar zijn dat het wel kanker is?'

Ze trok haar warme huispak aan en wond een handdoek om haar natte haren, ging op de bank zitten een staarde wat voor zich uit. Ze voelde de tranen in haar ogen springen. Ze zuchtte diep. 'Hier schiet ik niks mee op!' maar de tranen lieten zich niet terugdringen en spatten op de kraag van haar huispak.

Toen ze zichzelf na de huilbui weer een beetje bij elkaar had geraapt vroeg ze zich af of ze iemand erover zou bellen.

'Nee, ik wacht tot ik bij de huisarts en eventueel in het ziekenhuis ben geweest. Het heeft geen zin iedereen ongerust te maken terwijl er misschien helemaal niets aan de hand is.'

Ze maakte een omelet op toast en probeerde afleiding te zoeken bij een televisieprogramma.

Maandag zat Astrid al om acht uur bij haar huisarts die meteen een afspraak voor haar regelde in het ziekenhuis voor de volgende dag. Hij legde uit dat er tegenwoordig niet zolang meer op een uitslag gewacht hoefde te worden, maar dat alles, röntgenfoto's, biopsie en wat verder nodig was in één dag zou kunnen gebeuren, zodat ze niet al te lang in spanning hoefde te zitten.

Om negen uur was Astrid gewoon op tijd op haar werk en omdat ze het gevoel had het toch aan iemand kwijt te moeten, vertelde ze in de pauze aan Lisa wat er met haar aan de hand was.

Ze hield het niet droog en haar handen trilden van nervositeit.

'Oh meid, ik kan me voorstellen dat je helemaal op bent van de zenuwen. Ik zorg ervoor dat ik hier morgen een invaller heb en ik ga met je mee. Ik blijf vannacht bij je slapen en blijf morgen bij alle onderzoeken en de uitslag. Dit moet je niet alleen doen. Als je nerveus bent hoor je de helft niet van wat ze allemaal tegen je zeggen en trouwens, waar zijn vrienden anders voor.'

Dit leverde bij Astrid weer een nieuwe tranenvloed op.

'Blijf je vanmiddag werken, of ga je liever naar huis?'

'Nee, ik blijf. Thuis zit ik ook maar te tobben.'

'Ik ben denk ik om vier uur klaar met mijn klas, ik loop wel even langs jouw manager om uit te leggen dat jij dan ook naar huis gaat, ok?'

'Ja dat is vast wel goed, want toen ik vertelde dat ik morgen die onderzoeken had vroeg hij al of ik niet liever thuis bleef vandaag.'

'Afgesproken dan, tot straks.'

Om een uur of elf lagen Astrid en Lisa die avond in bed.

Astrid was te opgefokt om de slaap te kunnen vatten.

'Heb je het al aan Thomas verteld?'

'Nee, nog niet, ik wilde afwachten. De vorige keer was er ook niks aan de hand en dan heeft het geen zin iedereen te alarmeren, toch?'

'Ik weet niet, ik zou het Ton wel verteld hebben denk ik. Hij zou het willen weten en ik denk Thomas ook.'

'Ja, weet je,' zei Astrid aarzelend, 'Thomas zegt altijd dat hij mijn borsten zo mooi vindt. Hij is er vaak helemaal lyrisch over en zegt van zichzelf dat hij een echte borstenman is.'

'Ja, en?'

'Nou, stel hè, stel nou eens dat ie eraf moet. Ik denk dat ik het dan uitmaak. Dat kan ik hem niet aandoen. Onze relatie is nog zo pril, dan wil je toch niet zo beginnen?'

Het bleef even stil naast Astrid.

'Toch?' drong Astrid aan.

'Je bent hartstikke gek. Mag hij alsjeblieft zelf beslissen hoe hij daarmee omgaat? En als ik hem een beetje goed inschat gaat Thomas de problemen niet uit de weg.'

'Ja maar, ik heb pas 'Komt een vrouw bij de dokter' van Kluun gelezen. Ik vond het prachtig maar in het boek hadden Stijn en Carmen al een lange relatie en hij kon er helemaal niet mee omgaan. Hij was ook gek op de borsten van zijn vrouw. Ik wil zo gewoon niet met Thomas beginnen. Niet met kommer en kwel en geamputeerde borsten. Ik gun het hem niet, maar ook mezelf niet.'

'Ik heb het boek ook gelezen en gehuild van bladzijde tachtig tot het eind, en die Stijn in het boek hield van Carmen en bleef tot het eind voor haar zorgen.'

'En ging vreemd bij het leven omdat hij er niet mee kon dealen.'

'Dus omdat jij een boek hebt gelezen over dit onderwerp zou je het al op voorhand uitmaken met Thomas, omdat jij denkt dat jullie prille relatie niet bestand is tegen moeilijkheden van deze orde.'

'Zoiets. Het is gewoon een gevoel dat het niet goed is zo te beginnen en vooral niet met iemand die zichzelf een echte borstenman noemt.'

Lisa draaide zich om naar Astrid en gaf haar een knuffel.

'Kop op meid, loop nou niet teveel op de zaken vooruit. Tussen een geamputeerde borst en niets aan de hand, zitten nog wel twintig andere scenario's. Probeer nou maar een beetje te slapen.'

Hoofdstuk 10

De volgende dag zaten ze na de röntgenfoto, een gesprek met de chirurg, een scan en een biopsie om vier uur te wachten op de uitslag.

Astrid had ijskoude handen van de zenuwen en kon ze nauwelijks stil houden.

Ze zaten al twintig minuten te wachten en Lisa stond op om bij het loket, waar ze zich hadden aangemeld, te informeren hoeveel mensen er nog voor waren.

'Kom,' zei ze tegen Astrid, 'We gaan even naar buiten. Het duurt nog minstens een half uur. En als we eerder naar binnen moeten belt ze me op mijn mobiel.'

Zwijgend volgde Astrid Lisa naar beneden waar ze ieder een beker koffie kochten die ze mee naar buiten namen.

Er was een half open glazen ruimte met twee banken waar de verstokte rokers uit de wind konden roken. Lisa stak er meteen een op.

'In deze situatie zou ik ook bijna willen roken al was het maar alleen om iets omhanden te hebben en de zenuwen te bedwingen.'

Nadat ze de koffie op hadden gingen ze weer naar boven.

'Hierna bent u,' knikte de dame bij het aanmeldloket.

Even later stak de chirurg, waar ze die ochtend waren begonnen, zijn hoofd om de hoek van de deur.

'Mevrouw Tuinman?'

Astrid en Lisa liepen achter hem aan naar binnen en namen plaats.

De chirurg keek op van de resultaten van de onderzoeken en hing de foto voor de lichtbak.

'Ik zal maar met de deur in huis vallen. Het is niet goed.' Hij stond op en wees met zijn pen op een grijze vlek op de foto en legde uit dat daar een snelgroeiende tumor zat met wat vertakkingen. Ze moest het zich voorstellen als een druiventrosje.

'We gaan u zo snel mogelijk opereren.'

'Moet ie eraf?' vroeg Astrid met een van tranen hese stem.

'We gaan proberen het borstbesparend te doen, maar een echte garantie kan ik niet geven.'

'Wat nu?' nam Lisa het gesprek over.

'Jullie hebben dadelijk nog een gesprek met de oncoloog en ik kan mevrouw Tuinman volgende week maandag opereren. Dan moet ze rekenen op drie tot vier dagen ziekenhuis. De oncoloog zit ook hier op deze verdieping en heeft nu tijd voor jullie. En dan hebben jullie het wel gehad voor vandaag. Het was een lange en enerverende dag.'

'Dat was het zeker,' zei Lisa. 'Maar wel een hele verbetering dat dit alles op een dag kan plaatsvinden. Ik herinner me dat een collega er verleden jaar tien dagen zoet mee was voor ze de uitslag kreeg en totaal op was van de zenuwen.'

'We proberen het op een dag te doen, maar ik moet erbij zeggen dat het niet altijd lukt.'

Hij stond op en gaf hun een hand. 'Veel succes, mevrouw Tuinman.'

Bij de oncoloog mochten ze meteen doorlopen naar haar spreekkamer.

'Zo,' zei ze terwijl ze Astrid onderzoekend aankeek. 'Gaat het nog wel met u na alles wat u te horen heeft gekregen? Het is niet niks he?'

Astrid brak, Lisa pakte haar hand en de oncoloog schoof een doos tissues haar kant op.

'Wel fijn dat het allemaal zo snel wordt afgewikkeld, maar je bent ook razendsnel alle hoop voorbij,' zei Astrid.

'Ja, dat is zo. Maar niet meteen de moed verliezen hoor, bij dit soort tumoren hebben we heel goede resultaten al moet ik u wel vertellen dat u geen leuke tijd tegemoet gaat. Een week na de operatie gaan we al met de chemotherapie beginnen. Dat houdt in dat u zich na de chemo waarschijnlijk erg beroerd gaat voelen. Misselijkheid, braken, vermoeidheid en nog tal van andere bijwerkingen kunnen u last veroorzaken en dan telkens net wanneer u zich weer een beetje beter gaat voelen is het tijd voor de volgende chemo, dus erg blij kan ik u niet maken.'

'Nee, ik verwachtte hier niet opgewacht te worden door een stel clini-clowns,' zei Astrid.

De oncoloog glimlachte, ze vertelde nogmaals wat het hele programma inhield. Ze gaf een aantal folders mee die Lisa aanpakte en in haar tas stopte en na een kwartier stonden ze eindelijk buiten.

'Wat wil jij?' vroeg Lisa.

'Laten we maar een eindje lopen en ergens wat gaan drinken. Ik moet een beetje bewegen na al dat zitten in het ziekenhuis.'

'Ik blijf bij je logeren tot je naar het ziekenhuis moet en misschien kunnen we het weekend iets afspreken met Bea en Caro om je af te leiden.'

'Kan dat wel? Je hebt zelf net wat met Ton?'

'Misschien kan hij van de week een keer mee komen eten als je dat goed vindt. Hij kan misschien ook nog wat vragen beantwoorden, hij is tenslotte arts.'

Ze liepen een gelegenheid binnen waar ze eerst een glas wijn en daarna de daghap bestelden. De daghap bleek een ovenschoteltje met vis en groenten in een bechamelsaus te zijn en erbij werden een goede salade en knapperige frietjes geserveerd.

'En, As ga je het aan Thomas vertellen?'

Astrid wreef een laatste frietje in het zout en keek haar bedachtzaam aan.

'Ik denk dat ik het nog helemaal tegen niemand ga vertellen tot ik precies weet hoe het uitpakt. Behalve aan Caro en Bea.'

'Je bedoelt borstbesparend of niet?'

'Ja, dat is volgende week al dus zolang kan het wel wachten, vind ik. Ik vind het erg moeilijk om met vragen van anderen om te gaan. Iedereen heeft dan vast wel iemand in de omgeving die ook zoiets heeft en komt dan met goed gemeende raad waar ik niet op zit te wachten. Ik ben daar domweg nog niet aan toe. Ik ga wel mailen naar Louise en Thomas dat ik voor een kleine ingreep naar het ziekenhuis moet, maar meer niet.'

'Dan vragen ze toch waarvoor.'

'Je hebt gelijk, ik bel wel op dat mijn computer kapot is en ik alleen kan bellen of zo iets.'

'Nou ja, je moet het zelf weten. En je moeder, vertel je zelfs haar nog niets?'

'Nee, ik bel mama wel als de operatie achter de rug is.'

Zo gebeurde het.

De rest van de week ging Astrid gewoon naar haar werk. Vrijdag vertrok ze met Lisa naar een huisje in Zandvoort waar Bea en Caro al op hen zaten te wachten. Ze maakten er een gezellig weekend van waarin op Astrids verzoek niet al te veel gesproken werd over wat Astrid te wachten stond. Ze maakten op zondag een lange strandwandeling voor ze opbraken.

Lisa moest de volgende morgen in Utrecht een cursus geven en was dus niet in de gelegenheid Astrid naar het ziekenhuis te brengen. Bea en Caro boden zich allebei aan maar Astrid stond erop gewoon zelf te gaan.

'Ik ben nu nog niet ziek of in een toestand dat ik daarbij hulp nodig heb dus laat me nu maar gewoon.'

Na veel gekibbel hierover legden de vriendinnen zich neer bij wat Astrid wilde.

Eindelijk, na een slapeloze nacht, was het zover.

Lisa was al om zeven uur de deur uit gegaan en Astrid was opgelucht even alleen te zijn met haar eigen gedachten. Ze pakte haar tas en belde toen het tijd werd een taxi. Ze vond dat ze zich die luxe wel kon permitteren

Met het zenuwachtige gevoel alsof ze een examen moest gaan afleggen, stapte Astrid uit de taxi die haar tot voor de ingang van het ziekenhuis had gebracht. De chauffeur stapte uit en haalde haar tas uit de bagageruimte. De felle vrieswind benam haar de adem. Daar zou ze de komende tijd geen last meer van hebben, bedacht ze terwijl ze naar binnen liep.

'Hoe zal ik eruit lopen met een of twee borsten?' kon ze niet nalaten te denken.

Een zware operatie had de dokter gezegd. Een hopelijk borstbesparende operatie waarbij ze maar moest afwachten of dat ging lukken.

'Optimistisch blijven!' bezwoer ze zichzelf.

Ook Lisa's vriend Ton, die een avond naar Den Haag was gekomen had haar verteld dat ze een goed te behandelen soort tumor had.

Astrid was blij dat het nu zover was. Nadat ze gehoord had dat het een snelgroeiende tumor was had ze iedere dag wachten, er een teveel gevonden. Het idee dat de tumor zich in haar borst aan het vermenigvuldigen was kreeg ze maar niet uit haar hoofd. Dan maar snel opereren. Ze was, dacht ze, voorbereid op wat ging komen. Na de operatie vanzelfsprekend pijn, zwak en ziek. Dan, niet te vergeten, die ellendige chemokuren, maar daarna herstel. Natuurlijk werd ze ook besprongen door gedachten over doodgaan, maar die had ze snel verdrongen. Ze was jong en sterk en de dokters waren knap tegenwoordig.

Om tien uur melden bij de opname op de vierde verdieping, stond er in de brief die ze in haar hand hield. Astrid werd naar een kamer gebracht met twee bedden. Ze had de kamer vooralsnog voor zich zelf alleen. Vervelen hoefde ze zich niet. De een na de ander meldde zich om iets te controleren: bloed, urine, hart en longen, men nam hier geen risico's. Na haar lunch, voor haar vanwege de aanstaande operatie een drink-maaltijd, kwam de anesthesist. Hij informeerde naar allergieën en naar slechte gewoonten ten aanzien van sigaretten, drugs en alcohol.

Tijd voor een middagdut. Ze trok haar nieuwe nachthemd aan. De opdruk 'I am a hero' vond ze bij deze flinkheids oefening wel passen. Ze nestelde zich net behaaglijk tussen het heldere beddengoed, toen na een klop op de deur een knappe verpleger binnenkwam.

'Hallo,' zei hij monter, 'Ik ben Hendrik en ik kom je nog even prikken, in je bil deze keer. Doe je slipje maar even naar beneden.'

'Is dat zo? Ik ben Astrid en ik laat nooit bij eerste kennismaking mijn broek zakken.'

Hendrik grijnsde. 'Goed, dat begrijp ik. Ik kom over een kwartiertje wel terug.' En weg was hij weer.

Giechelend lag Astrid in bed en toen hij inderdaad na een kwartier weer terug kwam gaf ze gelaten haar bilpartij over aan zijn vaardige handen. Ze kreeg een vriendelijk klopje op haar bil. 'Zo dat was het al weer,' zei de Adonis en hij verdween weer.

Astrid stond op en liep naar de badkamer. Ze trok haar nachthemd op en bestudeerde aandachtig haar beide borsten.

'Zullen jullie er morgen nog allebei zijn?' vroeg ze zich af, ze draaide naar opzij en probeerde zich een voorstelling te maken van hoe het er uit zou zien als haar linkerborst zou zijn geamputeerd.

De injectie die Astrid de volgende morgen kreeg moest haar suf en onverschillig maken. Dat was ze, toen ze haar op een brancard de gangen doorreden naar de operatiekamer.

Vage gezichten, groene kleding, vriendelijk geleuter boven haar hoofd. Een venijnige prik. 'Telt u maar tot tien.'

Aan iets prettigs denken als je onder narcose gaat, had iemand Astrid ooit verteld, dan droom je gegarandeerd prettig.

'Een, twee, drie... doe je slipje maar uit zei de knappe verpleger, hij was naakt en leek op Thomas.... Vier, vijf..., Astrid tuimelde Fantasia binnen.

Hoofdstuk 11

De geplande drie à vier ziekenhuisdagen werden er tien. Na de operatie die inderdaad tot ieders tevredenheid borstbesparend was uitgevoerd, kreeg Astrid de dag voor ze naar huis zou mogen hoge koorts. De vriendinnen hadden een soort dienstregeling gemaakt zodat Astrid iedere avond bezoek had. Buurvrouw Marieke, die voor de post en de planten zorgde in haar afwezigheid, kwam bijna iedere middag op bezoek.

'Heb je Thomas, Louise en je ouders nu al ingelicht?' vroeg Lisa toen ze op de derde dag na de operatie bij haar was.

'Nee, nog niet, ik wacht nog even op de uitslag. Of echt alles weg is, dat hoor ik morgen. Ik heb gezegd dat mijn computer gecrasht is. Dat moet verklaren waarom ik niet zoals altijd mail aan iedereen. Maar ik bel iedere dag.'

'Wanneer moet je met de chemo's beginnen?'

'Meteen volgende week al de eerste. Morgen als ik thuis ben bel ik mama, dat beloof ik.'

'En Thomas?' drong Lisa aan.

'Die bel ik ook.'

'Je gaat toch niet door met dat onzalige plan het uit te maken vanwege een gehavende borst hoop ik?'

Astrid staarde voor zich uit en haalde haar schouders op.

'Ik moet eerst even zelf zien hoe mijn borst uit de strijd is gekomen en eigenlijk zou ik ook die chemo's af willen wachten voordat ik het überhaupt zou willen vertellen, maar ik heb al gemerkt dat dat wat lastig wordt.'

'Hoezo?'

'Nou gisteren stond ik in de hal te bellen met Thomas en toen werd door de luidsprekers luid omgeroepen dat dokter Rietveld dringend contact op moest nemen met balie vijf.

'Sta je in een ziekenhuis?' vroeg Thomas. Ik verzon toen dat ik op bezoek was bij een collega. Hij vond het op zijn beurt wel wat vreemd dat ik hem vanaf het ziekenhuis belde in plaats vanaf huis. Ik loog toen dat ik de tijd probeerde de doden omdat ik even de kamer uit moest omdat er bij de collega iets moest worden gedaan door een verpleegster.'

'Meid, vertel nu maar gewoon iedereen de waarheid dat is verreweg het beste.'

'Morgen,' beloofde Astrid 'als ik weer thuis ben.'

Dat liep toch even anders. Ze voelde het al toen ze de volgende morgen heel vroeg wakker werd.

Ze was helemaal klam van het zweten en de verpleegkundige die haar kwam temperaturen schudde bezorgd haar hoofd.

'U heeft koorts, we moeten even wachten op het oordeel van de dokter. Ik denk niet dat u zo naar huis mag vandaag.'

'Dan moet ik even bellen, want ik word om negen uur opgehaald door mijn buurvrouw.'

Astrid zwaaide haar benen over de rand van het bed.

'U moet in bed blijven. Ik ga meteen zorgen dat u telefoon naast uw bed krijgt dan kunt u iedereen bellen.'

Zodra ze telefoon had belde Astrid met Marieke, die afsprak dan die middag even langs te komen. Om negen uur kwam de dokter om naar haar te kijken. Het gordijn ging dicht rondom haar bed en het verband werd van haar borst gehaald om de wond te bekijken.

Het was de eerste keer dat ze het zelf goed kon bekijken en al zag de borst er nog, hij zag er erg gehavend uit. Lelijke zwarte hechtingen tot in haar oksel en ze miste haar tepel.

'Waar is mijn tepel?' vroeg ze onthutst aan de dokter.

'Had je het nog niet gezien?' vroeg hij. 'Schrik je er erg van? Met die hechtingen, die zwelling en die platte zijkant ziet het er erger uit dan het is hoor. Dat trekt bij en als alles genezen is maken we een reconstructie en krijg je ook weer een nieuwe tepel. Maar zover zijn we nog niet. Je krijgt nu een drain in het wondgebied om bloed en wondvocht af te voeren en we gaan medicijnen geven om die ontsteking te lijf te gaan.'

Suffig van de koorts liet Astrid de dokter begaan. Ze werd opnieuw verbonden. Daarna werd ze op bed gewassen, kreeg ze een schoon nachthemd aan en werd haar bed verschoond. Door al deze inspanningen viel ze in slaap en werd pas wakker toen Marieke naast haar bed stond.

'Wat een pech meid, dat je nog niet naar huis mag. Maar

aan de andere kant kun je nergens beter zijn dan hier als je complicaties hebt.'

'Sorry Marieke, ik ben zo suf als wat, of het nu door de koorts of de medicijnen komt weet ik niet maar ik kan de hele dag wel slapen.'

'Is ook goed voor je, veel slapen. Zal ik de was meenemen?'

'Ja graag.' Astrid werkte zich met een van pijn vertrokken gezicht op haar ellebogen een beetje omhoog tegen de kussens.

'Blijf maar lekker liggen, ik pak het allemaal wel. Moet ik nog mensen bellen om te zeggen dat je nog in het ziekenhuis ligt?'

'Ik heb nu zelf telefoon, ik ga zo mijn moeder maar eens bellen en daar zie ik een beetje tegenop.'

'Nou, ga jij maar bellen want ik ga weer weg. Dit was een echt bliksembezoekje.' Ze gaf Astrid een kus en vertrok.

Astrid pakte de telefoon en belde haar moeder.

'Ha mama, met je dochter.'

'Dag schat, ik zat net aan je te denken.'

'Toevallig. Mam, ik moet je wat vertellen, maar niet schrikken hoor. Ik lig in het ziekenhuis en ik ben geopereerd.'

'Wat!' onderbrak Evelyn. 'Wat heb je dan en waarom weet ik dat niet?'

'Ik wilde je niet ongerust maken. Daarom heb ik het nog niet verteld. Ik had een bobbeltje in mijn linkerborst dat bleek niet goed te zijn. Het is een goed te behandelen kanker, ik ben borstbesparend geopereerd en vanaf volgende week ga ik aan de chemokuren. Voorlopig drie met steeds drie weken tussenposen.'

'Ach meisje toch, en nu lig je daar helemaal alleen.'

'Mam, ga me nu niet beklagen anders ga ik huilen,' zei ze met een beverig stemmetje.

'Wanneer mag je er uit?'

'Eigenlijk vandaag maar ik werd vanmorgen wakker met koorts en moest toen blijven. Ik heb een drain in mijn borst gekregen.'

'Willem en ik komen direct naar je toe. Ik wil dan ook even met de dokter spreken. Ik ben tenslotte verpleegster, al ben ik gepensioneerd en misschien kan ik je thuis verzorgen als je naar huis mag.'

'Dat zou fijn zijn.'

Opgelucht dat ze het haar moeder had verteld praatten ze nog even verder over hoe trouw haar vriendinnen haar bezochten.

'Nou schatje, hou je taai en tot straks,' besloot Evelyn het gesprek.

Er werd thee en koffie langs gebracht. Astrid dronk haar thee terwijl ze in gedachten de zinnen formuleerde die ze tegen Thomas wilde zeggen.

'Kom op!' sprak ze zichzelf moed in.

Ze pakte de telefoon en draaide het bekende nummer in Boston waar het op dat moment een uur of acht in de ochtend was.

'Hello Thomas Kwist speaking.'

Astrid haalde diep adem, 'Hallo met Astrid.'

'Ha schatje, ik zat net aan je te denken.'

'Ik belde net met mama en die zei precies hetzelfde.'

'Je bent gewoon een erg geliefd mens, hoe is het daar? Hou je nog een beetje van me?'

'Heel veel, maar Thomas, ik moet je wat vertellen en dat ga je niet leuk vinden. Ik heb er erg veel over nagedacht, maar ik denk toch dat het beter is,' ratelde ze.

'Ho, ho een ding tegelijk. Wat wil je me vertellen?'

'Ik heb borstkanker en ik ben vier dagen geleden geopereerd. Ik lig nog in het ziekenhuis en vanaf volgende week krijg ik chemokuren. Ik heb het niet eerder verteld omdat ik je niet ongerust wilde maken en omdat ik vind dat we nu ik dit heb, beter met onze relatie kunnen stoppen. Jij bent een echte borstenman zeg je zelf altijd en ik... nou ja, ik ben een verminkte vrouw.'

Het bleef even stil aan de andere kant.

'Oh schat van me, hoe heb je dat nu voor je kunnen houden? Ik hou van jou, met of zonder borsten als ik hiervoor zou weglopen zou ik toch geen knip voor de neus waard zijn? Astrid, je moet niet van die rare dingen zeggen. Ik ga proberen zo snel mogelijk naar je toe te komen.'

'Nee Thomas, dat wil ik niet. Je hebt niet geluisterd. Ik zie voor ons geen toekomst.'

Opeens begon ze hard te huilen. 'Ik wil het verdomme niet! Begrepen?' brulde ze in de telefoon en zonder zijn antwoord af te wachten verbrak ze de verbinding.

Hoofdstuk 12

In Boston legde Thomas de telefoon neer. Hij wilde terugbellen maar hij wist niet van welk nummer ze had gebeld. Hij sprak boodschappen in op haar gsm en op haar telefoon thuis.

Hij belde met de luchthaven voor informatie over vluchten naar Nederland.

Daarna probeerde hij zich te concentreren op zijn werk en belde hij met wat collega's om het werk van de komende weken te delegeren.

Later in de middag belde Louise hem op. Ze had het nieuws van haar moeders ziekte ook te horen gekregen. Ze kon ook niet geloven dat haar moeder hierom geen verdere relatie met Thomas wilde.

Ze vertelde dat haar oma naar Astrid zou gaan om voor haar te zorgen en dat zij zelf even de situatie wilde afwachten voordat ze naar Nederland zou gaan.

Omdat er die dag toch geen werk uit zijn handen kwam besloot Thomas die middag om een uur of vier maar naar huis te rijden.

Daar bewees het spreekwoord, dat een ongeluk nooit alleen komt, zijn gelijk.

Bij het appartement stond een ambulance voor de ingang. Hij parkeerde zijn auto, liep het gebouw in en nam de lift naar zijn verdieping. Hij opende de deur van zijn appartement en tegelijk ging zijn mobiel af.

Hij duwde de deur open en zag tot zijn ontsteltenis de broeders van de ambulance bij hem binnen.

'Bennie!' was zijn eerste gedachte.

Hij gooide zijn mobiel die nog steeds rinkelde op de haltafel en liep naar binnen.

Op de bank lag doodsbleek zijn zoon Bennie. Er klonterde bloed aan zijn gezicht en hij zag een dun straaltje bloed lopen uit zijn rechter oor.

De ambulancebroeders waren druk met hem in de weer en reden een brancard tot naast de bank, waarna ze zijn zoon handig met z'n tweeën over tilden.

'Wat is er gebeurd? Is hij bewusteloos?'

'Pappa,' klonk er van de brancard. 'Gelukkig, hij is niet in coma,' schoot het door Thomas heen.

'Wat is er gebeurd jochie?' vroeg hij en hij streelde zijn haar.

'Hij is op zijn fiets in volle vaart tegen een lantaarn geknald. Hij had wel een helm op maar daar had hij in dit geval weinig aan. U kunt meegaan naar het ziekenhuis en blijf vooral tegen hem praten.'

Zonder verder commentaar liep Thomas mee naar de lift en in de ambulance bleef hij tegen zijn zoon praten. Telkens als hij dreigde weg te zakken stelde Thomas hem een vraag.'

De rit naar het ziekenhuis duurde in zijn gevoel eindeloos lang terwijl ze er in werkelijkheid binnen een kwartier waren.

Bennie werd meteen een behandelkamer ingerold bij de eerste hulp. Er stonden al dokters op hem te wachten.

Thomas bleef Bennie's hand vasthouden en zag hoe hij toch het bewustzijn verloor. Ze waren met drie dokters met hem bezig. Hij werd aan een infuus gekoppeld en weggereden naar de röntgenafdeling.

Een paar uur later waren de uitslagen van diverse onderzoeken bekend en lag Bennie op de intensive care, nog steeds buiten bewustzijn.

Hij had in ieder geval een schedelbasisfractuur, een gebroken kaak die inmiddels was gezet en door de klap was een botje door zijn trommelvlies gegaan. Daardoor had hij uit zijn oor gebloed.

De dokter zei dat er nog weinig te zeggen was over eventuele blijvende schade. Dat konden ze pas bekijken als Bennie weer bij bewustzijn kwam.

'Hoelang kan dat duren?' vroeg Thomas.

'Is niet te zeggen. Kan een paar uur zijn maar het kan ook wel enkele dagen duren.'

'Kan het ook zo zijn dat hij helemaal niet meer bijkomt?' vroeg Thomas die graag op alles voorbereid was.

'Daar zijn geen aanwijzingen voor. We hebben vooralsnog geen bloedingen in zijn hoofd geconstateerd. Maar omdat we dat in de gaten willen houden ligt hij op de intensive care.'

Drie dagen zat Thomas bij zijn zoon in het ziekenhuis. De derde dag deed hij zijn ogen open.

'Papa?'

'Ja jongen, ben je weer wakker?'

'Papa, ga ik nu dood?'

Thomas keek naar het bleke koppie, helemaal omwikkeld met verband om zijn kaakbeen te stabiliseren.

'Nee!' Thomas lachte en huilde tegelijk. 'Nee lieve jongen, je bent er weer. Papa gaat even een dokter of zuster roepen om naar je te kijken.'

Maar dat was niet nodig want ze hadden deze verandering al op de monitoren waargenomen en ze kwamen al naar zijn bed.

Na wat onderzoeken te hebben gedaan, feliciteerde de dokter Thomas met de goede afloop.

'Hij moet hier nog wel even blijven, maar morgen gaat hij gewoon naar de kinderafdeling en als ik u was ging ik vanavond ook maar eens naar huis. U heeft ook dringend behoefte aan een goede nachtrust.'

Astrid was, totaal onkundig van wat er zich in Boston afspeelde, weer thuis.

Evelyn en Willem waren bij haar en ze zouden blijven tot ze zich van haar eerste chemokuur zou hebben hersteld.

Astrid had buiten het bericht op haar voicemail thuis en haar gsm niets meer van Thomas gehoord.

Ze was daar in haar hart heel verontwaardigd over.

'Zie je wel, die borstenman laat al meteen niets meer van zich horen,' dacht ze steeds.

Met Louise belde ze dagelijks en zij had ook niets meer van Thomas gehoord.

'Nee, we belden met elkaar nadat jij ons verteld had dat je in het ziekenhuis lag en hij zei toen dat jij de relatie wilde verbreken. Maar ik had niet de indruk dat hij daar ook zo over dacht.'

'Kennelijk heeft hij zich er bij neergelegd. Hij houdt van vrouwen met mooie borsten,' zei Astrid bitter.

'Als dat zo is valt me dat wel van hem tegen,' zei Louise. 'Heb je zelf nog geprobeerd hem te bellen?'

'Nee, en dat ben ik niet van plan ook. Ik heb het nu veel te druk met mezelf. Morgen de eerste chemo. Ik ben blij dat oma met me mee gaat.'

'Nou mam, sterkte morgen en een dikke kus ook voor oma en Willem.'

De volgende morgen meldden Astrid en Evelyn zich samen in het ziekenhuis. De chemokamer was op de derde verdieping. Een grote kamer met hier en daar zitjes waar op dat moment al acht medeslachtoffers werden behandeld. De meesten hadden een partner, ouder of vriend bij zich.

Op een grote vierkant tafel stond een blad met een paar koffiekannen, kannen met heet water, een doos met allerlei theesoorten en een schaal met diverse soorten verpakte koeken.

Nadat ze zich gemeld hadden gingen ze zitten en ze keken ongemakkelijk om zich heen.

De chemospullen voor Astrid werden afgeleverd en een verpleegkundige kwam Astrid aanprikken voor het infuus.

Het lukte bij de tweede poging en het buisje werd met pleisters vastgezet op haar hand waarna het infuus erop werd aangesloten.

De zakjes vloeistof hingen aan een soort kapstok. In het ene zakje zat de chemo en in het andere medicatie om de misselijkheid tegen te gaan.

Terwijl ze met haar bezig waren hield Astrid haar hoofd afgewend en kneep in Evelyns hand.

Evelyn hield alle handelingen met argusogen in de gaten.

'Zo alles zit.'

'Wat een vreselijk idee dat het gif zo mijn lichaam binnenkomt, ik voel me nu al ziek,' zei Astrid.

'Dat is verbeelding, want je krijgt eerst de vloeistof die het braken moet tegen gaan.'

Toen het ene zakje leeg was ging er een pieptoon af en sloot men het andere zakje aan.

Evelyn schonk voor hen thee in, keek bezorgd hoe haar dochter zich hield en probeerde haar een beetje af te leiden met een gesprekje over alledaagse dingen.

Toen weer een piepje aangaf dat ook het tweede zakje leeg was werd Astrid losgekoppeld en mocht ze met een tas vol medicatie naar huis.

De eerste twee dagen gingen goed. Astrid controleerde iedere morgen haar kussen op uitgevallen haren en was steeds gerustgesteld omdat daar nog geen sprake van was.

De derde dag begon de misselijkheid en ze was twee dagen lang zo ziek als een hond. De medicijnen die ze ervoor had meegekregen hielpen niets of konden hun werk niet doen omdat ze niets binnen hield. Na een week knapte ze weer een beetje op en ze verheugde zich erop dat ze zich een week goed zou voelen voordat ze weer met de volgende chemo moest beginnen.

Evelyn en Willem gingen naar huis en spraken af dat ze bij de volgende kuur terug zouden komen.

'Hoeft niet mam, Lisa komt een week bij me slapen na de tweede en Bea heeft vrij genomen voor de week na de derde.'

'Dan kom ik gewoon een dagje op en neer.'

'Bedankt mam, voor alles en Willem, jij ook bedankt. Jullie hebben heel goed voor me gezorgd, maar ik weet zeker dat jullie allebei weer naar jullie eigen bedje verlangen.'

'Dat is absoluut waar. Maar als we hier nodig zijn dan zullen we er ook voor je zijn. Als je dat maar weet.'

De volgende maandag was het tijd voor de tweede chemo-kuur. Lisa was de avond ervoor al gekomen en zou de week na de chemo bij haar slapen. Overdag zou ze dan wel alleen zijn, maar haar moeder zou komen als het nodig was en Marieke zou ook een oogje in het zeil houden.

De tweede verliep als de eerste kuur en toen ze klaar waren besloten ze ergens te gaan lunchen.

'Nu kan het nog, straks ben ik misschien weer zo misselijk als wat,' zei Astrid.

Ze wandelden naar een gelegenheid en bestelden een glas witte wijn terwijl ze de kaart bekeken.

'Mag dat wel. Wijn na die chemo?'

'Weet ik niet en het kan me niet schelen ook. Wat voor schade zou die wijn kunnen na al dat gif dat ze weer in me hebben laten lopen?'

'Als het maar smaakt. Ik zou zeggen, geniet ervan. Proost meid, op een voorspoedige genezing.'

Ze hieven beiden het glas.

'Nog wat van Thomas gehoord?'

'Ja, nadat ik hem na de operatie vertelde wat er met me aan de hand was en ik heb gezegd dat ik het geen goede start vond voor een nieuwe relatie, heeft hij op mijn mobiel en thuis ingesproken dat hij het erover wilde hebben. Daarna heb ik bijna drie weken niets meer van hem gehoord.'

'Wat raar.'

'Ach, ik zei toch dat hij een echte borstenman is. Hij kan het kennelijk niet aan, dat heb ik dus goed aangevoeld. Sinds verleden week belt hij steeds, maar als ik zie dat hij het is, druk ik hem weg. Nu hoeft het voor mij niet meer.'

'Je kunt hem op zijn minst aanhoren. Wie weet wat hij te zeggen heeft.'

'Na zo'n bericht bijna drie weken radiostilte? Als hij er zolang over na moet denken of hij een relatie met mij in deze omstandigheden aan kan, weet ik het antwoord wel.'

'Wees nou niet zo snel met je oordeel. Iedereen heeft zijn eigen gebruiksaanwijzing. Weet jij veel wat hem heeft bezig-gehouden.'

'Ik wil het er niet verder over hebben,' zei Astrid nurks.

Weer voelde Astrid zich de eerste twee dagen na de chemo redelijk tot goed.

De derde dag werd ze vroeg in de ochtend wakker en was ze zo ziek als een hond. Lisa installeerde haar zo goed mogelijk met alles om haar heen voordat ze naar haar werk ging.

Evelyn en Willem zouden om een uur of elf komen.

'Ga maar,' zei Astrid schor tegen Lisa die om haar heen liep te redderen. 'Ik red het wel tot mama komt en trouwens, er is toch niets aan te doen. Ik moet er weer gewoon doorheen.'

'Morgen ben ik vrij en kan ik bij je blijven,' zei Lisa. Ze pakte haar spullen en liep naar de deur. 'Sterkte vandaag en hou je taai.'

Astrid voelde weer een golf van misselijkheid opkomen en ze wuifde haar weg.

Om half elf waren Evelyn en Willem er al.

Evelyns hart brak toen ze haar dochter met zwarte kringen onder haar ogen doodziek aantrof.

'Ach lieverdje toch, weer net zo erg als de vorige keer en nu ook nog met minder weerstand.' Evelyn ging met haar jarenlange verpleegsterservaring met Astrid aan de slag. Veel kon ze niet doen, maar ze kon er wel voor zorgen dat ze er schoon en comfortabel bijlag.

Tegen de avond ging het wat beter en viel ze doodmoe van het overgeven in slaap.

Evelyn en Willem lieten haar maar lekker slapen en gingen weer weg zonder afscheid te nemen toen Lisa de verzorging overnam.

Tegen het weekend verdween de misselijkheid, maar er kwamen weer andere kwalen voor in de plaats. Haar linkerarm deed erg zeer en werd erg dik, ze had prikkelingen in haar handen en voeten en erg branderige ogen. Lisa belde naar het ziekenhuis en kreeg instructies over hoe ze het een en het ander het hoofd moesten bieden.

Op zondag voelde Astrid zich goed genoeg om alleen te kunnen zijn. Lisa ging naar huis en Astrid verheugde zich op een week van rust en zich relatief goed voelen voordat ze naar wat ze hoopte de laatste chemokuur in zou gaan.

De eerste nacht dat ze weer alleen was, sliep Astrid wel twaalf uur lang, achter elkaar.

Ze rekte zich voorzichtig uit en probeerde vast te stellen waar ze pijn had. Ze wreef haar voeten over elkaar en wreef in haar handen. Die vervelende prikkelingen waren weg, ze zou er bijna een goed humeur van krijgen.

Ze zette zich met haar rechterarm af om overeind te komen en zwaaide haar benen over de rand van het bed. Haar linker arm deed vanwege het verwijderen van de lymfeklieren in haar oksel nog steeds pijn. Ze trok de kous die ze over haar linker arm moest dragen om de zwelling tegen te gaan en het vocht te reguleren, onder haar kussen vandaan en verstarde in die beweging toen ze zag dat haar kussen bezaaid was met plukken haar.

Ze ging staan en liep naar de badkamer om daar in de

spiegel de schade te bekijken.

Ze had erg dik haar en zo te zien viel het nog wel mee hoewel het slap en in zweterige pieken om haar gezicht hing. Ze besloot dat ze het maar eens zou wassen om daarna te bekijken of er nog iets mee te beginnen was.

Ze liep terug naar haar slaapkamer om haar kleding bij elkaar te zoeken en legde die klaar op een stoel.

In de badkamer kleedde ze zich uit en bekeek ze haar gedeukte tepelloze linker borst.

'Niet echt geweldig,' dacht ze, 'Maar al wel heel wat beter dan net na de operatie.'

Ze draaide de douchekraan open en ging onder de warme straal staan.

Ze zeepte zich in en zag dat ook haar schaamhaar losliet en het doucherooster verstopte. Dat schaamhaar was zo erg niet, tegenwoordig was een haardos in de schaamstreek volstrekt uit de mode. Ze deed met haar rechterhand shampoo op haar hoofd en masseerde die zachtjes met gesloten ogen in.

Ze deed gealarmeerd haar ogen open toen ze voelde hoe de haren aan haar hand bleven plakken. Ze had opeens een hele bos krullen in haar hand en met een oerkreet van schrik en verdriet liet ze zich met haar handen vol haar, langs de muur in de hoek van de douche op de tegels zakken.

Ze jammerde en brulde steeds harder tot ze niet meer kon en zacht snikkend op de grond bleef zitten terwijl de douchebak vol liep omdat het water niet weg kon.

Hoofdstuk 13

In Boston was Thomas nadat Bennie van de intensive care was steeds bezig geweest te proberen contact met Astrid te krijgen. Hij belde haar dagenlang maar kreeg steeds de voicemail of werd weggedrukt. De mailtjes die hij haar stuurde werden niet geopend en Thomas was zo langzamerhand ten einde raad. Hij kon niet weg uit Amerika. Bennie was weliswaar uit het ziekenhuis, maar nog niet naar school. Dat zou nog wel een week of drie duren en zolang hij nog niet in orde was wilde hij zijn zoon niet aan de au pair overlaten.

Hij had overwogen Louise te bellen maar dat niet gedaan. Hij vond het niet ethisch zijn relatie met Astrid met haar dochter te bespreken.

Toen Bennie in zijn ogen voldoende hersteld was om een paar dagen bij een vriendje te gaan logeren, boekte hij zijn vliegticket naar Amsterdam.

Bennie had het er na al de aandacht van de afgelopen maand moeilijk mee.

'Papa, niet weg gaan, dan ben ik helemaal alleen!' zei hij.

'Nee joh, je gaat logeren bij Brian. Dat vind je altijd leuk, toch?'

'Jawel,' aarzelde hij. 'Maar Brian gaat naar school en dan ben ik daar helemaal alleen.'

'Dan gaat de mama van Brian jou lekker vertroetelen en jij moet nog veel rusten dus het komt goed uit dat Brian naar school moet. Papa moet echt op reis want weet je, tante Astrid is ook ziek en helemaal alleen en papa wil bij haar gaan kijken.'

'Ja, dat is zielig, ik bedoel dat tante Astrid alleen is en ziek,' en met een blik op de tientallen kaarten van iedereen die hem beterschap had gewenst, 'Dan ga ik voor tante Astrid een mooie kaart maken en die moet jij dan meenemen en aan haar geven.'

Thomas aaide hem over zijn bol.

'Dat is lief van je, ze zal er vast heel blij mee zijn.'

Bennie ging meteen aan de slag om een kunstwerkje te knutselen voor Astrid. Toen het af was schreef hij met grote hanenpoten: "Lieve tante Astrid, wat zielig dat jij ook ziek bent. Jammer dat je niet hier bent dan hadden we gezellig samen ziek kunnen zijn, veel kusjes van Bennie".

Thomas zocht een enveloppe waar de kaart inpaste en legde hem boven op de koffer, zodat hij hem niet zou vergeten.

De volgende morgen vertrok hij nadat hij Bennie bij de moeder van Brian had afgeleverd.

Om twee uur 's nachts kwam hij in Den Haag aan. Bij Astrid was natuurlijk alles donker op dat tijdstip en hij besloot zijn koffer uit te pakken en te gaan slapen.

Dat kostte hem vanwege het tijdverschil moeite. Het voelde raar zo dicht bij haar te zijn, slechts gescheiden door een vloer. Hij zou wel naar beneden willen rennen om haar in zijn armen te sluiten maar dat kon hij gezien de omstandigheden en op dit uur niet doen. Hij moest geduld oefenen tot de ochtend. Thomas probeerde zich af te leiden door wat te lezen, maar na en poosje merkte hij dat hij de zelfde bladzijde drie keer had gelezen en nog niet wist waarover het ging. Met een zucht gooide hij het dekbed van zich af en stond op om zich een flink glas whisky in de schenken. De drank deed uiteindelijk zijn werk en om een uur of vijf viel hij in slaap.

Thomas werd om half tien wakker. Hij kleedde zich snel aan en pakte de sleutelbos waar ook de sleutel van Astrids huis aan zat.

Hij deed heel zachtjes, want hij wilde haar verrassen met zijn komst.

Hij deed heel zachtjes zijn eigen deur dicht en die van Astrid open. Hij bleef even staan in de hal, verrast door een vreemd geluid.

Er werd hartstochtelijk gehuild. Niet gewoon, er werd schor gejammerd. In een paar passen was Thomas bij de badkamer. De deur stond op een kier. Zijn hart brak toen hij haar daar naakt in de hoek van douche op de grond zag zitten. Ze zag er deerniswekkend uit. Het water dreigde over de doucheafscheiding heen te stromen omdat de afvoer verstopt zat met al dat

287

haar. Hij zag dat ze haar handen vol haar had die ook overal op haar lijf plakten. Hij liep de douche in en tilde haar van de grond. Astrid keek hem met wanhopige ogen aan.

'Mijn haar, kijk nou toch, mijn haar,' zei ze.

'Ach, kom maar schat.' Thomas schopte zijn schoenen uit en pakte de douche.

Met een arm ondersteunde hij haar terwijl hij haar met de andere afspoelde. Hij bukte zich om de haren weg te halen bij het afvoerputje zodat de boel niet zou overstromen.

Hij spoelde de shampoo uit haar haren en zag dat er nog meer losliet. Hij liet het water over haar lichaam lopen tot alle losse haren weg waren. Hij wikkelde haar in een badlaken en deed een grote handdoek als een tulband om haar hoofd.

Hij tilde haar op en zette haar op de bank met een kussen in haar rug.

Astrid liet het hem zwijgend doen.

'Ik doe even mijn natte kleren in de droger en dan maak ik wat te drinken voor ons.'

Even later kwam hij terug in een badjas met twee bekers thee en ging naast haar zitten en trok haar voeten op zijn schoot.

'Dappere Dodo,' zei hij liefkozend en hij masseerde haar voeten.

Astrid zat te frummelen met een papieren zakdoekje.

'Is het nou goed?' vroeg Thomas. 'Mag ik nu eindelijk een beetje voor je zorgen?'

'Je hebt gezien hoe ik eruitzie,' hikte ze. 'Anderhalve borst, een gedeukt en zonder tepel, grote kale plekken op mijn kop, dat is toch niets voor een borstenman?' Haar stem schoot uit en de tranen liepen weer over haar wangen.

Thomas leunde naar haar toe, kuste haar zachtjes op de mond, nam het papieren zakdoekje uit haar onrustig frieme-lende handen en depte zachtjes de tranen van haar gezicht.

'Ik ben voornamelijk een Astrid Tuinman-man. Astrid, ik hou van je, met of zonder borsten. Ik hou van je, met en zonder haar. Ik hou van je dik of dun, en vooral door dik en dun.'

'Ik hoorde anders twee weken helemaal niets van je nadat ik zei dat ik de relatie wilde beëindigen,'gaf Astrid zich niet zomaar gewonnen.

Toen Thomas over het ongeluk van Bennie was uitverteld voelde ze zich schuldig dat ze zo slecht over hem had gedacht.

'Kan hij echt wel al weer zonder je?'

'Toen hij hoorde dat jij in het ziekenhuis lag en helemaal alleen was, had hij geen enkel bezwaar meer. Hij heeft zelfs een kaart voor je gemaakt. Die zal ik je straks geven. Ik ga hem iedere dag bellen en mailen.'

'Ik heb mijn computer niet meer aangehad na de operatie,' zei Astrid.

'Nou, als je hem dan weer aanzet vind je vast meer dan honderd mailtjes van mij.'

'Was ik al bang voor, daarom zette ik hem ook niet aan. Louise belt me iedere dag, die denkt dat de computer nog steeds kapot is.'

'We moeten wat aan je haar doen,' zei Thomas. De tulband was losgeraakt en zat vol plukken.

Astrid stond op liep naar de spiegel en tastte met beide handen haar hoofd af. 'Ik kan het er beter helemaal afhalen want dit is ook geen gezicht.'

'Je hebt gelijk. Zal ik het voor je doen? Ik haal mijn kleren uit de droger en dan loop ik even naar boven om mijn tondeuse te pakken.'

'Ja, doe maar. Dan kleed ik me ondertussen aan.'

Even later kwam Thomas weer binnen met de kaart van Bennie en de tondeuse. Ze legden een badlaken op de grond onder de stoel die Astrid klaar had gezet voor de spiegel in haar slaapkamer.

Astrid bewonderde de kaart van Bennie.

'Wat lief van hem.' Ze zette hem op haar toilettafel.

'Kan ik beginnen,' vroeg Thomas met de tondeuse in de aanslag.

Hij begon achter in haar nek en weldra had ze een geheel kaal hoofd.

In de spiegel keken ze elkaar aan. Thomas streelde haar hoofd. 'Wat heb je toch een prachtig mooi rond hoofd, dat heeft ook lang niet iedereen. Je ogen lijken ook groter en sprekender.'

'Het voelt wel opgeruimd, het is alleen zo wit, zal ik er make-up op moeten doen?'

'Ach je hebt vast wel een verzameling leuke sjaaltjes en hoedjes, en zo niet, dan gaan we die straks kopen. We kunnen ook vanmiddag op zoek gaan naar een pruik voor je.'

Astrid had een zwart gebreid jurkje aan met een dikke roestbruine panty, zwarte laarzen en een roestbruine riem om haar heupen. Ze diepte uit een lade een sjaaltje op in diezelfde kleuren dat ze half over haar oren in haar nek vastknoopte.

'Je ziet er echt fantastisch uit schat, kom eens bij me.'

Astrid liet zich op zijn schoot zakken en keek hem aan.

'Mag ik nu eindelijk, na al die jaren echt geloven dat wij voor elkaar bestemd zijn en geloof je me nu ook als ik zeg dat ik van je hou in voor en tegenspoed?' vroeg Thomas.

'Ja, ja, ja!' Astrid kuste hem tussen iedere ja.

2010

Tevreden zat Astrid zich met de baby van Louise op schoot te koesteren in de avondzon.

Het was een prachtige zomer.

Louise en haar man Bill waren enkele weken over uit Amerika met hun zes maanden oude dochter Eva, genoemd naar haar overgrootmoeder.

Evelyn was anderhalf jaar geleden overleden, nadat Willem haar twee jaar daarvoor was voorgegaan.

Evelyn kon Willems dood niet goed verwerken. Ze was eenzaam en werd snel daarna ziek.

'Kom toch bij ons wonen,' zeiden Thomas en Astrid steeds en na lang aandringen verkocht ze haar huis in Vianen en kwam in Den Haag inwonen bij Thomas, Astrid en Bennie.

Toen haar moeder bedlegerig werd nam Astrid vrij om voor haar te zorgen.

Ze was uiteindelijk vredig in haar slaap gestorven voordat de ziekte al haar levensvreugd zou hebben ontnomen. Astrid was blij geweest dat ze dat laatste jaar voor haar had kunnen zorgen.

'Jammer dat ze de baby van Louise niet meer heeft meegemaakt,' dacht Astrid met haar ogen dicht.

'Toch voel ik haar aanwezigheid, en dat is een veilig en fijn gevoel.'

In de andere hoek van de tuin waren Thomas, Bennie en Bill bezig met het planten van enkele struiken. Louise kwam naar buiten met een blad met verfrissingen en riep naar de mannen.

'Wat ben ik een gelukkig mens,' dacht Astrid.

Toen ze vijf jaar geleden de twee huizen met elkaar hadden verbonden waren ze getrouwd.

Het huis was mooi geworden en was praktisch gebleken toen Evelyn in kwam wonen en nu had Bennie er zijn eigen afdeling.

Hij had zich goed aangepast in Nederland en zou volgend jaar naar de universiteit gaan. Waarschijnlijk toch in Amerika. Ze zou hem missen.

Ze had haar kanker goed overwonnen. Ze kreeg de eerste jaren nog ieder jaar een oproep voor controle. Na drie jaar werd ze schoon verklaard.

De plastische operatie die ze vier jaar geleden onderging was geslaagd. De nieuwe tepel zag er levensecht uit nadat het tepelhof was getatoeëerd. Er zat alleen geen gevoel meer in maar dat was nauwelijks een probleem te noemen.

Vanmorgen echter bij het douchen had ze weer een knobbeltje ontdekt.

'Altijd in het weekend,' dacht ze, net als de vorige keren.

Ze had deze vondst nog met niemand gedeeld. Ze zou het zondag als Louise, Bill en Eva wegwaren wel tegen Thomas zeggen.

Ze was niet boos of bang. Ze vertrouwde erop dat het ook deze keer weer goed zou komen.

Ze voelde de handen van haar moeder geruststellend op haar schouders.